# DU MÊME AUTEUR

*Aux Éditions Gallimard*

UN AMÉRICAIN PEU TRANQUILLE («Folio», n° 4171).
DES FEUX MAL ÉTEINTS («Folio», n° 1162).
DES BATEAUX DANS LA NUIT («Folio», n° 1645).
L'ÉTUDIANT ÉTRANGER («Folio», n° 1961).
UN ÉTÉ DANS L'OUEST («Folio», n° 2169).
LE PETIT GARÇON («Folio», n° 2389).
QUINZE ANS («Folio», n° 2677).
UN DÉBUT À PARIS («Folio», n° 2812)
LA TRAVERSÉE («Folio», n° 3046).
RENDEZ-VOUS AU COLORADO («Folio», n° 3344).
MANUELLA («Folio», n° 3459).
JE CONNAIS GENS DE TOUTES SORTES («Folio», n° 3854).

*Dans la collection « À voix haute »*

MON AMÉRIQUE.

*Aux Éditions Albin Michel*

TOMBER SEPT FOIS, SE RELEVER HUIT, 2003 («Folio», n° 4264).
FRANZ ET CLARA, 2006 («Folio», n° 4612).

*Aux Éditions Denoël*

TOUS CÉLÈBRES.

*Aux Éditions Jean-Claude Lattès*

CE N'EST QU'UN DÉBUT (avec Michèle Manceaux).
DES CORNICHONS AU CHOCOLAT.

*Aux Éditions Nil*

LETTRES D'AMÉRIQUE (avec Olivier Barrot) («Folio», n° 3990).

# LES GENS

PHILIPPE LABRO

# LES GENS

roman

GALLIMARD

*Il a été tiré de l'édition originale de cet ouvrage*
*trente exemplaires sur vélin pur fil*
*des papeteries Malmenayde numérotés de 1 à 30.*

*Pour mon fils, Jean.*

Il n'est rien dans ce monde qui soit d'un
seul bloc — tout y est mosaïque.

BALZAC

# 1

Ils m'ont jetée du camion.

S'ils n'avaient pas été au moins trois hommes à s'emparer de moi pour me balancer par-dessus le plateau arrière du pick-up, je serais peut-être tombée moins loin, j'aurais atterri sur la piste et le gravier et je me serais foulé une cheville ou brisé un avant-bras ou quelque chose comme ça, ou plus grave encore. Mais, par la force de leurs gestes, j'ai volé plus loin, projetée en l'air comme ces sacs de grains que s'envoient les hommes à la chaîne, au pied des silos dans la ceinture de maïs de l'Iowa. Et je me suis retrouvée dans le creux du fossé d'écoulement des eaux qui bordait la *dirt track*. Mon corps a tournoyé, si bien que j'ai heurté le sol mou et mouillé de façon latérale, l'épaule d'abord, ensuite la hanche et le rond de la fesse et le plat de la cuisse, et ça m'a sans doute épargné une fracture. Sur le coup, je n'ai même pas eu mal.

Ou plutôt, ç'a été un mal très fugitif, car le choc physique a disparu sous l'effet d'un phénomène vertigineux. À l'instant même de la tombée de mon corps dans la vase du fossé, il est arrivé quelque chose d'étrange. Pendant un temps que je serais incapable de mesurer, un éclair de seconde, une lumière laiteuse et blanche a envahi ma personne. Des dizaines de minuscules images se sont bousculées dans ma tête : un lit d'hôpital ; le couloir d'une école ; un escalier sombre ; une gare d'autobus encombrée de gens silencieux ; un gros monsieur au mauvais sourire vêtu d'un manteau long et noir ; une dame sévère assise sur un fauteuil à bascule ; des serrures et des poignées de porte ; des canapés éventrés et des visages de femmes attentives et autoritaires, la plupart en tablier blanc, l'une d'entre elles avait l'air plus gentille que les autres, et des enfants qui s'agitaient autour de moi en me montrant du doigt. Car je me voyais au milieu de ce brouillamini de lieux, de gens et de moments, je me suivais comme au spectacle. Et puis, ç'a disparu de façon aussi fulgurante que cela s'était produit et je suis revenue à moi, consciente de la projection de mon corps dans le fossé, consciente du camion qui démarrait, parce qu'il avait freiné et s'était arrêté afin que les types puissent me saisir et m'éjecter. Cela voulait dire que le chauffeur avait été mis au courant et que toute cette action n'était pas improvisée. Ils avaient bien préparé leur coup, ils avaient bien planifié leur éruption de violence.

J'ai entendu ces saligauds rigoler et la voix de l'un d'entre eux qui gueulait :

— T'inquiète pas, la polack, tu trouveras vite du boulot ailleurs !

J'ai cru aussi reconnaître un autre son, l'accent tremblé de la vipère qui m'avait, dès le premier jour des vendanges, prise par la main, m'avait pincé la peau de ses ongles pointus et m'avait dit que je ne durerais pas longtemps, qu'elle ferait tout pour qu'on me vire.

J'avais dit :

— Pourquoi, qu'est-ce que je vous ai fait ?

Elle avait répondu :

— Tu es trop belle, ma belle, tu vas mettre le bordel chez les hommes — et chez les filles aussi —, on n'a pas besoin de ça ici.

Maintenant, je reconnaissais son timbre sifflé, la musique aigre et vicieuse de Sally, la sous-contremaître. Mais je ne pouvais pas comprendre ses paroles, ni comment elle ajoutait du fiel aux exclamations réjouies des couillons qu'elle savait si aisément manipuler. Le concert des voix s'était perdu dans le bruit du moteur du pick-up qui s'éloignait et j'ai reçu le nuage de poussière qu'il soulevait. Ça a flotté autour de moi, blanc et âcre. Le fossé sentait le raisin écrasé, la sauge, l'herbe, la terre imbibée et friable. Rapidement, l'eau stagnante au fond du fossé a gagné mes jambes, mon jean, ma blouse, mais je ne m'en souciais pas. Un instant, j'ai eu la tentation de ne plus bouger. Il faisait si chaud que j'étais soulagée de mariner dans une sorte de cloaque. J'entendais encore, bien qu'elle se soit totalement estompée, la voix de Sally, cette femme à laquelle j'avais réussi à résister pendant trois semaines et deux jours, j'entendais sa chanson perfide et dominatrice.

J'ai eu envie de me coucher dans ce lit naturel, de m'y recroqueviller et de m'y endormir et de ne plus en sortir, d'y demeurer pour le restant de mes jours, de m'y lover comme dans le liquide du ventre de cette mère que je n'avais pas connue, enfantée par un homme que je n'avais jamais vu. Mais je me suis relevée, tâtant mes membres, mes côtes, mes seins, mon ventre, mes genoux, rien de cassé, ça va, sors de ton trou, « ma belle », tu n'as que seize ans et toute une vie devant toi.

Il devait être plus de 14 heures, le soleil commençait à vous cogner la nuque, et j'ai emprunté la piste dans le sens contraire du camp vers lequel s'était dirigé le pick-up, en espérant qu'un autre véhicule, vide celui-là, parti chercher du ravitaillement à Carson City, s'arrêterait à la vue de mon pouce levé. Et que, pour une fois, le chauffeur n'essaierait pas de me caresser les jambes, en balbutiant que j'étais une *pretty girl*, et que, pour une fois, je n'aurais pas à lui demander qu'il me foute la paix, ni à lui dire que tous les hommes sont des salauds.

J'ai attendu plus d'une heure, je sentais ma gorge qui brûlait, mes yeux qui piquaient, le soleil avait déjà séché ma chemise et mon jean, je marchais lentement sur la piste qui longeait les étendues de vignes en pentes douces, interminables, ondoyantes, du vert qui se mélangeait à du vert, du bleu, de l'ocre, je ne voyais que les couleurs, ne parvenant plus tout à fait à les séparer : le vert des vignes, l'ocre de la terre, le bleu du ciel, et le bleu plus foncé, presque noir virant au violet, des grappes de raisin. Ça devait être la soif, ou l'effet retard de ma chute. J'ai décidé de m'asseoir au milieu de la piste droite, blanche et jaune, au moins comme ça le premier véhicule qui passerait serait forcé de ralentir. Mais j'ai entendu le bruit lointain d'un moteur, je me suis retournée en agitant la main. Un pick-up a freiné. C'était l'une des Ford rouges de la coopérative, Miguel au volant.

— Monte, Maria, m'a-t-il dit. J'ai quelque chose pour toi.

Je me suis assise à ses côtés. C'était agréable de sentir la fraîcheur de la cabine à air conditionné. Il m'a tendu mon sac à dos.

— Tiens. Au camp, quand ils ont raconté ce qu'ils t'avaient fait, je les ai laissés parler et se marrer, et puis je suis allé récupérer tes affaires sur ta couchette, y en a pas beaucoup, hein. J'ai tout fourré dans ton sac. Je devais aller en ville faire de l'essence et prendre un arrivage de nouveaux saisonniers, j'ai pensé que ça ne serait pas très difficile de te retrouver.

— Merci, Miguel.

Il n'a pas répondu. Je l'ai regardé. Je ne l'avais pas croisé plus de trois ou quatre fois depuis mon arrivée au camp. Il faisait partie de l'équipe des chauffeurs, et ces types-là, quand on est entassé à l'arrière du *truck*, on n'a pas beaucoup l'occasion de leur parler. Ils vous déposent au pied des vignes à 7 heures du matin, et ils repartent, et on ne les revoit pas avant la fin du jour. Et puis, c'était un Mex. Et, comme la plupart des Mex, il se tenait à l'écart des équipes de Blanches et de Blancs.

Il était petit, on devinait des cheveux gris sous un chapeau western en paille, troué sur les bords, maculé de sueur, il avait une moustache gris et noir au-dessus de ses lèvres plutôt fines. Il y avait deux balafres sur son visage, une au bas du menton, une autre sur le haut de son front, de la même dimension, la même forme, comme deux virgules dessinées dans la chair. Miguel portait une Levis jacket élimée, une chemise de travail bleue avec des boutons-pression, un pantalon de toile beige et de drôles de petites chaussures en caoutchouc noir, sans talon, plates, on aurait cru des pantoufles. Il avait une voix douce, volontairement discrète, la voix des gens qui s'efforcent de passer inaperçus, qui ont pour règle de vie de se perdre dans la foule. De ne jamais attirer l'attention d'une quelconque autorité. *No trouble* : pas d'ennuis. La voix des anonymes qui fuient l'uniforme et la loi. J'ai essayé de déterminer s'il s'agissait d'un adversaire ou d'un solidaire, ou s'il était neutre. Mais, après tout, il avait pris l'initiative d'aller jusqu'au dortoir des filles, de repérer mon nom sur le tableau, dans les cases à l'entrée, avec le numéro de la couchette, et de marcher jusque-là. Je l'imaginais, traversant le grand hangar vide à cette heure-là, toutes les filles étant déjà dans les champs. Il avait dû grimper sur la couchette supérieure, s'assurer que c'était bien la mienne, trouver mon sac, mes vêtements, ma trousse de toilette, ranger l'ensemble et descendre pour revenir jusqu'au *truck*. Un homme, un inconnu ou presque, qui agit ainsi ne peut pas être un ennemi. J'ai répété :

— Je te remercie beaucoup, Miguel, vraiment. Beaucoup.

— *De nada.*

Il gardait les yeux fixés sur la piste à travers le pare-brise. Au plat du terrain avait succédé une série de petites côtes, avec quelques virages. Miguel conduisait avec la même prudence et la même méticulosité que celles qu'il mettait dans ses propos : pas un mot de trop, pas d'excès. Une fois passés les pentes et les tournants, quand une interminable ligne droite s'offrit à nous, sous un soleil devenu presque laiteux, il reprit la parole.

— Remarque, tu pourrais porter plainte, si tu voulais. Tu pourrais leur faire un procès.

J'ai ri. Miguel a continué de sa voix toujours douce.

— Quand même, ils auraient pu te tuer. La tête fracassée, hein.

Il s'accordait des morceaux de silence entre chacune

de ses phrases, comme si sa pensée ne se développait que lorsqu'il avait émis une idée, y avait réfléchi, et pouvait dès lors avancer dans son discours.

— Mais tu ne le gagnerais pas, le procès. Aucun témoin. Personne ne viendrait témoigner contre eux.

J'ai ri encore.

— T'as raison.

— Tu t'es demandé pourquoi ils t'ont giclée comme ça ?

— Non, j'y ai pas réfléchi.

Mes vêtements, après avoir séché, avaient été recouverts par la poussière de la piste pendant ma longue marche d'une heure et j'ai voulu m'en débarrasser en frottant mon buste, mon ventre et mes cuisses du plat de la main. Je me suis aperçue que j'éprouvais beaucoup de peine à effectuer ce simple geste. Peu à peu, le choc de la chute s'emparait du moindre de mes mouvements et de toutes les parties de mon corps, mais c'était de l'humiliation qui avait surgi en moi, et cette douleur physique, cette charge qui me pesait soudain, ne faisait que traduire une sorte de honte, le sentiment saumâtre d'avoir été exclue, évacuée, comme si l'on m'avait dit : tu n'es rien, tu n'es qu'un détritus qu'on expédie dans les caniveaux. Un paquet de rien. Un colis de néant. Une merde humaine. Aussi bien étais-je incapable de répondre à Miguel. J'étais encore moins prête à comprendre cet instant si bref, l'éclat de lumière juste après ou pendant la chute et les visions qui m'avaient envahie. Pourtant, ces images revenaient maintenant et, avec la douleur de mes membres, le mélange de l'humiliation, des courbatures, et le mystère de ce défilé des choses du passé, je me sentais subir une de ces transformations qui vous font croire que votre vie est en train de tourner.

— Essaie de ne pas trop empoussiérer la cabine, si tu veux bien, a dit Miguel.

— Pardon. Je la nettoierai quand on sera arrivés à Carson.

— Non, non, ça ira.

Il s'est tourné vers moi pour la première fois depuis qu'il m'avait ramassée sur la route.

— T'es pas bien, Maria ? Tu veux qu'on s'arrête ? T'as pas l'air bien d'un seul coup.

— Non, Miguel, ça va, merci.

La bonté de cet homme m'a étonnée. J'ai cessé de penser à moi. J'ai regardé les deux cicatrices qui enlaidissaient la partie droite de son visage et l'ingratitude de ses traits m'a paru belle et j'ai eu envie de porter mes mains vers ces marques — d'un barbelé ?, d'une bagarre ?, d'une correction infligée par un flic de la patrouille des frontières, une nuit, du côté d'El Paso ? —, mais je n'ai pas osé. Je me méfiais tellement des hommes, et puis j'ignorais ce qu'était la tendresse. Comme s'il avait entendu mon interrogation mentale, ou bien parce que j'étais restée trop longtemps à scruter le dessin de ses blessures, il m'a dit :

— Je ne suis pas arrivé en Amérique par un avion de ligne, tu sais.

— Je ne t'ai rien demandé.

— Je sais. On est pareil, toi et moi. On vient d'ailleurs.

— C'est pour ça que tu m'as aidée ?

— Peut-être. Tu pourrais être ma fille.

Je n'ai pas su quoi répondre. Mais je savais bien d'autres choses.


Ce que je savais ?

Dire merci, dire pardon, m'excuser, m'effacer, me courber, m'écraser, me taire, nettoyer à genoux et à quatre pattes, dos cassé, doigts écartés, les sols et les parquets, les dalles et les surfaces en lino des bureaux, des hôpitaux ou des bibliothèques municipales. Gratter, frotter, poncer et puis laver, langer, repasser, récurer, astiquer, cirer, brosser, poudrer, sécher, détacher, attacher. Et baisser les yeux et ne jamais répondre à une insulte, à une remarque, à un regard. Celui d'une femme, ou d'un homme — encore moins d'un homme.

Servir. Dans les motels, les *diners*, les bars et les restos, chez des gens ordinaires ou dans des collectivités ordinaires, mais aussi, une fois, dans une vaste demeure aux couloirs qui sentaient la lavande, et dont les boiseries, le soir, renvoyaient le reflet doré d'une pâle luminosité rose, descendue du coucher du soleil à travers des cyprès centenaires, lourds de verdure, lourds de tous les dollars que ç'avait coûté pour les entretenir. Ou bien une autre fois, dans un asile de personnes âgées, dont les murs beiges recevaient, le soir, l'ombre portée des grues d'un chantier voisin, avec le cri des albatros dans le port, car on n'était pas très loin des docks de San Diego et, avec, parfois, des odeurs de poisson, de phosphore, de mazout et d'océan qui venaient s'infiltrer dans le relent fadasse des carottes bouillies de la cantine qu'on allait distribuer à ces morts en sursis, ces sourds et ces aveugles, ces bégayeurs sur deux roues, ces fins de vie en chaise roulante, ces quémandeurs d'une affection, que je ne savais pas donner, je ne savais pas comment on aime des gens que l'on ne connaît pas. Personne ne me l'avait appris.

Mais servir, je savais faire, et j'avais déjà beaucoup fait. À seize ans, quelquefois, je m'en croyais quarante. Servir, ça, ils me l'avaient appris, mes parents adoptifs.

Qui étais-je, ils me l'avaient aussi et très tôt appris. Ils n'avaient pas pris de gants. Ils n'avaient pas voulu attendre que les autres enfants, à l'école, tournent autour de moi en chantant que la fille de Wojtek et Jana Wazarzaski n'était qu'une bâtarde. Ils avaient préféré tout me dire, à peine avais-je été en âge d'enregistrer ces quelques phrases sèches, coupantes, maladroites :

— Tu n'es pas la fille de ta mère, ni la mienne, ça que c'est une amie de ta mère qui t'a confiée à nous. On ne l'a jamais revue. Ça qu'on t'a adoptée et on t'a appelée Maria. Tu es notre fille, tu t'appelles Wazarzaski, ça que c'est sûr, mais tu n'es pas notre fille. Et je ne suis pas ton père. Ça que tu dois savoir puisque tu n'es pas vraiment ma fille.

Wojtek avait l'habitude de souligner ainsi ce qu'il voulait dire, comme si on ne l'avait pas entendu, comme si ceux et celles à qui il s'adressait avaient besoin de ce fastidieux aller et retour verbal, impuissant qu'il était à parler de façon directe. C'était le genre d'homme qui, pour demander un verre de lait, ne pouvait s'empêcher de procéder à une curieuse valse-hésitation :

— Je voudrais du lait. Du lait dans un verre, c'est ça que je voudrais. Un verre de lait, s'il vous plaît, je voudrais bien. Ça que vous me donnez, du lait dans un verre.

Sans doute cette redondance pataude aggravait-elle les difficultés de sa vie quotidienne. Il avait la bouche pleine de mots, les mêmes mots. L'accent n'arrangeait rien, épais, écorché, on eût dit parfois qu'il imitait les « polacks » dont on riait au cours de certaines comédies télévisées. Son allure communiait avec cette balourdise verbale. Wojtek était un gros bonhomme de haute et forte taille, le thorax gonflé et l'abdomen bas, il avait des épaules massives, de longs bras musclés au bout desquels pendaient des mains sans grâce. Son visage était barré par un bourrelet de chair sous l'œil droit, résultant d'une sanglante défaite lors d'un combat de boxe, quand il avait brièvement essayé de gagner un peu d'argent en se battant à mains nues dans les bâtiments désaffectés des quais, la nuit, pour des matchs à pari clandestin, les spectateurs confiaient leurs dollars à un maquereau, polonais lui aussi, et quand on avait

réparti les gains et compté les pertes, les deux combat-
tants touchaient quelques maigres sommes, pas de
quoi payer les soins de sa blessure. La cicatrice enveni-
mée, puis charcutée, avait pris la forme d'un carré de
chair compacte, modifiant son regard, ce qui donnait à
Wojtek Wazarzaski un air dur et menaçant. Peut-être
son gabarit et ce faciès lui avaient-ils permis de se faire
recruter comme garde accompagnateur de convois de
fonds pour une banque régionale située à l'est de la
ville, la cité sur la baie. Désormais, il porterait un uniforme — bleu foncé, casquette plate, boutons de métal
gris — et une arme de poing, un Colt 35 à barillet, et ce
nouveau statut lui avait définitivement conféré une
identité sociale, une silhouette, une démarche d'autorité, un maintien martial. Nous ne sommes qu'une
seule et même entité. Nos voix ressemblent à nos
corps. Aussi, son élocution particulière et la laborieuse
répétition de ses propos dès qu'il ouvrait la bouche
pour commander un verre de lait ou une canette de
bière entraient-elles en harmonie avec sa masse obs-
cure et triste. Quand il donnait des ordres à sa femme
muette ou à sa fille adoptive, c'est-à-dire moi, en lui
révélant qu'elle devrait de plus en plus souvent s'absenter de l'école pour servir — payée au noir, bien sûr, en
tous lieux ou toutes occasions qu'il avait pu dénicher —,
servir illégalement, sans protection ni assurance, servir
pour pallier les limites de Jana la muette qui ne pouvait
guère ramener beaucoup de dollars à la maison, servir
dans les heures de fin de jour et au long de chaque

week-end, chaque samedi et chaque dimanche, lorsqu'il ouvrait, donc, la bouche, la bousculade primitive de ses mots ne surprenait plus. Il était conforme au personnage que les circonstances avaient contribué à créer, soumis à la nature des choses.

Il lui arrivait, aussi, de revêtir un manteau long et noir, mais de cela, je refusais de me souvenir.


Déjà, je ne me souvenais plus de mon enfance, je m'obstinais à ne pas m'en souvenir. Les lumineuses petites fractions d'images qui m'avaient assaillie lorsque j'avais été balancée dans le fossé n'avaient-elles été qu'un éparpillement fugace, le retour du passé ? Pour une humiliation subie, le rappel de toutes les autres, ou bien leur effacement ? Je n'ai pas tenté d'y penser. La route n'était plus déserte et plusieurs signes annonçaient la proximité de Carson City, la disparition des rangs de vigne, un panneau publicitaire, un terrain vague encombré de carcasses d'automobiles, les premières silhouettes de maisons basses, l'apparition du goudron pour remplacer la poussière et le gravier, l'amorce de certains trottoirs anciens en bois, puis le bitume et le ciment.

Miguel m'a dit :

— Où veux-tu que je te dépose ?

— Je ne sais pas. De l'autre côté, à la sortie de la ville

peut-être, pour faire du stop. Je crois que je vais quitter le Nord.

— Arrête tes bêtises. On n'a plus le droit de lever le pouce dans cet État. Le premier *patrol car* qui te repère sur le bord de la route, il te foutra en taule. Je vais te poser à la gare routière, c'est là que je récupère mes saisonniers, de toute façon.

Nous avons traversé la petite ville en quelques minutes, deux feux de circulation, nous avons fait un arrêt à la station-service. Miguel m'a offert un 7-Up. Je suis sortie du camion et on a bu, côté ombre, moi dos à la portière, assise sur le marchepied, lui debout, le bras replié sur le déflecteur extérieur. Il buvait un Pepsi.

— Je préfère, a-t-il dit. Moins sucré.

Il a ôté son vieux chapeau troué, il avait les cheveux plus grisonnants que ce que j'avais pu deviner, avec des mèches vraiment blanches, qu'il rabattait en arrière de ses doigts courts. Je ne parvenais toujours pas à découvrir la raison de ce que je croyais être sa générosité, un sentiment aussi inconnu pour moi que cette bonté que j'avais observée quelque temps plus tôt dans sa cabine.

— Tu veux savoir qui c'étaient, les mecs, à l'arrière, qui t'ont foutue en l'air ?

— Oui. Je crois que j'en ai reconnu un à sa voix, c'était Gabbo. Les autres, j'ai pas eu le temps de les dévisager, puisque je leur tournais le dos quand ils m'ont sauté dessus.

— Gabbo, c'est exact. Il y avait aussi Russel et, le

troisième, c'était Tony Bruccini, le beau Tony, le beau gosse.

Il parlait plus vite, de façon plus déliée que lorsqu'il se trouvait derrière son volant. Ce n'était plus tout à fait le même Miguel. Il souriait. Je me suis sentie à nouveau dans cet état de danger que je connaissais face aux hommes, et la douceur monotone de sa voix m'a rendue craintive, soupçonneuse.

— C'est marrant, a-t-il dit, ces trois types, c'est tous des vrais Blancs, comme toi. Tu t'es demandé pourquoi ils t'ont fait ça ?

Je me méfiais de lui, brusquement. Pourtant il n'avait fait aucun geste, je n'avais lu aucune intention ambiguë dans son regard droit, ses yeux marron clair de Mexicain consciencieux, modeste, attaché à la permanence de son anonymat. J'ai gardé le silence.

— Une belle fille comme toi, normalement, ils auraient dû penser à autre chose, surtout Tony.

J'ai pensé : « Ça y est, il va commencer à me faire la cour, c'est venu de loin, mais ça va démarrer. Je connais la musique. » Mais Miguel a tendu une main vers moi.

— Tiens, donne-moi ta canette, elle doit être vide, t'as bu tellement vite, tu devais avoir soif.

Il m'a tourné le dos et a fait quelques pas vers un récipient en plastique vert, accroché à la pompe à essence et marqué *waste* pour y déposer les canettes. En le voyant marcher, sur ses deux petites pantoufles noires, avec ses mèches blanches que soulevait une infime brise venue de l'est, puis se retourner et revenir

tranquillement vers moi, j'ai eu le courage d'abandonner mes défenses, tellement fortes qu'elles avaient atro-
phié tout sens commun chez moi. Il fallait bien que
j'accepte cette chose inexplicable selon quoi je n'avais
rien à redouter de ce petit homme, aucun piège. Toutes
les frayeurs que j'avais vécues, tous les abîmes que
j'avais pu connaître, il fallait bien qu'une fois au moins,
la première sans doute, je m'en défasse pour éprouver
comme un passage vers la sécurité — si provisoire
qu'elle ait pu être. Alors j'ai souri à Miguel. J'ai senti
une liberté me gagner.

— Tu es belle, m'a-t-il répété, c'était ton malheur,
mais c'est ta chance. Allez, on repart, j'ai mes types à
ramasser à la gare.

Nous sommes remontés dans la cabine. Avant de
mettre le moteur en marche, il m'a tendu une mince
enveloppe en papier de couleur bistre qu'il avait sortie
de la poche intérieure de sa Levis jacket.

— C'est ta paie des cinq derniers jours. Après tout, tu
y avais bien droit, hein. Je peux te dire qu'on ne m'a
pas trop fait de difficultés pour me la confier. Ils avaient
tous tellement peur de ce qu'ils venaient de te faire. Au
moins avec ça, pour eux, les comptes étaient réglés.

J'en suis restée muette. Il a vivement démarré, embal-
lant le moteur, enclenchant la marche arrière, puis
retour en première, embrayant les vitesses les unes
après les autres d'une façon brusque et hâtive, presque
véhémente, contraire à sa manière habituelle de
conduire. Ça lui permettait de ne pas faire face à la

vague de remerciements qu'il attendait peut-être de ma part, et, comme de mon côté je ne trouvais pas la phrase adéquate pour lui exprimer ma gratitude, il avait eu cette intelligence d'agir, de s'agiter, de faire du bruit, de bouger et de s'absorber dans le maniement de son véhicule afin d'écarter tout échange de sentiments. Sans doute imaginait-il ainsi m'épargner une parole et s'épargner, en retour, une explication quelconque. Après m'avoir fait une démonstration de bonté et de générosité, voilà que Miguel m'instruisait dans l'exercice de la pudeur — ce mouvement du cœur qu'on juge parfois comme une faiblesse de caractère mais que j'enregistrais comme une force. Trois fois de l'amour, trois fois pour rien, trois fois de la part d'une personne dont le nom était personne.

Au reste, une telle leçon, imprévisible et riche, en l'espace de si peu de temps — quoi ? quelques heures à peine depuis que j'avais connu, en tombant dans un fossé, l'éblouissement de cette lumière étrange, jusqu'à cet instant où Miguel s'était arrêté devant la gare de Carson City —, était descendue en moi. C'était comme une influence. Désormais, je ne pouvais plus être comme si je ne l'avais pas reçue. En saisissant mon sac à la descente de la cabine, je ressentais la puissance des gestes consécutifs de Miguel et cette puissance venait de ceci qu'elle m'avait révélé une partie de moi encore inconnue à moi-même. Ainsi, donc, on pouvait porter et je pouvais, moi aussi, porter, ignorées, des vertus assoupies qui avaient attendu qu'un mot, un contact ou un événement les réveillent.

Et j'ai accompli ce geste que jusqu'ici, au cours de ma brève, encore si brève existence, je n'avais pas eu l'occasion ou l'envie de faire. J'ai pris un homme, un inconnu, dans mes bras, et je l'ai embrassé sur ses joues piquetées de poils poivre et sel, et il a souri en marmonnant plusieurs « *de nada* ». J'en ai presque pleuré. J'ai vu repartir le pick-up Ford rouge et Miguel a tracé de sa main gauche, par la vitre ouverte, un signe d'adieu et de vœu de bonne fortune. J'ai senti qu'apparaissait, flottant dans ma conscience comme une nappe d'eau claire et calme, une sorte de mélancolie. C'était un sentiment doux et apaisant. Il venait recouvrir et temporairement contredire un sombre désir qui s'était infiltré dans une autre partie de ma personne : celui de la revanche et du besoin de comprendre pourquoi trois hommes avaient décidé de me jeter d'un camion.

J'ai pris le premier bus Greyhound qui partait vers le sud.

## 2

Putain de putain de putain de putain de putain de putain de putain de nom de Dieu de putain de putain de putain de putain de putain de putain de putain de putain de nom de Dieu de putain de putain de putain de putain de putain de putain de putain de nom de Dieu de putain de putain de putain de putain de putain de putain de putain de nom de Dieu de putain de putain de putain de putain de putain de putain de putain de nom de Dieu de putain de merde ! De MEEEEEEEEEEEEEEEEEEEEEEEEEERDE !

Venu du fin fond du couloir orange du cinquième étage, à la sortie de l'ascenseur — le direct, celui qui menait sans arrêt, sans aucune étape, du grand studio au cinquième, l'ascenseur du privilégié, réservé à l'homme qui possédait la clé unique lui permettant de fendre l'immeuble de haut en bas, ou de bas en haut, sans qu'il ait à patienter pour que telles ou telles minuscules personnes, secrétaires, assistantes, stagiaires, voire confrères ou consœurs, interrompent le trajet entre son bureau et les plateaux —, un hurlement plein de cette sonorité lourde, pareille au grondement d'un tonnerre, juste après que l'éclair a strié le ciel et dix secondes avant que s'abatte la pluie —, se fit entendre et très aisément identifier, car ce n'était pas la première fois que la célèbre voix grave, qui savait être directive aussi bien que doucereuse, chantante et légèrement agrémentée d'une touche d'un accent d'ailleurs — on n'avait jamais très bien su si c'était du sud de la France ou du sud-ouest ou même d'au-delà des frontières, plutôt latines, plutôt méditerranéennes, on n'avait jamais bien su parce qu'il avait toujours dissimulé la vérité sur ses origines —, ce n'était, certes, pas la première fois que cette voix qui valait tant d'argent et qui était assurée à un prix aussi faramineux que ses mains ou son visage — car ses agents avaient très tôt, dès son accession au statut de célébrité cathodique, eu l'astuce de faire protéger toute sa personne physique, son corps, et s'ils avaient pu, les agents (Myron et Feldmann), ils auraient aussi assuré sa démarche, son geste, la suavité de son sourire et la pénétrante lumière de son regard (mais ça, aucune des assurances n'avait marché, aucun contrat n'allait jusqu'à ce détail — on assurait l'homme, son look, sa musique vocale, c'était déjà assez exceptionnel), ce n'était donc pas la première fois que le timbre le plus connu du pays se faisait ainsi entendre à l'intérieur des vastes murs de la vaste entreprise mais, curieusement, tout un chacun, ce soir-là, eut la sensation inédite que l'éruption irascible de Marcus Marcus avait une autre origine, qu'il existait une autre raison que celle de ses habituelles colères qui survenaient en général après son émission. Non, ce n'était ni professionnel ni technique. Il y avait autre chose, derrière ce cri exaspéré, vindicatif, intimement insatisfait. Quelque chose de plus personnel, de plus subjectif. Comme si l'on avait attenté à sa propre personne.

Cela relevait du mystère, comme toujours avec lui, car il lui fallait constamment s'entourer de mystère.

Pourquoi le plus talentueux, riche, célèbre, respecté, redouté, regardé et écouté, suivi par des dizaines de millions de gens, celui qui un soir par semaine, à l'heure à laquelle logiquement (logiquement!) on ne proposait aux spectateurs que de la daube et du trash, du ludique bidonné, du faux réel et du vrai faux, bref, la soupe d'après 20 h 30, celui qui, au scalpel, dans une atmosphère digne d'un poste de police qui aurait été commandée par un psychiatre, examinait les hommes et les femmes qui pesaient de leur poids dans Paris, la France et, accessoirement, le monde, dans le déroulement des choses, pourquoi en voulait-il autant à quelque chose et à quelqu'un ?

Flic et psy simultanément! Marcus Marcus avait réussi cette savante combinaison, ce renouvellement de l'art du questionnement consistant à manier la violence de la question avec la douceur de l'analyse. Il tirait une certaine fierté de pouvoir arracher, au cours de chacune de ses confrontations télévisées, un morceau de vérité cachée, de confession, un scoop, une confidence intime, de quoi, presque systématiquement, alimenter les publications du lendemain et de quoi susciter l'envie d'y revenir, de quoi fasciner les millions de téléspectateurs anonymes et déclencher simultanément parmi les centaines de célébrités, la souterraine et irrésistible tentation d'y aller, eux ou elles aussi, d'y aller au moins une fois, à ce rendez-vous de la vérité nue, du déshabillage confessionnel, auquel il avait eu la roublarde habileté de donner un titre lourd de sens, solennellement littéraire, se démarquant de la vulgarité courante pratiquée par tous les autres shows. Toutes les célébrités se disaient: «Et pourquoi je ne me raconterais pas, moi aussi, au moins une fois, pourquoi je ne livrerais pas tous mes petits secrets, puisque l'époque veut et aime ça et puisque tout est pardonné à condition que l'on ait tout dit.»

Un jour, un jour miracle, Marcus Marcus avait confié quelques détails sur le titre de son émission.

— Évidemment, ils auraient pu appeler ça: «Dites-moi tout», ou: «Vous n'en croirez pas vos oreilles», ou: «Raconte-moi ta vie», ou: «Les tripes sur la table». Ou: «On va vous faire la totale». Dans un registre médical, allons-y, on aurait pu aussi envisager: «Au forceps», «À cœur ouvert», «La chirurgie de l'écran». Ils auraient pu proposer, pourquoi pas: «Grave de chez grave », ou : « Sincère de chez sincère ». Ah ! Vous n'imaginez pas le nombre d'inepties émises par le nombre de gens qui s'étaient réunis autour de la grande Table Triangle pour « brainstormer » sur cette terrible décision, comment va-t-on appeler le rendez-vous du grand Marcus Marcus ?

Marcus Marcus avait éclaté de rire, puis avait pris une respiration.

— Ah, ah, ah ! On pouvait aussi aller fouiller dans le registre policier : « Garde à vue », « Mise en examen », « Aveux spontanés », « Nous avons les moyens de vous faire parler » — mais ça, c'était un peu trop coercitif, ça ne reflétait pas l'esprit réel du show, puisqu'il devait y entrer une dose d'empathie aussi forte que celle d'une interrogation musclée. Non, rien de tout cela ne définissait la promesse. Ah ! « La promesse ». C'était le terme qui revenait le plus souvent dans le croisement de propositions. Comme si aucun de ceux qui frottaient ensemble leur cervelle n'avait une idée de ce qu'elle devait être faite, cette promesse !

Il continua :

— Ah, vous n'imaginez pas à quoi a pu ressembler cette session de travail.

Il avait donc raconté la naissance du titre de l'émission et de l'émission elle-même en un jour d'exception où il avait décidé de s'ouvrir à un journaliste choisi — entorse à une de ses nombreuses règles. C'était un petit miracle pour celui qui avait été distingué comme interlocuteur. La règle de Marcus était de ne pas se répandre dans la presse, la laisser piaffer d'impatience, la laisser jaser, désinformer, cancaner, dire n'importe quoi sur vous-même et ne jamais démentir, rectifier ou protester. Demeurer le grand Marcus Marcus qui parvient à faire parler toute notoriété, toute puissance, toute star, mais ne se livre, lui, à personne !

Il jugeait nécessaire de maintenir l'opacité, le verrou absolu, d'entourer sa propre vie et sa propre personnalité d'une muraille aussi infranchissable que celle érigée par ces pauvres Américains à Bagdad autour de la Zone verte, la *green zone*, cette intouchable enclave au sein de laquelle proliféraient tous les artefacts de la vie moderne, où l'on pouvait jacuser, vidéoter, massager, pisciner, tennisser, squatter, baiser sans doute, interneter, thinktanker, alors que de l'autre côté de la ceinture de béton et d'acier s'était perpétuée l'horreur sanglante du monde — la multiplication des conséquences de la plus catastrophique décision de toute l'histoire des États-Unis.

Souvent, dans sa douce mégalomanie, Marcus Marcus allait chercher ainsi, lorsqu'il pensait à sa propre personne (et il y pensait extrêmement souvent), des comparaisons prises dans l'actualité, dans le flot du monde, convaincu qu'il était d'appartenir à cette actualité, d'en être l'un des éléments, un des principaux témoins et acteurs, une des composantes — et personne n'osait le contredire. Il ne serait venu à l'idée d'aucun de ses collaborateurs ou associés de suggérer, même avec la plus délicate componction, qu'il n'était qu'une molécule précaire et virevoltante dans l'incontrôlable mousson qui modifiait jour après jour les vies des milliards de créatures disséminées autour d'un globe en voie de décomposition accélérée.

Or donc, Marcus Marcus avait un jour téléphoné à ses deux agents, les inséparables Myron et Feldmann, pour les informer de sa décision d'accorder, en exclusivité, un « papier en profondeur » à une publication sérieuse.

— Naturellement, c'est nous qui contrôlerons le tout, nous amenderons le texte que je reverrai et corrigerai, ligne par ligne si nécessaire. La photo, les titres, les encadrés, les intertitres, les légendes, il faudra qu'ils se soumettent à notre loi, puisque nous leur offrirons ce précieux cadeau. Mais n'hésitez pas, mes chers My et Feld (Marcus Marcus avait tendance à réduire tout nom propre quand il n'affublait pas chacun ou chacune d'un sobriquet ou d'un pseudonyme souvent ironique, mais que les élus acceptaient puisque cela signifiait qu'ils appartenaient à un cercle privilégié, non loin du premier cercle de cet agent d'influence et de pouvoir dont ils servaient la cause), My et Feld, écoutez-moi ! N'hésitez pas à proposer l'entretien à la plus sévère, à la plus respectée des publications. Non, non et non, ne venez pas me dire que c'est pour les gros magazines, les hebdos spectaculaires. Au besoin, réfléchissez même à un modeste bulletin de province, pourquoi pas, ce serait encore plus surprenant.

Surprendre. Marcus Marcus avait fait sienne l'une

des règles clés de Napoléon Bonaparte : « Il faut surprendre, c'est-à-dire qu'il faut prendre le risque de n'être compris de personne. Si l'on est trop vite compris, on ne surprend pas. Et si l'on ne surprend pas, on ne gagne pas. »

Certes, il n'avait rien de particulier à gagner ce jour-là en décidant de livrer cette exclusivité à la presse dite sérieuse. Mais c'était précisément pour cela qu'il avait envie de le faire. En outre, obstinément fidèle à son maître à penser, le petit Corse aux cheveux plats, il lui importait de respecter une des autres consignes de l'empereur à la veille d'une confrontation armée : à savoir, « mesurer les forces en présence ». Eh bien, les forces étaient disséminées, dispersées, faibles. Aucune concurrence à l'horizon, aucun compétiteur de poids, bien qu'il y ait de pâlichonnes imitations sur les chaînes rivales. Il n'avait donc rien à gagner, mais c'était son libre arbitre, sa faculté de démontrer qu'il était capable à lui seul de faire l'événement. Les sondages n'avaient jamais été si flatteurs, le taux de remplissage des spots de pub qui précédaient et suivaient l'émission battait tous les records.

Pour chacune des règles qu'il se donnait à lui-même, une autre apparaissait, la troisième ou la trente-troisième comme on voudra, puisque Marcus Marcus en possédait d'innombrables dans la réserve de sa mémoire et il n'aimait rien tant que citer les aphorismes des grands stratèges de l'Histoire : « C'est précisément à l'heure où l'on croit tout gagner ou tout avoir gagné qu'on est susceptible de tout perdre. » Aussi bien, fort de cette intuition admise par toute son équipe, Marcus Marcus avait-il mis en route le processus du « papier en profondeur ». Il sentait quelque chose dans l'air de son temps, son étage, son immeuble, sa régie, ses studios de production, il sentait que tout allait trop bien et qu'un danger pouvait poindre à l'horizon de sa notoriété et qu'il lui fallait donc s'exprimer et faire étalage de sa réussite, de son intelligence du métier, du public. Ce fut le jour miracle dans la carrière du journaliste choisi, approuvé après enquêtes et recoupements : « Enfin, Marcus Marcus se raconte ! » Et d'abord, la séance des titres.

Il y a un moment dans la vie où une sorte de beauté peut naître de la multiplicité des discordances qui nous assaillent. Les avis et les opinions s'entrecroisent, venus d'hommes et de femmes qui veulent faire valoir leur expérience, leur astuce, leur inventivité et leur imagination, ou, mot suprême, qualité rare et pourtant si souvent louée par ceux qui ne l'ont pas, leur cré-a-ti-vi-té. C'est alors que l'on profère beaucoup de bêtises, mais, comme l'a écrit Victor Hugo, souvent les bêtises ont un sens. Et c'était naturellement la beauté cachée de ce concours d'intelligences s'évertuant à être bêtes dont aimait se souvenir Marcus Marcus. La séance des titres.

Liv Nielsen ôta ses lunettes à monture en titane et, de sa voix sèche et pourtant, sur certaines syllabes, étonnamment mielleuse, la présidente de la compagnie ouvrit la séance. Comme toujours, à la simple écoute du timbre de sa voix, un silence de métal blanc s'était installé dans la salle de la Table Triangle et ce silence n'était pas simplement dû à ce qu'elle était le chef, mais aussi au pouvoir intrinsèque de séduction exercé par cette voix féminine et masculine à la fois, cette musique, ce charme singulier.

— Nous disposons, dit-elle, de trente minutes, pas plus, pour nous mettre enfin d'accord sur un titre. Je vous rappelle que nous en sommes à la troisième réunion consacrée à ce sujet, que vous avez tous et toutes déjà beaucoup de votre côté, je le sais — et je vous en remercie — travaillé la question, aussi je considère que Marcus Marcus et moi-même faisons preuve de bienveillance, voire d'indulgence, en vous accordant encore une demi-heure.

Elle joua un instant avec ses doigts, pianotant sur la surface étincelante de la Table Triangle, puis continua en souriant :

— À Hollywood, Steven Spielberg, quand il organise un meeting avec ses collaborateurs, consulte son chronomètre et le bloque à un quart d'heure. Si, au bout d'un quart d'heure, une solution n'a pas été trouvée au problème, il se lève et ajourne le meeting. Je ne m'appelle pas Steven Spielberg. Vous avez donc droit à quinze minutes de plus.

Liv Nielsen était une femme haute à l'allure légère, aux cheveux fins relevés en chignon, aux traits sensibles, pommettes saillantes, lèvres ourlées, attaches délicates, et la structure de son corps évoquait ces fleurs à longues tiges au bout desquelles pendent de ravissantes petites clochettes bleues. Mais rien dans son timbre ni ses gestes ne trahissait la fragilité, la mièvrerie ou l'indécision. Elle avait de la grâce à ne savoir qu'en faire, une élégance en quoi se confondaient la sensualité et une manière de dédaigner cette même sensualité. Les mots renonciation, inertie, compromis et défaite ne faisaient pas partie de son vocabulaire. Le financier australien qui l'avait approchée à une époque pour lui confier les rênes d'une nouvelle chaîne privée qui se créait en France avait dit d'elle, à la fin de leur seul entretien : « Elle n'est pas très ductile. » Le mot avait fait le tour de la ville qui l'appela, dès lors, l'Inductile. Liv Nielsen déclina la proposition pour choisir de travailler au sein d'un consortium qui possédait une autre chaîne, plus ancienne, et dont le redéploiement était urgent. Elle en devint vite l'une des principales responsables, refusant de présenter le journal le plus regardé de la chaîne, malgré cette beauté sans faille, cette tonalité de voix qui aurait sans doute crevé l'écran. À la télégénie et à la télébrité, elle préférait l'exercice du pouvoir : « Les apparences du pouvoir ne m'intéressent pas. » Le conseil d'administration la nomma bientôt Présidente.

Elle n'était pas éprise d'elle-même. Sa psychologie et son intelligence lui permettaient de déceler l'hypocrisie, même la plus invisible, et elle s'efforçait en toutes circonstances de ne point laisser deviner le jugement qu'elle portait sur les mufles, les crapules, les sots ou les goujats, en s'assurant qu'aucune de ces espèces pût jamais la dire méprisante ou hautaine. Il lui fallait, pour cela, une forte dose de contrôle de soi, et dans ce domaine, comme dans d'autres, elle était pourvue de toutes les ressources nécessaires de caractère. Devant tant de perfection, les esprits curieux ou chagrins, les jaloux et les murmureurs, les buzzeurs de bazar et les bloggeurs blablateurs, les pullulants pollueurs de la peoplie, ne manquaient pas de chercher je ne sais quelle verrue cachée ou d'espérer en secret le dévoilement de je ne sais quel obscur abysse — mais pour l'heure, il n'y avait rien à déceler, rien, aucun crapaud à débusquer. Pour l'heure.

Marcus Marcus et Liv Nielsen occupaient, chacun séparément, un des trois côtés de la Table Triangle. Une seule personne pour un côté entier, marque évidente de puissance, car même si le meuble était d'une irréprochable équilatéralité, la présence, le long du troisième côté, des six participants à la réunion, assis en rang d'oignons, coude contre coude, soulignait un peu plus la diabolique invention du concepteur de cette table.

C'était le lieu de toutes les grandes décisions, les choix cruciaux, la stratégie et les tactiques. Les stars qu'on vire. Les shows qu'on torpille. Au centre de la salle, un espace d'une centaine de mètres carrés, figurait cette immense masse triangulaire conçue par l'architecte stylicien Chapour Ladakh, dont les travaux, aéroports, hôpitaux, musées, avaient bluffé toute l'Europe du Nord. La table était faite en un acajou de Cuba, le plus chic des acajous — d'un blond miel doré, six mètres par six mètres par six mètres, et qui brillait comme un miroir ou comme un soleil, grâce au vernissage en polyuréthane, entretenu au tampon chaque matin par le personnel du cinquième étage — celui de l'exécutif. On aurait pu l'appeler la table, ou le triangle, mais quand Chapour Ladakh avait présenté son œuvre, il avait, avec l'accent particulier de ses origines iranocachemiriennes, imposé le terme :

— Voici la Table Triangle.

Désormais, c'est ainsi qu'on l'identifiait. Et, de toute évidence, on respecterait les majuscules proférées par Chapour, un homme qui ignorait que l'on puisse parler sans vociférer :

— Voici la TTTTTTTABBBBBLE TTTTTTTTR-RIANGLE !

Dans les couloirs, les bureaux, il arrivait qu'on abrège le nom et qu'on dise la « TT ». Chapour avait sans doute été conscient de la culture maçonnique qui avait dominé l'entreprise audiovisuelle pendant la première période de son existence — depuis, la chaîne avait été rachetée par un holding international à majorité suédoise et les frères y jouaient un moins grand rôle encore que, cinq sur dix serrements de main se pratiquaient fréquemment avec l'instante pression de l'index sur le plat intérieur de votre poignet —, mais surtout, Chapour avait compris que la disposition des personnes sur les trois côtés du polygone définirait les variations de pouvoir et donnerait lieu à toutes les comédies, à toutes les mœurs de la cour. Pouvait-on s'asseoir à l'un des angles, à la pointe de l'un des deux côtés et, si on le faisait, n'était-ce pas trop se singulariser ? Avait-on le droit de siéger le long du côté habituellement occupé par la Présidente lorsqu'elle n'était pas encore présente, même si elle avait fait savoir :

— Commencez sans moi. Installez-vous comme vous voudrez.

Les plus malins, ou les plus prudents — ce qui revient souvent au même — allaient attendre dans le coin salon de la salle, car la pièce était suffisamment grande pour qu'on ait pu y inclure, loin de la Table Triangle, une sorte d'espace coquet avec quelques fauteuils bas, cuir lourd, accoudoirs larges. Ainsi, lorsque Liv Nielsen pénétrait dans la salle en cours de réunion et qu'elle posait sa personne bien mise à l'endroit de son choix, les couards, les crabes et les sycophantes rejoignaient l'autre côté, celui des humbles, face à celui des importants. Ceux qui avaient eu l'audace, l'insolence ou l'inconscience, de « s'installer comme ils le voulaient » étaient alors confrontés au risque d'entendre Liv leur dire, de sa voix dure et à la fois suave :

— Ça ne vous dérangerait pas de changer de place ?

Mais le jour de la séance des titres, on n'avait pas eu le loisir d'assister à ces jeux de glissements de chaises et de fauteuils, ces déplacements discrets, le ballet muet de ceux ou celles qui étaient en cour, et de ceux ou celles qui ne l'étaient pas. Le temps était compté, l'assistance réduite : la Présidente, l'omniprésent omnistar producteur animateur, par ailleurs actionnaire de la chaîne, Marcus Marcus, et six « créatifs », quatre hommes et deux femmes qui démarrèrent une fusillade nourrie de propositions, contre-propositions, surenchères et exclamations, cascades de concepts et de « promesses », rires et protestations, affirmations et carambolages d'outrances, c'était à qui irait au plus vulgaire, au plus spectaculaire, au plus racoleur, au plus tendance. Ils étaient d'accord ou pas d'accord, rivalisaient ou pactisaient, faisaient montre de bêtise autant que de brillance, se stimulant et s'opposant sans hostilité sournoise ni rivalité féroce.

Ils étaient jeunes, vifs, diplômés, ils avaient fait des écoles de commerce, de droit ou de sciences politiques, ils s'habillaient tous en noir, ils savaient qu'il fallait venir chez la Présidente en cravate pour les garçons et pour les filles en tailleur et talons aiguilles. Ils avaient conservé leur bronzage de l'été, elles avaient entretenu leur blondeur de mer, ils ne croyaient à rien, ils adhéraient à tout, ils s'aimaient ou se détestaient, ils gagnaient beaucoup d'argent, et ils n'avaient aucune idée de ce qui les attendait dans l'existence, de ce que la vie leur préparait. Dans le moment présent, le seul qu'ils appréhendaient, ils avaient adopté ce qu'ils appelaient le *team spirit* afin d'atteindre au but : proposer le meilleur titrage pour le show qui allait décoiffer, décaper, détourner, déranger, démolir, déménager, le nouveau carrefour de la vérité imaginé et animé par Marcus Marcus.

— À vingt-deux minutes de vos échanges et propositions, coupa la Présidente, si je résume ce que je viens d'entendre, après avoir bien tout éliminé, il semble que vous vous dirigez vers trois choix : « Au scalpel », « Vous n'êtes pas prêts de tourner le bouton », et « La mise en examen ».

Elle marqua un silence, puis laissa tomber, comme le bruit d'un cube de glace dans un verre de cristal :

— Pas génial, tout ça.

Elle se tourna depuis son angle royal et vide de la table vers l'angle aussi vide et aussi royal, occupé par le seul Marcus Marcus, et dit sur un ton poli et déjà amusé :

— Qu'en pense-t-on, de ce côté-ci du triangle ?

— Je pense à ce que disait Montherlant : « On fait l'idiot pour plaire aux idiots ; ensuite, on devient idiot sans s'en apercevoir. »

Une pause, puis :

— Nous ne nous adressons pas à des idiots, nous devons leur offrir un titre pas idiot. Nous allons inverser la tendance majeure de la télé depuis dix ans, c'est-à-dire que nous allons contredire le fameux adage de l'humoriste américain H.L. Mencken qui disait : « Personne ne s'est jamais ruiné en sousestimant le public américain. » Eh bien, nous allons gagner de l'argent en surestimant le public français.

Marcus Marcus n'avait pas prononcé un mot durant toute la session orage-de-cerveau. Il avait, à l'instar de la Présidente, écouté et observé les six jeunes gens avec l'intérêt aigu qu'il portait à toutes celles et ceux qui gravitaient autour de lui, sa société de production, son petit empire, et œuvraient pour les succès de ses multiples et surprenantes initiatives. Il respectait et tenait en estime les « créatifs » qui venaient de jeter suggestions et idées mais il considérait que, pendant ce processus, les équipiers convoqués par la Présidente avaient oublié ou n'avaient pas compris l'essence même du projet. Aussi entreprit-il de le leur rappeler :

— Cinquante-cinq minutes de tête-à-tête. Un concept abandonné parfois à la télé. L'invité est forcément quelqu'un de célèbre et de très important. Il ou elle sait, car nous avons déjà balisé en amont le terrain avec lui ou elle, qu'il fera face peut-être à cinquante-cinq questions — une par minute, pourquoi pas ? — qui l'amèneront à une déstabilisation et une mise à nu. Il le sait et sans doute il le désire. Sinon, il n'aurait pas accepté de jouer le jeu. J'ai déjà vingt-cinq noms fameux en liste d'attente. À partir de l'instant où, grâce à l'une des cinquante-cinq questions, une réponse ouvrira la porte de ses secrets, je m'y engouffrerai comme un flic et avec l'approche d'un psy. Il en résultera quelque chose de fort. Un impact dont nous espérons tous, ici, qu'il détournera les spectateurs de l'habituelle tonne d'ordures insanes et kitschesques qui se déverse à cette heure-là, sur toutes les chaînes que l'on dit grandes.

Il se tourna vers la Présidente :

— Y compris la nôtre, jusqu'ici.

Liv Nielsen ne réagit que par un subtil sourire. Pardessus le miroir de la table, le soleil du triangle, Marcus lui fit un court salut de la main pour la remercier de cette prise de risque. Il continua :

— Et puisque nous n'invitons que des hommes et des femmes qui n'ont jamais pu découvrir l'arme suprême des Tibétains, c'est-à-dire le poignard à tuer l'ego, nous utiliserons un titre qui convienne à leur condition, un titre volontairement littéraire et je crois aussi, malgré tout, accrocheur. Vendeur, oui, jeunes gens, rassurez-vous, l'intelligence est aussi marketable !

Silence. Marcus Marcus n'aimait rien tant que ces moments où, à la suite du brouhaha d'une séance collective de créativité, il lui était donné de faire étalage de sa culture, de son sens de la synthèse. Il se plaisait à séduire une audience, qu'elle fût composée d'une demi-douzaine de personnes entre quatre murs ou d'une dizaine de millions de personnes devant leurs écrans de télé à travers l'Hexagone. Peu importait. Il produisait de la parole, du verbe, de l'image et du spectacle pour la même raison qu'un ver à soie produit de la soie et une abeille du miel : c'était une activité propre à sa nature. Marcus Marcus était un homme qui avait trouvé dans l'expression publique l'activité essentielle de son être.

— Alors, j'ai pensé à cette superbe apostrophe de Chateaubriand : « Vous qui aimez la gloire, soignez votre tombeau ; couchez-vous-y bien ; tâchez d'y faire bonne figure, car vous y resterez. »

Il prit son temps, savourant le silence des autres.

— Madame la Présidente, mes amis, si la dernière partie de ma citation est, j'en conviens, un peu glauque, le préambule possède, selon moi, tous les ingrédients d'un bon titre : « Vous qui aimez la gloire ». VQALG ! Imaginez déjà le générique musique sur ces cinq mots... J'ai d'ailleurs une idée sur la musique : du Gluck, par exemple.

Il laissa pendant quelques secondes la formule pénétrer les franges de l'encéphale commun de son auditoire, puis entra dans le détail :

— « Vous », il s'agit bien sûr de l'invité, celui que je mettrai sur le gril — mais cela veut dire que nous nous adressons aussi au public. Le public aussi aime la gloire. Vous, c'est la chaîne, et la chaîne, c'est vous — n'oublions jamais ce premier commandement de notre métier, le slogan génial inventé par les pères fondateurs. Et comme les gens sont tous fascinés par « la gloire », c'est-à-dire les glorieux, les célèbres et les puissants, ils comprendront ce à quoi ils vont assister. Il ne faudrait pas, d'ailleurs, dans la communication qu'on établira sur ce titre, négliger la suite de la phrase : « Soignez votre tombeau » — car c'est plus intrigant, plus solennel. Musique générique, là encore ! Et dans toute communication bien organisée il faut laisser s'infiltrer la question : « Mais qu'est-ce qu'ils ont voulu dire avec un tel titre ? » Ça rend le public plus intelligent, ça fait causer dans les chaumières. Ça réveille les neurones.

Déjà, d'une extrémité à l'autre du troisième côté du Triangle occupé par la brigade des créatifs, les Blackberries s'étaient mis en marche. Puisque la Présidente n'avait pas encore donné son avis, un silence interloqué continuait de flotter au-dessus du bloc d'acajou cubain et les six créatifs, pourtant assis à seulement quelques centimètres de distance les uns des autres, s'envoyaient de furtifs et prompts messages sur leurs minuscules appareils dissimulés au creux des mains :

— Kesk t'en penses ?

— Génial.

— Tu crois que ça définit la promesse ?

— Attends, il est génial, le mec.

Un autre échange aussi bref :

— Chateaubriand, mais il est cinglé ou quoi ?

— Tu rigoles, ma chérie, il a raison, c'est topissime, c'est du haut sourcil. C'est un concept.

Un troisième :

— Tu te rends compte qu'à aucun moment il nous a dit : « Bien sûr, je peux me tromper. »

— Ben voyons, il a toujours raison, l'enculé.

Mais bien vite il fallut laisser s'obscurcir les écrans des Blackberries et les ranger en poche, car Liv Nielsen, après avoir consulté sa montre et gracieusement rajusté ses lunettes sur l'amorce de l'arête de son impeccable nez, prenait enfin la parole :

— Je kiffe, dit-elle — à la stupéfaction de la cour qui n'était pas accoutumée à l'entendre utiliser un tel vocabulaire mais qui, d'emblée, approuva son verdict d'un murmure collectif et convaincu.

Elle répéta :

— Je kiffe.

Elle ajouta :

— Les trente minutes sont écoulées. C'est parfait. La séance est levée. Bravo, Marcus. Mesdames, messieurs, merci.

Ils vibrèrent à l'unisson, aucun mot particulier ne sortait de leur bourdonnement extasié, et l'on sentait bien qu'ils avaient l'habitude de ce genre de musique et qu'ils savaient aussi, après une onde de ravissement, faire taire leur propre musique afin de laisser place à la conclusion venue du sommet.


Ainsi s'était déroulée l'une des séquences de la riche vie professionnelle que Marcus Marcus avait abondamment décrit au journaliste chargé du premier grand profil décrypteur (« double page, s'il vous plaît, sinon il n'y aura pas d'interview »).

Il lui en avait beaucoup raconté, ce jour-là, beaucoup dit, Marcus, mais il n'avait jamais été question de la colère jupitérienne dont retentissaient encore les murs du couloir du cinquième étage et à propos de laquelle il faudrait bien qu'on trouve une réponse.

## 3

Au beau milieu de la rue de La Planche, à Paris, aux environs de 20 heures et 15 minutes, un soir d'octobre, Caroline Soglio pensa : «Je suis une irrécupérable imbécile. »

Irrécupérable ! L'adjectif n'était pas à la mode. Il avait servi, autrefois, de conclusion et d'ultime réplique à une célèbre pièce de théâtre mais, aujourd'hui, on n'utilisait plus guère ce mot. Cependant, il vint aux lèvres de Caroline comme une évidence, il vint de nulle part, elle n'avait jamais vu *Les mains sales*, elle n'avait pas lu le terme dans quelques récents magazines. Le goût du jour tendait plutôt vers «improbable ». Tout était devenu «improbable » : les lieux, les couples, les circonstances, les œuvres, jusqu'aux couleurs des vêtements. Un autre tic de langage avait débarqué dans le magma des médias, emprunté sans doute à la pratique des analystes et des analysés. On était « dans » quelque chose.

Les people adoraient cela. Et lorsqu'on les interrogeait dans les publications ou émissions consacrées à leurs faits et gestes, à la célébration permanente de leur « mise en danger » ou leur « prise de risque », ils raffolaient de se décrire « dans » un état d'esprit. Plutôt que de dire : « Je suis indifférent », ils disaient : « Je suis dans l'indifférence. » Plutôt que de dire : « C'est ma faute », ils disaient : « Je suis dans la culpabilité. » Plutôt que : « Je ne suis pas d'accord », ils préféraient : « Je suis dans le déni. » Ils disaient : « Je ne suis pas dans la séduction », plutôt que, simplement : « Je ne veux pas séduire. »

Ainsi allait la vulgate de l'époque, ainsi valsait le ridicule des précieux et des précieuses auquel Caroline Soglio n'avait pas eu recours. Elle s'était jugée irrécupérable — c'était plus sec, plus net, plus proche de la vérité de son moment.

Car, même si sa propre bêtise l'accablait, même si elle était consciente du burlesque des petites choses de la vie quotidienne, Caroline ne pouvait s'empêcher d'y succomber. Au moment précis où elle se livrait à cette part de mesquinerie qu'il y a en chacun de nous, elle s'en faisait le reproche, mais il était trop tard. Son caractère l'avait emporté sur son intelligence. On pouvait alors voir, sur le beau visage lumineux de cette femme qui séduisait toute personne qui la rencontrait, passer la mouche noire de l'insatisfaction, l'ombre trouble de l'inquiétude. La perte du plaisir de vivre.

C'est ainsi qu'à l'instant d'amorcer une manœuvre en marche arrière pour garer sa voiture dans un espace qu'elle avait eu la chance de trouver, au milieu de la rue de La Planche, à quelques mètres de l'immeuble au troisième étage duquel elle était invitée à dîner, Caroline s'était aperçue qu'une autre auto, venue derrière elle, s'engageait par l'avant dans la même place. Elle fut saisie d'une impatience, d'une contrariété, d'un énervement si brusque qu'il s'empara du haut de sa poitrine pour monter, telle une fièvre soudaine, jusqu'à la perfection des pommettes de ses deux joues. Une chaleur, comme une éruption cutanée. Cet espace lui appartenait. C'était son territoire. Il n'y avait aucune raison pour qu'elle le cède au connard — car il ne pouvait s'agir que d'un connard, un homme, qui se permettait de l'investir. Elle tenta de reculer un peu plus afin d'empêcher l'autre véhicule de grignoter un seul centimètre supplémentaire, puis bloqua le levier de vitesse sur P sans arrêter le moteur, et sortit en un mouvement vif et furieux pour se dresser devant la chose ennemie. Un observateur impartial l'aurait alors trouvée belle, dans la souplesse soyeuse de sa personne, l'agilité de ses membres.

C'était une très grosse berline de couleur noire, luisante, neuve, une bête, une volumineuse allemande dont elle identifia l'emblème. Toutes les vitres étaient fumées, très sombres, et fermées. Caroline se surprit à tambouriner de ses doigts sur la vitre avant, côté conducteur, et s'entendit dire d'une voix haut perchée :

— Vous ne voyez pas que j'étais en train de me garer ?

Elle sentait que le ton de sa voix s'élevait presque malgré elle et bien qu'elle ait vu sur le trottoir, au-delà du toit de la berline, les têtes d'un couple de passants se retourner — l'homme, sourire ironique, la femme, hochement de tête apitoyé, elle ne pouvait refréner son irritation :

— J'avais mis mon clignotant, quand même, ça ne vous dit rien ?

Ses ongles tapaient encore sur la vitre :

— Dégagez, c'est ma place !

Aucune réaction. Elle avait la sensation de s'adresser à l'objet, à la voiture elle-même, plutôt qu'à celui qui en tenait le volant, silhouette à peine visible, à peine reconnaissable. Le moteur ronronnait sous le capot bien lustré et elle crut percevoir une légère avancée du fort véhicule comme s'il voulait pousser la petite voiture au moyen de ses puissants pare-chocs chromés. Elle eut un bref éclair de crainte, un instinct de peur. Fallait-il vraiment s'embarquer dans un incident avec des inconnus — ils étaient peut-être plusieurs à l'intérieur —, après tout, ce genre de caisse, en général, avec ce genre d'allure, appartenait à des catégories de gens — polices privées, dealers friqués, Russes en maraude — dont il valait mieux rester éloignée. Elle entendit tout à coup une violente poussée musicale, un surgissement sonore qui traversait la vitre fumée, on eût dit que le conducteur avait monté le son au plus fort niveau afin d'anéantir les protestations de la jeune femme. Elle s'immobilisa. Elle connaissait très bien ce morceau.

Elle en avait eu la révélation lors d'une soirée donnée par un antiquaire ami, originaire des Pays-Bas. Il s'agissait d'un extrait du premier acte de l'*Alceste* de Gluck et elle se souvint qu'elle avait été subjuguée par cet éclat, ce démarrage des cuivres, cette introduction comme l'amorce d'un hymne, juste avant que la Callas prenne le pouvoir et chante à pleine gorge :

> *Divinités du Styx,*
> *Divinités du Styx !*

Pour une raison incompréhensible, comme toujours lorsqu'on est confronté à la musique, Caroline avait été captivée par l'intensité de ces quelques strophes et elles l'accompagnèrent tard, cette nuit-là, bien après qu'elle eut quitté le palais où s'était déroulée la soirée de l'antiquaire. C'était un grand bonhomme au crâne rasé, à l'oreille percée d'une perle jaune, au nez protubérant, le corps habité par une jovialité et un appétit de l'existence, une détestation de la routine, de la convention, de l'ennui du quotidien. Il s'appelait Hans. Il s'était dressé de son siège en pleine conversation, d'un bond, mû par une pulsion connue de lui seul et il avait traversé vivement le grand salon encombré de clients, d'artistes, de collègues, des Européens du Nord pour la plupart, et il avait fait résonner le souffle, l'énergie, cette beauté devant quoi abdique toute explication, Maria Callas chantant :

*Divinités du Styx*
*Divinités du Styx !*

Cette brève scène avait impressionné Caroline, le déplacement fougueux, l'irrésistible détermination de Hans projetant son corps vers les appareils de la sono : il saisit un CD, le glisse dans la fente, tourne le bouton du volume jusqu'à son apex, et les baffles retentissent, explosent, inondant le champ auditif et saisissant l'assemblée, les cors, trompettes et tambours, puis la voix de la Diva dominant et effaçant la superficialité des choses, pour imposer un sens à ce moment, l'inscrire dans l'impermanence qui régit nos vies.

Et voilà que, maintenant, debout dans une rue à Paris, devant une masse de métal noire et brillante, à l'intérieur de laquelle on ne pouvait pas distinguer les traits d'un visage d'homme, Caroline retrouvait cette musique et, sous l'effet de ce souvenir, perdait d'un seul coup toute velléité agressive. Par un phénomène de relativisation immédiate, sa lucidité l'emportait sur l'irascibilité. Son comportement lui fit honte, et c'est à cet instant qu'elle pensa : « Je suis une irrécupérable imbécile. »

Son renoncement fut aussi brusque que son courroux. Il ne lui vint même pas la curiosité de scruter le pare-brise avant, dépourvu de toute teinte fumée, ce qui lui aurait permis de voir à quoi ressemblait le macho derrière le volant de l'énorme BMW. Elle eut un haussement d'épaules qu'elle voulait élégant, elle tourna le dos et, rejoignant la minuscule Clio, se dégagea de l'espace qu'elle venait de céder. Dans le rétroviseur, elle vit la lourde machine qui s'installait doucement, royalement, en terre conquise, ayant dicté sa loi et sa force, ayant satisfait son appétit de pouvoir.

Il lui fallut plusieurs minutes avant de trouver une autre place, plus loin sur le trottoir du boulevard Raspail, côté droit. Mal garée, contravention inévitable. Dans l'étroit ascenseur de l'immeuble de la rue de La Planche, Caroline ressentit au creux de l'estomac un court pincement d'aigreur mais, se contemplant dans le miroir de la cabine, elle vit naître un petit sourire et, s'adressant à son propre visage, elle dit :

— Tu as connu de plus cruelles défaites.

Comme tout le monde, elle se parlait à elle-même. Il paraît que c'est un signe de folie, il paraît que c'est une preuve de sagesse. Nous nous parlons tous à nous-même et ce dialogue entre le moi que nous sommes et celui que nous voudrions être permet de mieux mesurer l'étendue de notre solitude et mieux écarter les tentations de nos mensonges. Elle répéta le constat :

— Tu as connu de plus cruelles défaites.

Elle savait bien, maintenant, que cet incident dérisoire de l'espace volé, et le désordre caractériel dont elle avait été victime, n'était qu'un effet second de l'abandon qui lui avait été signifié, quelque temps auparavant, par l'homme pour lequel elle avait sacrifié son mariage et sa réputation. Elle savait bien que son « imbécillité » provenait de cette humiliation passée, de cette blessure, encore qu'elle avait cru que tout était cicatrisé. Alors, avant de sonner à la porte de ses hôtes d'un soir, Caroline Soglio eut cette autre réflexion, toujours à voix haute, devant le miroir :

— Tu ne la voyais pas comme ça, ta vie.

Puis on lui ouvrit et elle pénétra chez Véronique et Samuel Gretzki et l'on enregistra parmi les invités déjà nombreux, certains assis en rond autour d'une table basse, verres et soucoupes, pistaches turques et vodka, d'autres debout, verres en main, d'autres enfin cherchant leur nom autour des nombreuses tables encore vides, une sorte d'ondoiement, comme des roseaux ployant sous le vent. Des têtes qui se tournaient vers elle, un frémissement, et tout le monde trouva que cette femme qui ne s'aimait pas avait l'air « absolument fabuleuse ».


Cela s'était passé six mois auparavant.

Il lui avait téléphoné en fin de matinée :

— Retrouve-moi le plus tôt possible à l'appartement. C'est urgent. Laisse tomber tout ce que tu es en train de faire et viens.

Caroline avait répondu :

— Qu'est-ce qui se passe ?

— Rien, je ne peux pas t'en parler au téléphone. Rejoins-moi tout de suite.

Il avait raccroché sans autre formule, sans aucune parole de tendresse, aucun sourire dans la voix, elle n'avait jamais entendu cette tonalité à la fois directive et anxieuse depuis qu'ils étaient amants, depuis un an, depuis qu'elle avait décidé de divorcer pour lui, annoncé et engagé ce divorce, révélé cette liaison, tout étalé sur la table et déclenché dans sa famille, son entourage, sa belle-famille, chez ses collègues, ses amis et, naturellement, chez son mari, un orage d'incompréhension, de jalousie, de rancœur, voire de scandale.

Elle emprunta le périphérique à hauteur de la Porte de la Chapelle dans un état de perplexité totale. Au bureau, elle avait dit :

— Je suis obligée de m'absenter.

Fabienne, qui supervisait avec elle l'ensemble des projets pour l'année à venir, avait crié à travers la salle :

— Tu ne peux pas nous faire ça, Caro, tu sais très bien qu'on a cette grande réunion dans vingt minutes.

Elle avait répondu :

— Désolée. Débrouillez-vous sans moi.

Fabienne n'avait pas insisté. Il semblait difficile — et sans doute malhabile — de s'opposer à une décision de Caroline Soglio depuis qu'elle était devenue la compagne officielle, la nouvelle femme dans la vie du patron, le CEO, le boss, le petit seigneur du cinéma européen, Tom Portman. Tout change vite dans le monde clos d'hommes et de femmes qui œuvrent ensemble. Les tissus se défont, les mailles filent, les terrains glissent, tout ce qui semblait figé, établi, acquis, va être rapidement remis en question. À elle seule, l'histoire de Caroline avait modifié l'atmosphère au sein de la compagnie.

Regards, murmures, conciliabules, dos qui se tournent quand elle traverse le couloir, les lèvres qui s'amincissent et les cous qui se tendent, la démarche d'une femme se transforme en celle d'une girafe, les yeux d'une autre deviennent perçants comme ceux des chouettes. Renardeaux et musaraignes, chèvres et loups : les animaux de La Fontaine ne sont plus très loin.

Caroline avait d'abord senti une réprobation collective et muette, les mouvements des corps hostiles manifestant une sorte de mépris. Caroline était une femme au jugement clair. Aimer Tom Portman — être aimée de lui, l'aimer à en perdre parfois l'équilibre, aimer jusqu'à avoir décidé, dès leur première nuit d'amants, de briser son couple — n'avait en rien entamé sa capacité de déchiffrer et démasquer les autres. Hypocrisie, dissimulation, malice, elle s'attachait à ne rien laisser passer. Elle savait voir. Aussi devinait-elle déjà les inévitables fluctuations qui allaient s'ensuivre au sein de la compagnie. Premières concessions, début de courtisanerie de la part de celles et ceux qui, jusqu'ici, avaient contesté ses choix ou ses avis. Et puis, au bout de quelques mois, le temps faisant son invincible travail de réduction des passions, haines ou rancœurs, avec le souci de conserver un rôle et une place, on s'accommode de tout pourvu que l'on survive, et cette idée générale selon laquelle, après tout, Caroline Soglio avait bien le droit de coucher avec Tom Portman. Les gens :

— D'autant que ç'a l'air sérieux, ça va durer leur affaire, il a tout lourdé de son côté, elle a déjà divorcé exprès — qu'est-ce que tu veux faire, tu veux faire la gueule ? En quoi ça te concerne ce qu'elle fait de son cul, Caro, elle fait ce qu'elle veut, elle est majeure et vaccinée, c'était fatal que ça arrive, on peut pas lui résister à cette fille — à la seconde où elle a débarqué chez nous, je me disais que Tom tomberait amoureux d'elle, tous les hommes étaient raides dingues d'elle — les femmes aussi, d'ailleurs. Elle donne autant envie à une femme qu'aux hommes. Tout le monde la voulait.

Reprise du chœur :

— On se l'est toutes dit, rappelez-vous, les filles, à quoi bon critiquer et chipoter ou mégoter, maintenant c'est la vie, hein. Et puis, ça nous a débarrassées de la femme légitime de Tom — lui aussi divorce, non ? C'est pas qu'on la voyait beaucoup sur les tournages ou dans les séances de montage ou de prémixage ou aux projections privées, mais quand elle arrivait, quelle sorcière, quel venin, quelle insupportable garce ! Tu me diras, c'est elle qui possède le studio, c'est la famille égyptienne tout ça, ça n'appartient pas à Tom. Enfin, basta, *enough is enough*, *too much is too much*, foutez-lui la paix à Caroline. De toute façon, s'il y a un conflit, c'est elle qui le gagnera et pas nous. Donc, voilà. Et d'ailleurs

— oui, oui, ne me regarde pas comme ça, mais c'est vrai ce que je veux dire — et d'ailleurs, a-t-on surpris une seule fois Caroline en train de profiter de sa nouvelle situation ? Tu crois que je retourne ma veste ? En un an, ça fait un an que ça dure leur affaire, tu l'as surprise une fois en flagrant délit de première dame du royaume ? Non ! Elle n'a pas changé. Elle est toujours aussi efficace, intelligente, à l'écoute, elle n'est pas plus autoritaire qu'autrefois, pas moins. Elle reste à sa place quand il faut, moi je trouve ça même plutôt admirable qu'elle ne fasse pas plus étalage de sa position, qu'elle n'en abuse pas. On ne peut rien reprocher à Caroline, au contraire.

Ainsi parlaient les gens. Mais l'irréprochable Caroline, tout imprégnée de sa passion de la vérité, habitée par cette vertu selon quoi il faut être à la hauteur de l'idée que l'on se fait de soi ou que l'on voudrait que les autres se fassent de nous, Caro, pétrie d'honnêteté, supportait mal l'ambiguïté de la situation.

— Mes rapports avec les autres ont changé, les filles en particulier, les filles, bien évidemment, il n'y a rien à faire, je n'aime pas ça. Soit je quitte la compagnie, soit on trouve quelque chose.

Tom avait trouvé. Tom trouvait toujours et, lorsqu'il déployait une idée devant n'importe quel interlocuteur, entamait une démonstration, le fameux « pitch », formule qu'il avait été le premier à familiariser, l'ayant importée d'un de ses trois voyages annuels en Californie, il recevait l'adhésion de son public. Tom l'immodeste disait : « Je ne perds jamais. » Et dans ses jours les plus humbles, il modérait : « Je me trompe rarement. » Caroline avait succombé à cette arrogance, l'insolence du gagneur, croyant avoir percé et aimé, derrière cette muraille de certitude, le charme d'un adolescent qui doute. Car il restait à Tom cet autre cadeau de la vie : il y avait encore de l'enfance sur son visage de « killer ».

Tom avait trouvé : elle créait sa propre société de production, soutenue par la compagnie, mais détachée et indépendante. Des bureaux séparés, de l'autre côté de la Plaine Saint-Denis, côté est. Un projet différent, une autre structure, un petit atelier : *small is beautiful.*

— Tu appelleras ça « Caro Pictures ! » Ou autre chose, comme tu voudras. Tu pourras développer — ou faire développer — les scénarios que nous ne voulons pas financer car ils sont trop intimistes, trop intellos, trop gros risque commercial. Nous, on fait dans le lourd, action, sexe, rire et *fantasy.* On va chercher le plexus solaire du public. Tu chercheras le plexus cervical. On fait dans le blockbuster. Tu feras dans le minibuster.

Elle l'avait arrêté d'un geste de main en riant :

— N'importe quoi !

Puis elle avait réfléchi, et ce « pourquoi pas » qui régit une partie de nos décisions, de nos vies et de nos actions s'était imposé. Pourquoi pas ? On rédigeait déjà les papiers. Était-ce à ce propos que Tom l'avait convoquée, toutes affaires cessantes, chez lui — chez eux ? Ce chez-lui qu'elle considérait comme chez eux.

Tom était grand, lumineux, il dégageait une impression de force intérieure et d'impudence maîtrisée, les hommes aimaient l'écouter, le suivre et rire avec lui, mais aussi ils étaient prêts à le soutenir, à «backer» n'importe quel film dès qu'il décidait de le lancer. Film après film, il avait touché les dividendes — les énormes dividendes — de l'investissement de ses amis. Les femmes aimaient sa dégaine, cette sorte de certitude rassurante qu'il semblait capable d'offrir à chacune d'entre elles. Il suscitait chez certaines la tentation de poser la tête sur ses épaules larges et confortables. Elles voyaient dans ses yeux vert et noisette une paillette de folie, certaines considéraient son intelligence comme une forme inutile de séduction. Sa beauté avait largement suffi pour leur plaire — fallait-il, en outre, qu'il fût vif, entreprenant, riche en idées et capacité d'analyse, convaincant —, mais un cerveau aussi étincelant que son fameux regard, ce coup d'œil «à la Tom», vous entraînait illico dans ses schémas et projets. Elles s'appelaient les «filles de Tom», la «brigade des TomTom Girls». Il s'évertuait à recruter une majorité de femmes — «je travaille mieux avec elles, elles travaillent mieux que les mecs, surtout dans notre métier» —, il s'était toujours gardé de céder à une quelconque intrigue, une quelconque aventure, avec quiconque. Il les tenait à distance. Elles l'avaient accepté. Seule Caroline Soglio avait réussi à le faire tomber, et cela sans le moindre effort. Alors qu'une bonne partie d'entre elles avait, à un moment ou un autre de la relation avec Tom, esquissé une ébauche de conquête — vite découragée —, Caroline n'avait eu qu'à apparaître pour qu'il l'aime et c'était plutôt lui, Tom, qui avait œuvré pour la conquérir.

Caroline Soglio avait un profil délicat, sans faute, une élégance naturelle, c'était une de ces femmes qui combinent de façon presque injuste une allure mince et élancée avec quelque chose de charnu. Sensuel. Elles sont brunes souvent, et quand elles sont blondes — le cas de Caroline —, c'est encore plus insolent. Elles sont très bien faites, avec des silhouettes comme on en trouve seulement en France, ce qui émerveille les Anglo-Saxons, tant elles semblent posséder ce qu'ils appellent un «je ne sais quoi» qui les distingue de toutes les autres femmes. On peut les voir surgir comme ça, par douzaines, centaines même, d'un seul coup, dans les rues et aux terrasses des bistrots, à Paris ou dans n'importe quelle autre ville du pays, quand se pointent les premiers jours d'avril, a fortiori aux plus beaux jours de mai, pour culminer enfin aux plus glorieux mois de l'année, juin surtout avec ses lumières qui n'en finissent pas de résister à la nuit.

Elles savent s'habiller sans obéir aux modes, mais en inventant de quoi arrêter le regard, trouvant un élément inattendu de couleur, un accessoire qu'elles ont déniché avant les autres, une manière d'afficher leur confiance, leur goût, leur esprit de décision. En un sens, elles sont en avance sur leur temps, ou bien pourrait-on dire qu'elles définissent un peu ce temps, l'air de cette époque. Parfois, en outre, on décèle chez quelques-unes de ces grâces, de ces déesses anonymes, une once d'étrangeté, héritage non identifié d'un mélange de sang slave, italien, espagnol, grec, roumain, arabe ou asiatique, allez savoir — et qui fait les pommettes plus bombées, les lèvres plus ourlées, le dessin de leurs yeux plus longs, et le teint presque ambré, indiscernable nuance. Alors, cette minuscule touche d'exotisme leur donne l'atout du mystère, annonce un tempérament voluptueux, les détache du commun, et provoque l'envie de les connaître, de percer à jour ce qui fait leur différence, au risque toujours possible de la désillusion.

Contrairement aux apparences et contrairement à ce qu'on disait d'elle, Caroline n'avait aucune conscience d'appartenir à cette catégorie de femmes que les autres jalousent. Jusqu'à l'âge de trente ans, elle ne s'était guère aimée, car son premier mari l'avait inlassablement découragée. Il avait chaque jour étouffé ses qualités, invoquant sa trop grande intégrité, ses scrupules, sa rectitude morale et sa trop bonne éducation bourgeoise reçue au cours d'une jeunesse provinciale. Il soulignait ses erreurs, ses fautes de parcours, et elle n'aimait pas ce qu'elle faisait et devenait. Elle avait navigué de jobs en jobs, sans parvenir à définir l'activité qui comblerait ce manque qu'elle ressentait à la vue de ses amies, de sa sœur aînée, de ses cousines déjà mères de famille tout en étant responsabilisées dans leur métier, que ce fût l'enseignement, la recherche, le droit, le journalisme, les ressources humaines ou le bénévolat, la mise en scène ou l'édition. Il avait fallu un hasard pour que, embauchée pour remplacer une «TomTom Girl» en congé sabbatique, on l'implique dans la production du nouveau long métrage de la compagnie, le grand film de l'année. Elle y avait instantanément fait montre d'intuition, de bon sens, de psychologie, d'efficacité et d'énergie. Elle s'était rendue indispensable. Une révélation. Persévérance, gentillesse, vision des obstacles, sens de la synthèse. Elle adorait faire. Ils adoraient qu'elle fasse. Véronique et Samuel Gretzki, le couple sans lequel Tom Portman n'aurait jamais pu gérer ses multiples folies et déployer son audace, disaient de Caroline :

— Elle était faite pour ça. On dirait qu'elle a fait ça toute sa vie.

Fabienne, leur adjointe, renchérissait :

— Irremplaçable. La greffe a tellement bien pris qu'elle est devenue partie même de notre corps. Le corps de la compagnie.

Comme beaucoup de femmes qui, lorsqu'elles rencontrent celui qu'elles croient être l'«homme de leur vie », larguent brusquement toutes les amarres, Caroline avait scié son mariage en l'espace de quelques jours. Les hommes sont plus prudents en matière d'adultère. Ils tergiversent, dissimulent, reculent et louvoient, temporisent. Une femme, quand elle quitte un homme pour un autre, est susceptible de rompre avec la rapidité et la dextérité du chirurgien maniant le scalpel. C'est précis, net, sans retour, tant pis pour les éclaboussures de sang qui ont taché le champ opératoire.

Caroline et Tom vivaient ensemble depuis un peu plus d'un an. Elle avait quelquefois la sensation qu'ils avaient toujours vécu ensemble.

Arrivée dans la cour de l'immeuble, elle aperçut Mehdi, l'homme à tout faire de Tom, debout devant une camionnette de couleur grise, un van immatriculé 60.

— Qu'est-ce qui se passe, Mehdi ?

Le gros garçon joufflu remua la tête, l'air irrésolu.

— Ch'sais pas, madame Caroline.

— C'est quoi, cette fourgonnette ? C'est de la location ?

— Ch'sais pas, madame Caroline, faut demander à M. Tom.

Lorsqu'elle pénétra dans le loft, elle vit Tom, au milieu de la grande pièce, entouré de plusieurs valises posées au sol. Elle les reconnut comme les siennes.

Elle s'avança pour l'embrasser. Il fit un pas de côté, ce qui la surprit. Elle s'immobilisa.

— Qu'est-ce qui se passe, Tom ? On part en voyage ?

— Non, on part pas. Enfin, si — mais c'est toi qui dois partir.

Elle eut un rire cursif.

— Attends, de quoi tu me parles ?

Tom balbutia quelques mots incompréhensibles. On eût dit qu'il ne parvenait pas à construire une réponse. Il bredouillait, embarrassé, cherchant à articuler une phrase. Il finit par dire :

— Assieds-toi, Caroline, on n'a pas beaucoup de temps.

— Comment ça ?

— Assieds-toi, faut faire vite.

— Comment ça ? Non, je ne m'assieds pas, dis-moi ce qui se passe.

Il sembla enfin capable d'organiser son verbe, prit une courte respiration, sa voix avait emprunté un timbre autre, au-dessus de la note habituelle, presque pointu, presque efféminé.

— Elle revient. Il faut que tu t'en ailles.

— Qui revient ?

— Ma femme, l'Égyptienne.

— L'Égyptienne ?

— Oui, oui, tu sais bien que je l'appelle comme ça de temps en temps.

Elle rit encore, mais plus brièvement, plus froidement, un rire mécanique, un réflexe de défense.

— Non, dit-elle, je ne sais pas. Ou plutôt si, je sais, et je m'en fous.

Il l'interrompit, cette fois apparemment saisi par un sentiment d'urgence. Les mots, maintenant, déferlaient :

— Elle revient, voilà, alors il faut que tu t'en ailles. Vol AF 1533 en provenance d'Athènes. CDG 2D. Elle sera là dans une heure, une heure et demie. À cette heure-ci, Roissy, il faut bien ça pour arriver jusqu'en ville. Il faut que tu sois partie avant, j'ai déjà tout préparé.

— Préparé quoi ?

— Ben, tes affaires, j'ai fait des valises, tu ne peux pas rester ici, Caro, tu comprends. Ma femme a décidé de revenir.

— Mais pourquoi tu dis « ma femme » ? Qu'est-ce que c'est que cette expression ? Qu'est-ce que tu me racontes, Tom ? Tu n'as pas entamé la procédure de divorce ? Tu m'as dit que tout était en route, que c'était fait. « Ma femme », « ma femme », mais c'est moi, ta femme. Ça fait un an qu'on vit ici, toi et moi, qu'est-ce que tu me parles de ta femme ?

— Non, rien n'est fait. Je t'ai menti. Je t'ai menti, j'avais rien mis en route.

— Quoi ?

— Je t'ai menti. Elle revient. Je peux pas faire autrement. Voilà, j'ai menti.

Elle voulut s'asseoir. Les jambes lui manquaient. Une sorte de tremblement alternativement chaud puis glacé parcourait son bas-ventre, en dessous de la ceinture, dans le bas des côtes, comme si quelque seconde peau, une peau étrangère, insidieuse, venait se coller sur la sienne entre la chair et les os pour l'aliéner et l'asservir. L'habituel agencement de sa pensée déraillait. Il fallait qu'elle y mette un terme, il fallait qu'elle retrouve une ligne droite, la capacité de réfléchir vite, de l'interroger.

— Va me chercher quelque chose à boire, Tom, s'il te plaît, un verre d'eau.

Il se courba en deux, un maigre sourire sur ce visage qui, de minute en minute, devenait pour Caroline celui d'un inconnu, d'un autre homme, qui lui semblait perdre sa beauté et sa force, le visage de la lâcheté et du mensonge.

— Tout de suite, tout de suite, dit-il. Tu ne veux rien d'autre ?

— S'il te plaît, juste un peu d'eau.

Il se dirigea vers le coin cuisine, pressé, à grandes enjambées, comme si ça le soulageait d'avoir une tâche à accomplir, de pouvoir s'éloigner d'elle, comme si le fait que Caroline ait demandé à boire signifiait qu'elle avait reçu le premier coup, le plus dur, et que, dès lors, il pourrait aller au bout de son geste, sans déclencher trop de pleurs, de hurlements, d'hystérie, sans être submergé par la culpabilité et la réalité de sa profonde et secrète dépendance. Les larmes, Caroline en était loin. Elle avait eu besoin de ce court intervalle pour reprendre possession de son esprit, de sa vérité. Elle était partagée entre cet instant où l'on sent la violence de la blessure et le besoin de choisir, de façon immédiate, ce qui est le plus nécessaire : surmonter le pathétique pour laisser place à la fierté et l'orgueil — ce qui peut vous sauver —, le respect de soi. Le rejet du malheur imposé. Elle se savait capable de lutter dans des situations inattendues. Elle en avait connu d'autres. Elle avait atteint ce palier de sa vie où, après avoir beaucoup subi, elle avait définitivement rejeté la posture de la victime. Puisqu'elle avait quitté son mari pour Tom, déchiré tous les contrats de la bienséance, Caroline avait appris à maîtriser les choses. Ironie des circonstances, c'était Tom qui lui avait révélé sa valeur, inculqué la leçon qu'on ne doit pas se réfugier dans le dénigrement de soi, la facilité et l'excès d'humilité. Il lui avait souvent répété :

— Tu as trop de valeur, tu as trop de qualités, pour n'avoir jamais à te déprécier.

Avec lui, et grâce au métier qu'elle avait assimilé si vite, elle avait compris qu'elle ne possédait pas le tempérament d'un être dominé. Dans la vie, il y avait les dominés et les dominants. Elle ne se voyait pas comme une dominante, elle était sûre de ne pas être une dominée. Elle se jugeait apte à prendre les choses en main, à surmonter le cours des choses.

«Les choses», les choses, quand nous parlons des choses, que voulons-nous dire ? Quel est ce terme si vague, cette abstraction si souvent employée ? L'ordre des choses ! La force des choses ! Le désordre des choses, oui — la faiblesse des choses.

Il marchait vers elle, un verre d'eau à la main, il le tendit à Caroline qui était restée assise sur le rebord du grand canapé blanc en forme de L. Elle le regarda.

Avoir pu, pendant quelques minutes, réfléchir aux
« choses », avoir pu ainsi se détacher de ce qui se dérou-
lait dans ce loft — cette guignolade, ces valises, le van en
bas qu'il avait sans doute loué, bien sûr, pour qu'elle
déguerpisse, elle imagina même qu'il avait déjà changé
les draps, défait les couples d'oreillers, les couples de
serviettes dans la salle de bains, quoi d'autre encore —,
avoir pu bénéficier de cette lucidité en pleine parodie
d'une pièce de boulevard lui permettait de trouver le
calme. C'était tout calme à l'intérieur. Il n'était pas difficile de préjuger que, d'ici à quelques heures, le désespoir pourrait la submerger. Mais, dans l'instant, elle
était pleine d'un calme presque animal, primitif.

Elle regarda Tom, répétant les mots qu'elle avait uti-
lisés sans frénésie, sans cette surprise brutale qui l'avait
saisie aux premières phrases, aux premiers « elle
revient » qu'il avait prononcés de cette voix curieusement fluette.

— Allons, Tom, dis-moi, qu'est-ce que c'est que
cette histoire ?

Il répéta, lui aussi, ses mots précédents car, devant
la tranquillité de la femme qui le contemplait comme
une mère toise un enfant qui a fauté, il n'en trouvait
pas d'autres.

— Elle revient. Elle a décidé de revenir. Voilà.

— Elle a « décidé » ? « L'Égyptienne a décidé », et
toi, tu ne décides rien ?

— Je ne peux pas t'expliquer. Je n'y peux rien, elle

va être là dans deux heures, il faut que tu partes avant. Je n'y peux rien. Tu peux pas comprendre. Donc voilà.

— Comment ça, tu n'y peux rien ? Comment ça, je ne peux pas comprendre ?

Il haussa la voix. Soudain, fugitivement, ce qu'elle avait aimé chez lui — l'autorité, la note tranchante de la décision, l'intonation impérative qui annihilait toute contradiction autour de lui lorsqu'il travaillait et annonçait ses initiatives — refaisait surface. Il reprenait du volume, du coffre.

— Tu n'as donc que ces deux mots à la bouche : « Comment ça », « comment ça » ?

Puis il cria :

— Écoute, je n'y peux rien, ça dépasse mon contrôle, c'est au-delà de moi. Comment ça, comment ça, tu fais chier avec tes « comment ça » !

Alors, elle perçut ce qui lui avait échappé jusque-là. Il avait peur. C'était la nouveauté de leur face-à-face. C'était cela, l'événement original, cet homme était en proie à un grand effroi. Sur le beau masque de Tom Portman, sur le visage de l'empereur des salles de cinéma, le maître des DVD, le roi de l'image et de tous ses dérivés, l'audacieux entrepreneur, le producteur le plus envié de sa génération, le multiple oscaro-césarisé, Caroline découvrait les stigmates de la peur. Et la révélation de cette peur la rendit plus forte, plus véhémente.

— Tu m'as tout le temps menti, lui dit-elle.

— Oui, oui, je t'ai menti.

— Et tu as peur.

— Mais non, je n'ai pas peur. De quoi tu parles ? Peur, moi ? Qu'est-ce que tu racontes ?

— Arrête, Tom, tu es mort de trouille, je voudrais bien comprendre pourquoi. Qu'est-ce qui s'est passé ? Qu'est-ce qu'elle a comme pouvoir sur toi, cette femme, pour que tu nies tout ce que tu m'as dit, tout ce que nous avons fait et vécu ensemble ? De quoi as-tu si peur ?

Il voulut protester sans parler. Avec des gestes de main, un recul du corps, ce corps dont il ne semblait plus savoir que faire. Il s'était assis à son tour, mais de l'autre côté du canapé, et elle le surprit à tirer sur le poignet de sa chemise pour jeter un coup d'œil anxieux à sa montre, une fois, deux fois, trois fois. La colère permettait à Caroline de ne pas trop souffrir devant l'insulte de ce petit geste.

On a beau savoir que, sous toute passion, il y a toujours la permanence d'un danger, lorsque ce danger survient et qu'il efface ainsi cette passion, on a beau savoir, la piqûre peut être mortelle. Mais puisqu'il ne s'est agi que d'une passion — et pas d'un amour —, on peut en guérir aussi rapidement qu'on en a été atteint, à condition que la colère et la lucidité que provoque l'offense prennent le dessus sur le sentimentalisme et sur la nostalgie d'un bonheur déjà obsolète. Cependant, à cet instant, Caroline eut un sursaut de tristesse et la vision fugitive de leur passé commun. Elle ne put résister.

— Comment on les appelait, les oiseaux, sur la plage de Kiwayu, tu te souviens, Tom ?

Il eut l'air effaré.

— Quoi ?

Elle reprit lentement :

— Rappelle-toi, Tom, ils avaient un joli nom, c'étaient des bécasseaux des sables, tu te souviens bien, quand on allait les voir, le matin très tôt, en sortant de la hutte, avec tous ces minuscules bébés crabes qui trottinaient entre nos pieds nus, et on sautillait de peur de les écraser, ou de peur qu'ils nous mordillent.

Il se taisait, la tête baissée. Elle continua :

— Et puis il y avait les bécasseaux, perchés sur leurs pattes, fines comme des aiguilles, des brindilles. Ils sautillaient eux aussi comme nous. Comment ça s'appelait, Tom ? Des sanderlings, c'est ça, des sanderlings. Tu t'en souviens ?

— Arrête, dit-il. Arrête, ça va. Ça suffit.

— On appelait ça aussi des sandpipers. C'est bien ça ? Tu te souviens, il y avait eu ce grand débat avec ce couple d'Anglais au petit déjeuner. Sanderlings ou sandpipers ? Toi, tu optais plutôt pour les sandpipers parce que tu avais appris ça à Malibu. Eux, ils étaient plutôt plus colonial, plus british. Sanderlings, c'était plus chic, moins américain, moins commun. Au fond, moins vulgaire.

Il se leva, tendant un doigt vers elle avec, à nouveau, le ton d'urgence dans la voix :

— Qu'est-ce que tu as, Caroline, tu délires ou quoi ?
Qu'est-ce qui te prend ?

Elle se tut. Elle avait versé dans le pathos et elle s'en voulait. Elle lâcha :

— Je ne pouvais pas imaginer qu'on pouvait cesser d'aimer quelqu'un à une telle vitesse.

Et, le disant, elle s'aperçut que c'était la première fois depuis son arrivée dans le loft, avec la surprise de découvrir cette rangée de valises étalées sur le plancher, qu'elle utilisait le verbe aimer. Tom, de son côté, n'avait pas prononcé le mot amour, n'avait pas protesté de son amour pour elle. Dans une circonstance similaire, en général, celui ou celle qui vous abandonne n'hésite pas à clamer des « mais je t'aime », comme pour conjurer le mal qu'il — ou elle — fait. Tom, au moins, sur ce plan-là, n'avait pas eu recours à ce mensonge.

— Très bien, je m'en vais, lui dit-elle, c'est fini. J'imagine que la fourgonnette, en bas, avec Mehdi, c'est toi qui as pensé à ça, pour les valises ? Et où je vais, moi, avec ça ?

Il reprit un ton de commandement, de fermeté, d'organisation des choses : j'ai tout prévu, tout roule, je maîtrise la situation.

— Je t'ai réservé une suite au Royal Monceau.

Elle éclata de rire. Ça lui faisait du bien de rire ainsi. Autant plonger dans le mépris, ça balayait toute possibilité de chagrin. Autant se noyer dans la haine, ça aide. Autant devenir féroce.

— Tu plaisantes, j'espère. Je ne suis pas une call-girl qu'on installe dans un palace. Mais tu es nul, Tom, nul !

Elle répéta :

— Tu es vraiment nul.

Il marmonna :

— Je suis désolé, Caroline, franchement désolé, je suis désolé, mais je ...

Elle l'interrompit :

— Oh, je t'en prie, tais-toi.

Et puis elle hurla :

— Tais-toi ! Ta gueule !

Il se figea, donnant l'impression qu'il ne parlerait plus, en effet, plus du tout. Un gisant, mais un gisant debout. Il attendait, partagé entre plusieurs formes de peur. Elle se reprocha d'avoir crié ainsi. Elle attendit, elle aussi — dans le même mutisme que celui de Portman. Cela dura quelques minutes, puis elle décida de tourner le dos à l'inconnu qu'elle avait eu la naïveté de croire connaître, mais dont il ne lui restait plus déjà qu'une image indéchiffrable. Comme du papier qui crame, qui se rétrécit jusqu'à ne plus former qu'un tas de cendres blanchâtres, un coup de vent le fait disparaître et il ne restera rien. Misère des amours bafouées, des aveuglements du corps et de l'esprit, le cœur qui s'écartèle. On se retrouve à poil, éviscéré, on a été floué de bout en bout, c'est comme ça, il aurait fallu être plus lucide.

Dans l'après-midi même, elle avait fait vider son bureau de la Plaine Saint-Denis. On ne la revit plus dans la compagnie, ni dans le monde du cinéma. Il fallut un bon semestre, sinon plus, pour qu'elle accepte de participer au fameux dîner qu'organisaient, tous les mardis soir, ceux qui étaient restés ses amis, Véronique et Samuel Gretzki, rue de La Planche.

# 4

Le cri strident d'un chien sauvage m'a réveillée.

Ça m'a rappelé cette nuit que nous avions passée avec Rose, le long de Crissy Field, près du Presidio, l'ancienne base militaire. Le bruit des vagues dans la baie et le bourdonnement continu des véhicules sur le Golden Gate Bridge n'avaient pas empêché que nous entendions les chiens qui rôdaient sur le sable, pas loin de nous. Peut-être cherchaient-ils le corps du suicidé qui venait juste de chuter dans l'eau noire. Rose m'avait dit qu'il suffisait d'attendre et qu'on en verrait au moins un en l'espace d'une nuit. On avait cru discerner une masse sombre qui tombait toute droite, on avait cru que c'en était un. On n'avait pas entendu la chute dans l'eau, il y avait trop de bruit. Rose disait qu'il en tombait un toutes les trente minutes, du pont, mais ce n'était pas forcément le meilleur endroit pour les voir. Nous n'avions pas trouvé mieux. En tout cas, c'était par là que leurs corps revenaient, chassés par la marée, à Crissy Field. Il y avait un vent qui rendait fou, ce soir-là, une atmosphère fantôme. On avait décampé avant que les *cops* arrivent, on voyait déjà la lumière bleutée des gyrophares des voitures qui venaient de loin, sur Mason Street.

Je me suis retournée dans mon lit, doux et protecteur. Le chien avait cessé de crier. Mais je ne me suis pas rendormie et j'ai repensé à ce qui m'était arrivé depuis que j'avais débarqué dans la grande ville.

J'avais d'abord pris un car local qui m'avait transportée jusqu'à Yountville et de là jusqu'à Napa. Dix miles par la 29, la Saint Helen Highway, une route sans histoire qui descendait en ligne droite vers la ville. À Napa, je m'étais rendue dans le centre où se trouve la gare routière, la Napa Transit, sur Pearl Street. J'avais pu monter dans un Greyhound pour San Francisco, disant définitivement adieu aux *wineries*, osant enfin aborder la grande capitale.

Je sentais la présence du *switchblade knife*, dans la poche de mon jean, ce couteau à cran d'arrêt que Miguel, juste avant de remonter dans le pick-up après notre *abraso*, à grands coups de tapes dans le dos, avait posé dans la paume de ma main.

— Tiens, m'avait-il dit, prends ça.

Je l'avais repoussé.

— Ch'suis pas un mec, Miguel. Les filles se baladent pas avec un couteau à cran d'arrêt dans leur poche.

Il avait fermé les doigts sur le couteau en passant sa propre main sur la mienne, comme pour sceller un pacte.

— T'en auras peut-être besoin. Tu es trop seule.

Et, dans son américain qui resterait toujours un peu approximatif, avec sa forte intonation hispanique que je m'étais surprise à aimer entendre, il avait ajouté :

— On sait jamais ce qu'on sait jamais qui peut se produire.

Je ne pouvais pas refuser. J'avais mis le couteau dans ma poche et maintenant, assise dans le Greyhound, j'avais du mal à m'accoutumer à l'objet, j'avais l'impression qu'il prenait une trop grande importance, qu'il s'incrustait dans ma poche, collé contre ma cuisse. Il faudrait que je m'y fasse ou que je m'en débarrasse. Mais, ne fût-ce que pour Miguel qui m'avait tant donné en si peu de temps, je savais bien que je le garderais. Ça m'encombrait, mais c'était là. Il y avait peu de chances que je revoie jamais Miguel, alors, le couteau, c'était un peu lui, avec sa générosité, son refus de l'injustice.

Le bus était plein et j'avais réussi à m'asseoir à côté d'un type en costume de ville sombre, chemise blanche, sans cravate. Il avait un visage à peu près normal, mis à part un petit tic au coin de la lèvre. Il devait être âgé d'une trentaine d'années.

— Je m'appelle Darryl, et vous ?

— Maria.

— D'où venez-vous ?

— Plus haut, les vendanges, la vallée.

Je n'avais pas envie de lui parler, le son de sa voix me déplaisait, à la fois sirupeux et nasillard, mais qui peut et comment échapper à ce rite, si ancré dans nos mœurs, qui consiste à interroger n'importe quel inconnu que l'on rencontre sur l'État d'où il vient, ce qu'il fait, son prénom, sa famille ? Au cours de toutes mes errances en stop, en bus, en train, depuis que j'avais fugué de chez Wojtek et Jana, j'avais été rodée à cet usage — pourtant cela m'indisposait, et si j'avais dû analyser ma réticence, j'y aurais bien vu que je n'étais pas conforme à l'Américaine type. Qui étais-je ? La « Polack ». Elle venait d'où ? Wojtek ne m'avait pas donné d'autres indications que celles, brutales, de ma bâtardise et de mon statut de fille adoptée. Jana la muette, même lorsqu'elle me regardait, certains soirs, avec dans ses yeux un semblant d'apitoiement qu'on aurait pu prendre pour une amorce de tendresse, était incapable de m'en révéler davantage. Pour survivre à ses côtés, j'avais appris, tout enfant, le langage des signes, mais je n'avais pas pu lire, dans le papillonnement de ses doigts, autre chose que des consignes quotidiennes, pratiques, la vie matérielle : faire ceci, faire cela ; aller ici, aller là-bas. Les mouvements de ses mains ne m'avaient jamais livré un sentiment, une idée, son âme.

— Avant la Napa Valley, vous veniez d'où ?

— San Diego.

— Vous n'êtes pas bavarde.

— Ben, non.

Il ne semblait pas troublé par ma réticence. Il avait penché la tête comme pour appuyer son front sur le dossier du siège devant lui.

— Eh bien, moi, je m'appelle Darryl, mais ça je vous l'ai déjà dit — et je vis à San Francisco, mais je suis né dans l'Oregon. Darryl, ça s'écrit avec un seul « l », c'était un prénom de femme à l'époque, mais c'est devenu un prénom d'homme. Vous allez me dire, drôle de prénom. Oui, et puis, souvent c'est un prénom juif, il n'y a pas beaucoup de juifs dans l'Oregon. Y a quand même eu un très grand producteur de cinéma qui s'appelait Darryl — j'ai oublié son nom de famille. De toute façon, on est toujours seul où qu'on soit, n'est-ce pas ?

J'ai tourné un peu plus mon visage vers le sien, il souriait et j'ai senti qu'il n'y avait aucune hostilité en lui. Il avait envie de parler, de parler de lui. Je lui ai rendu son sourire et il a eu l'air satisfait.

— Mon métier, c'est chauffeur. Je conduis la voiture d'un monsieur assez riche, et avec sa famille aussi. C'est fatigant parce qu'on est toujours assis, ça vous fiche le dos en l'air et on peut prendre du ventre, mais c'est rassurant, on est à l'abri des gens, on les voit à travers un pare-brise. Bon, bien sûr, il faut sortir de temps en temps, ouvrir et fermer les portes, porter des trucs et des machins, mais dans l'ensemble, vous êtes protégé, on vous fout la paix, vous êtes gentiment installé avec votre solitude assise à côté de vous ou derrière vous, de l'autre côté de la vitre. Et vous, comment vous vous arrangez avec la solitude ?

Subitement, il eut une brève série de tics à la croissance de sa lèvre, côté droit du visage. Ça ressemblait à une petite lettre, à un « v » qui s'inscrivait et disparaissait aussi vite sur la partie basse de sa joue et s'accompagnait d'une sorte de clignement de l'œil droit, aussi fugace que le battement de la lèvre. Ce n'était pas laid, mais bizarre, et ça le rendait fragile, il y avait une angoisse indéterminée dans ces courtes contractions, du malheur en réserve. J'ai répondu :

— Je ne sais pas, je ne connais personne, je ne me pose pas ce genre de questions.

— Je comprends pas : vous ne connaissez personne ?

— Non, personne.

— Quel âge avez-vous ?

— Vingt ans, pourquoi ?

— À cet âge-là, on a des douzaines d'amis, non ?

— Peut-être.

Quand on me demandait mon âge, je mentais toujours. Vous dites que vous avez seize ans, les gens s'interrogent immédiatement — qu'est-ce qu'une fille aussi jeune, une « belle fille », en outre, fait toute seule sur la route. Et ses parents ? Et ses études ? Alors je racontais des histoires, je disais que je rejoignais les membres de mon collège en stage d'été, au-delà des montagnes, entre le Nevada et l'Arizona, et ça passait. Quant aux petits boulots, ils étaient tous provisoires, payés au noir, et j'évitais les grandes villes comme Fresno ou Modesto et je montais systématiquement vers le nord, ne m'arrêtant que dans les coins perdus où la main-d'œuvre est bon marché, payée de façon illégale. La Probe, Volta, Tres Pinas. Les employeurs se moquaient bien de connaître mon âge et d'où je venais et où j'allais. Mes papiers suffisaient, j'avais falsifié la date de naissance avec l'aide d'un Chinois rencontré à Vallejo, il faisait ça pour cinquante dollars, un vrai expert. Je savais très bien mentir, avec mon sourire sincère sur ce visage dont ils disaient tous qu'il avait « quelque chose d'angélique ». D'une manière générale, les jobs ne duraient pas. Le plus long, ç'avait été la Winery Calistoga, là-haut dans la vallée, mais il avait fallu que ces trois salauds me balancent dans le fossé avec l'aide de Sally, la vipère du camp. Dans l'ensemble, depuis que j'avais quitté San Diego, j'avais traversé la Californie en long et en large, je ne m'étais pas mal débrouillée. J'avais craint que Jana et Wojtek ne lancent un avis de recherche et qu'on affiche ma photo sur les murs des commissariats où dans les computers des flics de la route, avec celles de milliers d'autres *missing persons* qui s'évaporent tous les jours sur l'immense continent, mais il ne s'était rien passé de la sorte. Mes parents adoptifs n'avaient fait aucun geste. Peut-être s'étaient-ils dit : « Bon débarras. »

Peut-être Wojtek avait-il pensé : « Elle reviendra. »

Comme si je pouvais avoir l'idée de revenir pour

retrouver celui qui, certains soirs, s'habillait du grand manteau.

J'évoluais donc en solitaire à la recherche de quelque chose. Et ma principale préoccupation demeurait la distance qu'il fallait savoir conserver avec les hommes. C'était tellement variable. Parfois, dans certaines circonstances, je m'étais enlaidie, salissant mes joues avec du charbon, mettant du coton à l'intérieur des parois de la bouche pour ne pas trop plaire à un contremaître, à un chef de rang en cuisine, le recruteur d'un champ de pommes dans la San Joachin Valley. Parfois, en revanche, je savais qu'il était nécessaire de faire ressortir ma beauté dans tout son éclat. Alors, ce n'était pas très difficile. Il suffisait de secouer les cheveux, de relever la tête, trois touches de rouge, un petit coup de pinceau, de se cambrer et de marcher d'une certaine manière. D'onduler. De bouger le corps comme la vague, douce, lente, déroulant sa soie bleu, émeraude et blanc, la vague parfaite de Piedras Blancas ou de Big Sur — ou un autre soir, avec un ciel de nuit immaculé, au-dessus de Half Moon. J'avais dormi nue dans mon sac de couchage sur le sable jaune, les yeux vers les étoiles. La vague, sous la lune, avait été féerique.

Au bout d'une heure et demie de trajet, alors qu'on arrivait aux abords de San Francisco, je n'éprouvais plus aucune défiance à l'égard de Darryl. Je m'étais faite à la musique particulière de sa voix, et ce qui m'avait paru déplaisant dans son timbre me rassurait. Je ne prêtais plus aucune attention à son tic minuscule. Il n'avait en rien tenté de me séduire et, s'il s'intéressait à moi, ce devait être pour d'autres raisons. Comme avec Miguel, je m'apercevais que les seuls hommes avec lesquels je me sentais capable de ne pas me masquer étaient précisément ceux qui n'accordaient pas d'importance à mon apparence, à ma poitrine ou à mes fesses, à ma taille ou à mes hanches, à mes yeux ou à mes lèvres. Ceux qui ne s'intéressaient pas à mon sexe m'intéressaient. Darryl m'a donné l'adresse d'un petit hôtel bon marché dans Mason Street.

— Quartier hispanique, pas trop d'affrontements, pas trop de drogués. C'est un peu sauvage, mais beaucoup moins dur que L.A. Et si tu cherches du boulot, va faire un tour à Glide Church, consulter les petites annonces.

Puis il m'a laissé un numéro de téléphone inscrit sur son billet de Greyhound bus :

— C'est celui de la limousine que je conduis. Si tu as envie de bavarder. T'es vraiment sûre que tu ne connais personne à San Francisco ?

— Sûre, mais ça n'est pas grave.

On s'est quittés sur ces mots. Lui, c'était pas comme Miguel, quelque chose me disait que je le reverrais un jour.

Dans la ville basse, près de Union Square, il y avait un quartier pourri, Tenderloin. J'y ai navigué de jobs en jobs pendant plusieurs semaines. Ceux avec qui je m'entendais le mieux, c'étaient les plus démunis, les *drifters*, les vagabonds, les sans-papiers, les inoffensifs miséreux et sans force, sans aucune intention de me nuire. Comme je vivais avec peu de dollars, il m'arrivait souvent de les retrouver à la distribution des vivres, à partir de midi. Ils sentaient la vinasse, leurs yeux s'allumaient à la vue d'une mignonnette de rhum ou de vodka, exhibée par un voisin plus chanceux qui avait fait une bonne manche et récupéré de quoi s'alcooliser. Il y avait de tout, à Glide Church. Des Blacks, des Asiatiques, des Latinos. Leur infirmité mentale et psychologique se lisait aisément sur leurs visages dévastés. Je ne sais pourquoi, j'aimais écouter leur bla-bla-bla insignifiant.

— Tu es jeune, tu es belle, qu'est-ce que tu fais parmi ces clodos, c'est pas ta place. Ta place, elle est de l'autre côté, avec nous. Viens travailler avec nous, m'a dit un jour une grosse fille à lunettes que j'avais rencontrée au foyer YWCA où j'avais décidé de m'installer.

C'était moins cher que l'hôtel Miranda, et moins dangereux. Il y avait moins de mains qui traînent et de regards invitants et faux. Certes, il y avait les filles qui aiment les filles et qui lançaient leurs œillades ou leurs avances, mais si vous leur faisiez comprendre que ce n'était pas votre choix, elles vous laissaient relativement tranquille.

J'ai répondu à la grosse fille à lunettes :

— Ça veut dire quoi, travailler avec vous ?

— Servir la soupe populaire, par exemple.

Elle s'appelait Rose. Elle n'était pas tellement plus âgée que moi, quelques années tout au plus. Elle avait des cheveux roux et des yeux qui pétillaient, des petites lumières partant dans toutes les directions. Elle portait une sorte de doudoune blanche avec des fleurs jaunes brodées au-dessus des poches. Le vêtement accentuait encore un peu plus la rondeur de ses formes, mais Rose semblait indifférente à son allure. Elle avait l'air placide, éternellement souriant, de ces filles qui ont accepté leur grosseur et qui, l'ayant acceptée, parviennent à mieux s'intégrer à toute communauté. Au point de faire de leur obésité un atout de charme, comme si l'ingratitude de leur physique permettait d'aller plus vite dans la connaissance de l'étranger, d'entamer plus aisément une relation — on ne résiste pas à un gros qui sourit, dans la société de compassion américaine.

J'ai dit à Rose :

— C'est bien payé, ce truc ?

Elle a ri.

— Non, c'est très mal payé et même des fois c'est pas payé du tout. Mais, tu verras, ça fait beaucoup de bien de faire du bien aux autres. Tu peux pas savoir à quel point c'est gratifiant de distribuer de la bouffe à des gens qui attendent ça comme un cadeau. Et puis, au moins, et au passage, tu manges à l'œil tous les jours.

— J'ai pas besoin, je gagne ma vie, je peux très bien me nourrir.

La grosse Rose a pris mon avant-bras par en dessous, le geste favori des *touchy-feely*, ceux qui touchent et qui sentent, tout en continuant de rire. Elle ne pouvait parler sans rire, c'était comme l'accompagnement d'une musique sur les mots d'une chanson. Chez d'autres, c'eût été exaspérant. Avec Rose, c'était entraînant, un fond sonore, une simplicité dans la joie d'être.

— Ne te défends pas, Maria, on a bien compris que tu te suffis à toi-même. Tu sais comment on t'appelle au YWCA ? *The lonely one.* La toute seule. Moi je te vois, quand je passe devant l'épicerie du Syrien, quand t'es en train de vendre tes paquets de Doritos à des Coréens ou à des Salvadoriens, et je me demande ce que tu cherches, qu'est-ce que tu fais de ta vie ?

— Je ne sais pas, lui ai-je dit. Je veux devenir quelqu'un d'autre que moi.

Rose ne s'était pas trompée. J'ai éprouvé une curieuse satisfaction à plonger la louche en laiton dans la grande cuve pleine de soupe aux haricots noirs et à en reverser le contenu fumant dans les assiettes, les gourdes et les gamelles des clochards et des paumés de Glide Church.

Ils défilaient devant moi, nous n'étions séparés que par le long tréteau de bois gris, installé dans le vaste foyer attenant à l'église, et je lisais sur leur visage la résignation, la perte d'énergie et de désir — ce poids lourd des circonstances, ce regard à la fois apeuré et vindicatif né des blessures et accidents qui finissent par détruire dignité et volonté pour vous faire entrer dans les chemins de la déréliction. À mesure que je me familiarisais avec ces figures et ces personnages, je me renforçais dans la conviction qu'il ne faudrait jamais leur ressembler. Je pouvais les aimer et les comprendre, puisque j'avais croisé nombre de leurs semblables au cours des saisons, pouce levé, sur les routes, en maraude ou dans les trains de marchandises, au cours de mes jobs provisoires, mais je n'étais pas prête à rejoindre l'armée des vaincus. Ils n'étaient pas partis dans l'existence avec plus de handicaps que moi. J'avais sur eux un avantage qui ne se mesure pas, que l'on ne définit pas. Orgueil de ma jeunesse, conscience de ma beauté, obsession de revanche. Certitude qu'il allait m'arriver quelque chose.

On servait aussi de la soupe de brocolis mouillés, mélangée d'une lourde sauce béchamel qu'on saupoudrait d'une poussière de biscuits écrasés. Ces galettes sèches et sans saveur étaient fournies par les dames de charité des beaux quartiers, les bourgeoises descendues de Pacific Heights, de Nob Hill, ou de plus loin encore, comme Noe Valley. On les voyait débarquer tous les mardis au volant de leurs rutilants 4 × 4 ou de leurs Coccinelle *vintage* et bien lustrées, les bras chargés de sacs de provisions. Elles avaient consacré leur lundi au démarrage d'une nouvelle semaine, après un week-end au ski, à la mer, à la montagne, chez des parents ou des amis, ou dans leur demeure secondaire, il leur fallait donc tout remettre en marche : mari, enfants, organisation de la maison, reprise de leurs propres activités semi-professionnelles, leurs alibis. Après quoi, il y avait le mardi, c'était le matin de la solidarité, de la charité, ce qui vous permettait d'enchaîner un mercredi sans mauvaise conscience et dynamique, lequel annonçait un jeudi de plein rendement pour déboucher enfin sur un vendredi frénétique, lui-même promesse d'un nouveau week-end — mon Dieu, quelle vie et quelle absorption de votre énergie et de votre personne !

Elles étaient plutôt jeunes, trente à quarante ans — bien construites, des corps qui s'entretiennent, elles s'habillaient sans ostentation, on ne vient pas voir les pauvres en talons, bijoux ou jupes courtes —, elles portaient souvent des jeans et des *cargo pants*, des *running shoes* ou des *Belgium shoes* plates, un bandana autour du cou ou formant le chignon de leurs cheveux bien propres, et malgré leurs efforts méritoires pour dissimuler l'aisance, voire l'opulence, les moyens qui leur avaient été donnés par leur mariage, leur héritage familial ou leur réussite sociale, elles ne pouvaient empêcher qu'il se dégageât, lorsqu'elles s'avançaient vers nous, souriantes et pénétrées de l'importance de leur acte, une aura de supériorité, un nuage de bonne éducation et de bonnes manières, l'odeur confortable du dollar ancien et honnête. L'une d'entre elles vint un jour vers moi :

— Je peux vous parler en tête à tête lorsque vous aurez fini ?

— Si vous voulez. Pourquoi ?

— Je vous expliquerai. Je m'appelle Tea — Tea Stadler. Je suis Mme Edwin Stadler.

— Moi, c'est Maria.

— Maria quoi ?

— Maria Wazarzaski.

— Ah, étrangère ?

— Si l'on veut, oui.

— Très bien, parfait. C'est exactement ce que j'avais deviné. À tout de suite, Maria. Je vous attendrai dehors, devant ma voiture, c'est une Volvo rouge et noir.

Elle était blond cendré, un teint apparemment naturel — elle avait un nez court et pointu, des lèvres fines, un menton comme le nez, des yeux noisette à l'éclat dur et poli de la prunelle d'oiseau. Je l'avais déjà remarquée à plusieurs reprises, avec son allure féline, ses gestes rapides et économes, comme possédée par l'importance du temps qu'il ne faut pas gâcher. Il y avait, dans l'attitude de son corps, une sorte de nervosité cachée, une urgence, la nécessité de faire, d'agir.

— Écoutez-moi, me dit-elle, lorsque je l'eus rejointe hors du foyer. Nous avons perdu notre fille au pair. C'était une Écossaise, impeccable, mais elle a cru bon de partir s'installer à Hawaï avec son *boyfriend*. Comme ça, sur un coup de tête. Incroyable de la part d'une Écossaise. Vous avez un *boyfriend* ?

— Non, aucun.

— Parfait. Écoutez, Maria, je vous ai souvent observée à l'église. Et j'ai parlé avec mes amies. Elles ont toutes la même impression que moi. Elles vous ont passée au scanner. D'abord, vous êtes ravissante, OK, mais surtout, vous nous donnez l'air d'être particulièrement affûtée, aiguisée, préparée. Je me trompe ?

— Préparée à quoi, madame ?

— À vous occuper d'enfants. À tenir un rôle d'*au pair*. Vous en avez l'envergure. Vous savez, Maria, ici, les *au pair girls*, on ne peut leur faire confiance que si elles ont un *background* étranger. Les filles américaines, ça ne vaut rien, pardon de dire ça, mais c'est la vérité, il n'y a qu'en Europe qu'on trouve ce mélange de rigueur, de propreté, de dévotion à son travail, d'humilité. Les Brits sont parfaites, mais on trouve d'excellentes Allemandes, des Roumaines aussi, et des Polonaises, comme vous, Maria, puisque j'imagine que vous êtes polonaise. Les Polonaises sont considérées comme parmi les meilleures, avec les Écossaises. Mais aujourd'hui, depuis la démission inadmissible de notre *au pair*, l'Écosse n'a plus beaucoup la cote à Noe Valley !

Elle avait dit cela avec un petit rire sec. Elle allait vite, inarrêtable. Son débit était aussi véloce que le moulinet de ses deux mains avec lequel elle accompagnait ses propos, sa proposition. À toutes les questions qu'elle me posait, je répondais par des mensonges. Je racontais que j'étais en année sabbatique après avoir achevé mes études au Collège de San Diego et que j'avais choisi de vivre parmi les miséreux de San Francisco afin de compléter une thèse sur la pauvreté en milieu urbain. J'étais née aux États-Unis, certes, mais mes parents étaient polonais et m'avaient encouragée à vivre cette expérience, de façon autonome, en toute indépendance. J'aurais pu, en réalité, lui dire n'importe quoi, Tea Stadler aurait tout accepté sans broncher et sans vérifier tant elle semblait déterminée à me recruter.

— J'ai pris ma décision à la minute où je vous ai remarquée lors de la distribution des repas. La manière dont vous serviez la soupe. Votre visage. Vous avez, vous possédez la carnation camélia. Ça ne trompe jamais, ça !

Je n'ai pas bien compris ce qu'elle voulait dire, mais j'ai souri.

Elle avait esquissé un court geste de la main vers mes joues, sans les effleurer. Elle a ajouté :

— Bien entendu, je pourrais avoir recours à l'agence qui fournit des *au pair* à toutes les familles. Mais ça va prendre des milliards de jours et je ne peux pas faire face à un tel trou dans mon espace de temps, il faudrait interviewer toutes sortes de filles, tout ça est interminable. Je préfère vous choisir. Je suis sûre que j'ai raison. Vous savez, Maria, je ne me trompe jamais sur quoi que ce soit ou qui que ce soit.

J'ai cru qu'elle allait rire et faire preuve d'un

semblant de dérision. Mais il n'en fut rien. La femme qui avait toujours raison a continué de parler :

— Je vous propose un test d'un mois. Vous hésitez, je vois, c'est vrai qu'un mois c'est court, alors disons deux mois. Vous pouvez commencer demain ?

Elle avait extrait de l'une des poches de sa saharienne jaune sablé un petit appareil noir qu'elle consultait en tapotant à un rythme accéléré de ses ongles méticuleusement soignés.

— Demain m'arrangerait réellement, car j'ai déjà trois rendez-vous dont un à Oakland, et je n'aurai personne pour conduire Randolph et Lilian, puisque mon Écossaise a pris la fuite dans la minute, sans préavis, ce qui est inadmissible. Randy et Lili ont à peu près un an d'écart, ça ne fait qu'une conduite puisqu'ils vont à la même école, la seule valable dans cette ville. Vous serez nourrie, logée, payée au tarif habituel des *au pairs* de classe européenne. Vous êtes d'accord, bien sûr.

Elle n'avait même pas prononcé son « bien sûr » sur un ton d'interrogation. Pour elle, c'était une évidence. Je n'ai pas refusé.


Neuf mois plus tard, alors que j'envisageais, avec une espèce de soulagement qui parcourait tous mes membres, la perspective de n'avoir rien à faire dans les deux heures qui allaient suivre, Edwin Stadler me fit savoir par Lloyd, le *butler*, qu'il m'attendait dans son bureau.

J'avais préparé le dîner des enfants — ils étaient entre les mains de leur professeur de tennis qui les restituerait à leur professeur de piano, laquelle m'avait promis de les récupérer au club, de les raccompagner à la maison pour leur leçon ce qui, bien calculé, signifiait que j'allais pouvoir m'offrir du vide pur, du temps à moi, dans le luxe et le silence de la demeure Stadler, au fond de Red Rock Way. Ces moments-là survenaient rarement. Alors je fermais à clé la porte de ma chambre aux murs peints de crème et de bleu, me dénudait, prenait une douche chaude et longue, et suffisamment chaude et longue pour que je me donne un peu de plaisir avec mes doigts, puis je m'étendais sur le lit, ouvrais la fenêtre et écoutais les oiseaux venus de Glenn Canyon Park et je pensais à la mer. Le plaisir avait été court, j'ignorais même s'il s'agissait de plaisir, à peine un spasme, comme une fugace sensation satisfaite et néanmoins frustrée — j'en veux encore, je vais recommencer, c'est trop bref, je n'ai pas pu comprendre si c'était bon, je ne sais pas vraiment ce qui est bon, mais enfin, elle était à moi, cette intime secousse, et c'était bien, avec le sommeil, la seule chose qui m'appartenait, car l'agenda de la famille Stadler exigeait chaque parcelle de votre attention, de vos efforts, une perpétuelle concentration pour faire face à toutes les tâches requises, assurer à Randolph et Lilian la présence, l'affection, l'humour, la complicité, l'aide scolaire, la chaleur — tout ce que Tea et Edwin Stadler ne semblaient pas avoir le temps de leur donner.

Je ne me plaignais pas. Je vivais dans un autre univers, avec d'autres codes de conduite, j'apprenais un autre langage, il y avait d'autres moyens auxquels j'avais goûté sans y avoir été préparée — le monde de l'argent, tout ce qui, autrefois, semblait quotidiennement difficile et relevait aujourd'hui du domaine de l'évidence : transport, nourriture, vêtements, communication. Tout était propre et entretenu, sarclé, quadrillé, comme ces grandes pelouses éternellement fraîches qui entouraient la demeure. Aucune herbe folle, aucun trou de taupe, aucun déchet. Tout était à l'image de la folle obstination perfectionniste de Tea Stadler dont je trouvais, chaque matin, la liste graduée au cordeau des consignes et devoirs qui m'étaient assignés. Il me semblait parfois que j'étais passée de la suie, la crasse, la promiscuité, le temporaire, le danger et la poussière, à un état de blancheur lunaire, de neige immaculée, la sécurité, l'ordre quasi maniaque des jours et des heures. Et j'avais beau m'être vite adaptée à cette existence nouvelle, en aimer les privilèges qui compensaient ces contraintes, je conservais la peur qu'on m'expulse un jour, puisque je n'appartenais pas à ce monde. La raison pour laquelle trois hommes m'avaient — il y avait déjà plus d'un an — balancée d'un camion ne tenait peut-être qu'à cela : ils avaient senti que je n'appartenais pas à leur classe. Quelque chose en moi les avait dérangés au point de m'expédier dans la vase d'un fossé de Napa Country. Mais j'appartenais encore moins à la société de la ville haute de San Francisco — et, le sachant, je vivais dans un constant état d'éveil. Méfiance était mon nom.

Edwin Stadler était un homme de très haute taille au teint basané, aux yeux bleus et perçants, aux cheveux noirs abondants, coquettement coiffés avec une raie sur le côté gauche, et dont le visage était strié, de part et d'autre, par des rides verticales qui trahissaient autant le scepticisme que la distance patricienne qui interdit l'expression trop voyante de toute émotion. Peut-être, aussi, ces stigmates provenaient-ils de sa pratique acharnée des sports de plein air, la voile de compétition au large de la baie, ainsi que l'alpinisme.

Il avait de l'humour, respirait l'intelligence, s'exprimait dans une langue étudiée, méticuleuse, chaque mot comptait, et le tout sur un rythme aussi posé qu'était frénétique le débit de son épouse.

Il se leva de derrière son bureau en vieil acajou pour me faire asseoir, d'un geste de la main, dans l'un des fauteuils de cuir sombre disposés dans l'angle droit de la grande étude.

— Alors, Maria, me dit-il, comment allez-vous ?

— Très bien, monsieur, dis-je. Très bien.

— Je vous aurais volontiers reçue dans l'un des

bureaux de nos immeubles en ville, mais c'est un peu loin pour vous, le Financial District, et il se trouve que j'avais, par exception, quelques papiers personnels à consulter cet après-midi ici. Aussi, lorsque, j'ai appris par Lloyd que vous n'étiez pas avec les enfants, ai-je pensé que nous pourrions avoir cette conversation dans ce salon.

L'amabilité banale du préambule me troublait. Dehors, il faisait beau, on pouvait, par la fenêtre, voir voler d'innombrables et légers flocons jaunes de pollen, venus d'un massif géant de mimosas, que je savais situés en contrebas de la pelouse principale.

— Maria, vous faites l'adoration de mes enfants, ils ne jurent que par vous. Et Tea qui, vous le savez, est l'exigence personnifiée, me semble presque complètement satisfaite. Ce qui est rare. Vous me frappez comme une jeune fille d'une très grande intelligence. Vous êtes discrète, vous parlez peu, on voit que vous observez tout et que vous emmagasinez tout. Vous êtes très psychologue. À votre âge, c'est étonnant.

Il se tut. Je me sentis obligée de murmurer :

— Merci, monsieur, vous me flattez.

Il balaya l'air d'un revers de main.

— Non, non, je me suis même demandé d'où pouvait vous venir ce don d'observation et, par ricochet, cette capacité précoce de jugement que vous semblez posséder.

Il me regardait de ses grands yeux clairs tout en

parlant. Il marquait des pauses. Je ne voyais aucune raison de le remercier à nouveau.

— Car vous n'exprimez pas votre jugement, vous êtes trop délicate, mais on voit bien que vous l'avez entériné et puis, depuis le temps — cela fait combien de mois que vous êtes avec nous, huit ?

— Bientôt neuf, monsieur Stadler.

— Neuf, c'est cela. Depuis le temps, donc, j'ai pu mesurer votre sang-froid. Au moins par deux fois, sur le yacht aux Farallon Islands où vous avez été très courageuse. Et ensuite, dans la villa, en Jamaïque, quand, pendant les vacances, il y a eu ce petit coup de vent.

Il s'attendait que je réagisse et je l'ai donc fait.

— Ce n'était pas un coup de vent, sir, c'était un cyclone.

Il a pris un air avantageux et il a fait la moue.

— Enfin, oui, disons, un gros coup de vent. Il ne faut jamais verser dans l'hyperbole. En tout état de cause, vous vous êtes remarquablement comportée. Les enfants vous en sont très reconnaissants et nous aussi, d'ailleurs. Par conséquent, nous serions véritablement attristés — et je ne parle pas de Randolph et Lilian qui en feraient une tragédie — si vous deviez quitter la famille Stadler.

— Mais... Je n'en ai pas l'intention.

Il fronça les sourcils.

— Attendez, je ne comprends pas, Tea m'avait dit

que vous étiez en année sabbatique. Or elle va sans doute se terminer dans quelque temps, non ?

— Oui, mais je peux tout à fait la prolonger. Ma thèse peut attendre.

Je commençais à voir poindre sur son visage un sourire dont je ne pouvais discerner s'il était bienveillant ou carrément ironique.

— Ah bon. Et qu'en disent vos parents ?

— Je ne les ai pas encore informés. Ils seront d'accord, j'en suis sûre.

— Vous leur parlez souvent ?

— À vrai dire, non.

Les questions se faisaient plus brèves.

— Comment vont-ils ?

— Très bien, monsieur, très bien.

— Vous les voyez souvent ?

— Eh bien, un week-end sur quatre, comme cela a été prévu dans la convention que j'ai signée avec Mme Stadler.

Il croisa puis décroisa ses longues jambes. Sur un ton plus léger, moins incisif, il continuait de dévider le fil de sa pelote de questions.

— Vous y allez comment, à San Diego ? La navette ? Racontez-moi comment cela se passe.

— Je ne comprends pas le sens de votre question, monsieur.

— Bien sûr que si, vous comprenez, Maria. Comment ça se passe ? Ça m'intéresse. Vous vous faites conduire par Lloyd, le *butler*, à la gare routière et de là vous prenez une navette pour l'aéroport. Là, vous achetez un billet aller-retour pour San Diego, c'est cela ?

— Oui.

— C'est ainsi que cela se passe ?

— Oui.

Il poussa un petit soupir. Sa voix devint plus sèche. L'ironie n'avait disparu ni de son ton ni de son sourire, ce mince et aristocratique dessin sur ses lèvres d'homme mûr, riche, puissant et qui n'allait plus attendre maintenant pour m'asséner ce que j'avais senti arriver — ce pour quoi il m'avait invitée à « converser ».

— Non. Ce n'est pas vrai. Je vais vous dire ce qui se passe : vous vous assurez que le chauffeur est bien reparti, vous sortez de la gare routière et là, par divers moyens — ce peut être par le Bart, le Muni, le *cable car* ou même à pied quand il fait beau —, vous vous dirigez, votre sac de voyage à la main, vers la YWCA, dans Sutter Street, où vous séjournez pendant tout le week-end, sans trop en sortir d'ailleurs, sauf pour aller vaquer dans Tenderloin avec une jeune femme nommée Rose, avec qui vous partagez vos repas. Ou alors vous allez grimper sur les hauteurs de Sutter Park ou à Point Lobos, et là, vous vous asseyez seule et vous passez des heures, parfois des journées entières, à contempler le Pacifique. Je me trompe ?

Je n'ai pas répondu. Il a continué :

— Vous passez aussi des nuits à traîner près du Presidio, sous le pont, avec votre amie Rose. Mes enquêteurs me disent qu'ils ont l'impression que vous êtes tout le temps en train de surveiller le pont, la tête en l'air. Suis-je assez précis ?

J'ai eu la même expression plate et silencieuse. J'ai remué la tête. Il a fait un geste ample des bras, comme pour démontrer son indulgence et son souci de balayer tout nuage.

— Je ne vous accuse de rien, Maria, d'autant que vous êtes totalement libre de vos faits et gestes une fois que vous avez quitté la maison. Mais il se trouve que j'aime comprendre. Et comme, par ailleurs, vous êtes quand même trop intelligente pour ne pas imaginer que je ne pouvais laisser pénétrer une inconnue dans notre famille sans en savoir un peu plus sur elle, j'ai fait procéder à une enquête pour démêler la part — considérable, tout de même — des mensonges avalés, dans son expéditif souci de trouver une remplaçante à notre précieuse Écossaise, par mon épouse Tea, qui ne se trompe jamais, n'est-ce pas ?

Il attendait que j'approuve la pointe de moquerie à l'égard de sa femme, et que j'entre dans son jeu. J'ai hésité, puis j'ai décidé que je n'avais plus grand-chose à perdre.

— En effet, monsieur Stadler, tout le monde sait que votre femme ne se trompe jamais.

Il a répété :

— N'est-ce pas ?

Puis il a eu une sorte de gloussement complice, et je me suis demandé si je n'avais pas ainsi subrepticement, et pour la première fois depuis que j'évoluais au sein de cette famille, oscillé d'un côté du pouvoir conjugal plutôt que de l'autre — et si, de cette façon, j'avais gagné quelques points en ma faveur auprès d'Edwin Stadler ou si, en revanche, je ne venais pas de commettre une erreur de goût et de placement, ce qui m'aurait condamnée. C'était périlleux, ce court échange, et je n'étais pas préparée à marcher sur de la glace aussi fragile. J'avais beaucoup appris en près d'un an à l'écoute et au contact des évolutions subtiles de relations au sein de ce couple, comme au spectacle de toutes celles et ceux que ma situation de fille au pair m'avait amenée à fréquenter. J'avais engrangé une masse singulière de données sur les us et coutumes, bonnes et mauvaises manières, tabous et conventions, comédies et hypocrisies, concessions et compromis, qui régissaient l'univers des riches de la haute société de Californie du Nord — mais je n'avais que très rarement été moi-même impliquée dans ces jeux. Et je me suis crue suffisamment vulnérable pour décider d'atténuer le parti que je venais de prendre.

— Sans avoir voulu caricaturer, monsieur, je voulais dire qu'en effet votre femme ne se trompe pas, puisque, et vous me le dites vous-même, je vous l'ai prouvé depuis neuf mois. Son intuition au sujet de ma personne était bonne.

Il a paru comme encouragé par ce rajout. Le chat ronronnait devant la souris qui ne s'était pas encore fait croquer. On eût dit qu'Edwin Stadler prenait un malin plaisir à ce qui venait de se passer. Puis il retrouva son

109

parler plus autoritaire et dominateur. Il fallait remettre les choses à plat.

— Certes, jeune fille, certes, mais elle s'est néanmoins trompée, Tea, je vais donc reprendre ma phrase — où en étais-je ? Oui, à peu près cela, oui : « les mensonges que mon épouse avait gobés » — j'ai donc, et j'en possède tous les moyens, fait procéder à une enquête détaillée. Et, effectivement, le mensonge est assez gros. Il est même énorme. Vous n'avez pas l'âge que vous annoncez. Vous avez fugué de votre domicile à San Diego depuis plus de deux ans, vos parents ne sont pas vos vrais parents, ils vous ont soumis à un régime de travaux manuels qui vous a fait nombre de fois déserter l'école — passer quelques moments désagréables devant les juges pour enfants — et puis, bien évidemment, vous avez fugué. Vous ne détenez aucun diplôme d'aucun collège, d'ailleurs. Et personne, pas même mes investigateurs, ne peut entièrement retracer vos déplacements à travers la Californie et une partie du grand Ouest, puisque — et c'est là mon véritable étonnement — vos parents, M. Wojtek et Mme Jana Wazarzaski, que vous n'avez jamais revus depuis que vous avez quitté San Diego, n'ont, de leur côté, jamais cherché à vous retrouver ou à signaler votre disparition. Cela dépasse l'entendement. Et ça, je souhaite vivement le comprendre.

Il s'arrêta et, sur le même registre égal et courtois, me proposa de boire un verre d'eau. Il y avait, sur la tablette proche du fauteuil, un plateau garni d'une Thermos et de deux verres. Nous nous sommes servis, moi debout à ses côtés, lui restant assis, et pivotant de son corps avec cette grâce et cette aisance propres aux grands sportifs, cette souplesse qu'on devinait derrière le costume croisé de lin gris. Nous nous frôlions. Mes hanches étaient à la hauteur de ses épaules. J'ai craint un instant que, comme tant d'hommes que j'avais approchés, il n'esquisse un geste, l'amorce d'une caresse, mais j'aurais dû mieux comprendre que je n'étais pas face à la même sorte d'individus, l'immense famille des frôleurs. Edwin Stadler se fichait bien de sensualité ou de séduction. Il réfléchissait. Il buvait.

Je me suis assise à nouveau en face de lui. Puisque le gras de la dissimulation avait été coupé à ras par la lame impérative de la vérité révélée, je me suis sentie libre, et la tension qui m'avait gagnée depuis que cette étrange séance de déchiffrage avait commencé a disparu. Je lui ai souri sans embarras. Il m'a renvoyé un sourire presque éclatant, comme si le silence que nous avions respecté pendant l'intervalle du verre d'eau l'avait diverti. Puis il a repris son discours.

— Vous avez, décidément, beaucoup de sang-froid. Vous ne m'avez pas interrompu, vous n'avez pas protesté, vous n'avez pas éclaté en sanglots comme l'aurait fait n'importe quelle jeune fille de votre statut prise en flagrant délit de mensonge. Nous avons évité toute crise de nerfs. Bravo ! Comme je vous l'ai dit au début de notre entretien — mais est-ce bien un entretien puisque je parle et que vous vous taisez —, vous êtes douée de très grandes qualités. Il est évident, dans le monde dans lequel nous vivons, que le talent du mensonge est une arme essentielle — je peux le juger chaque jour face au spectacle de mes contemporains, dans les affaires, comme dans le privé — et, dans ce cas, vous êtes très bien outillée pour avancer dans l'existence.

Il a pris à nouveau un temps, et a affermi sa voix :

— Je vais vous dire ce que j'ai décidé.

Il avait posé ses deux longues mains sur le plat de ses cuisses et avait penché son buste dans ma direction.

— Rapprochez-vous de moi, m'a-t-il dit. Je vais vous parler comme on s'adresse à un gangster adulte.

J'ai adopté la même attitude, buste incliné vers lui, si bien que nous étions les yeux dans les yeux et que nos visages auraient pu se toucher.

— Alors, plusieurs choses. 1 : cette conversation reste strictement entre nous. Ma femme ne sait rien des enquêtes que j'ai fait mener à votre sujet. 2 : je vous garde comme fille au pair pour nos enfants. Votre contrat est renouvelé. 3 : ce n'est plus la peine de faire semblant de vous faire conduire par Lloyd à la gare routière afin d'aller ensuite à l'aéroport comme si vous partiez pour San Diego. Ce n'est plus la peine, sauf si vous en avez envie, de vous cloîtrer au YWCA un week-end sur quatre — mais, quatrièmement, vous devez tout de même donner le change, donc, débrouillez-vous. 5 : et c'est le plus important. Rien de ce que je viens de décider n'est valable si vous ne m'expliquez pas pourquoi vous avez fui et avez menti. Vous me racontez, maintenant. 6 : vous pouvez me faire confiance. Je ne vous demande rien en échange, mais j'en reviens au cinquième point : d'abord et avant tout, j'ai besoin de comprendre.

De façon brusque, j'ai ressenti la même impression d'un éparpillement de tout mon être et de mon passé, cette luminosité vive, semblable à ce qui m'était arrivé lorsque j'avais chuté dans le fossé à Napa Valley.


Aucun être ne veut livrer son âme.

Fallait-il que je raconte — en étais-je seulement capable, sans que la honte me gagne et paralyse mon langage —, fallait-il que je dise les séances nocturnes, en général une par semaine, aussi ponctuelles que les aiguilles d'une horloge donnant l'heure, de l'homme au manteau noir ? Fallait-il décrire comment, dès ma très précoce puberté, Wojtek avait imposé cette cérémonie secrète ? Comment sa lourde et laide carrure apparaissait sur le pas de la porte de ma chambre, et avec quelle expression béate et imbécile sur son visage, il déboutonnait lentement le manteau noir pour se montrer nu ? Comment, étape par étape, à mesure que je devenais femme, lentement, pesamment, en jouant sur ma peur, mon ignorance, la terreur de la vie, il m'avait conditionnée pour me faire passer du regard au toucher et du toucher au lécher de cette lourde et laide chose qui lui servait de sexe ? Comment il parlait avec cette détestable répétition de formule :

« Personne ne saura, il ne faudra parler à personne —
ça que je dis que c'est personne qui sait. » Ou encore :
« Ça que je peux faire, ça que je te fais, je peux le faire,
puisque tu n'es pas ma fille vraiment, pas réellement,
tu ne l'es. » Ces mots qu'il égrenait de façon litanique,
quasi hypnotique avec pour martèlement final : « Que
tous les hommes font ça, ça que les hommes, ils le font
tous. » Et comment, dès que j'eus atteint ma quinzième
année, je décidai qu'il me faudrait partir — car j'étais en
train de devenir prisonnière d'une habitude perverse et
abêtissante. Ce qu'ils ont fait une fois, les gens le
recommencent indéfiniment, quand ils ne le renforcent
pas. Enfin, fallait-il donc aussi détailler la nuit du premier — et du seul viol ? La nuit qui précéda ma fuite ?

Aucun être ne veut livrer son âme. Le choix qui
s'offrait à moi n'était plus entre le mensonge et le mensonge mais entre un aveu ou l'abandon de la nouvelle
vie que la chance, comme le hasard, m'avait permis de
conquérir sur les hauteurs de San Francisco. J'ai fermé
les yeux et j'ai décidé de parler.

— Monsieur Stadler, vous m'avez dit que je pouvais
vous faire confiance. Est-ce qu'une seule phrase suffira
— dix mots ou un peu plus ?

— J'écoute, Maria.

J'avais compté les mots dans ma tête, tant de fois,
cette courte phrase que je n'avais jamais prononcée à
haute voix, jamais osé formuler devant quelque force
de justice ou de police.

— J'ai été molestée et violée par mon père adoptif.

J'ai ouvert les yeux. Edwin Stadler n'avait pas cillé. Sur son masque souverain, j'ai cru voir passer une onde de tristesse. Puis il m'a dit :

— Je vous demande pardon, Maria.

Nous sommes restés encore un moment face à face, en silence. Il a toussé, éclairci sa voix qui avait paru un peu voilée :

— Je comprends mieux pourquoi vous aimez regarder l'océan.

Dehors, les nuages de poudre de pollen jaune s'étaient dispersés, balayés par un vol d'albatros venus du sud et qui se dirigeaient sans doute vers Sausalito. Le soir allait tomber et la lumière au-dessus des arbres était chargée d'orange et de bleu, douce, annonciatrice d'une nuit de printemps, et je me demandais s'il fallait que je me lève, que je quitte le bureau de cet homme qui me regardait avec ce que je prenais pour un sentiment de moi inconnu : la tendresse. Il ne bougeait pas et je croyais lire, sur son visage, la confirmation qu'il avait de la misère des hommes et qui, un instant, avait entamé l'impavide résolution de son masque de privilégié.

— Ne partez pas, m'a-t-il dit, maintenant que vous m'avez dit cela, vous pouvez peut-être me raconter tout le reste.

## 5

C'était une grosse rondelle de peau nue, ronde comme une soucoupe, toute rose, comme la chair d'un porcinet. Comme du jambon. Une auréole. Un vide. C'était obscène. C'était visible, tellement visible!

Marcus Marcus ne voyait plus que cela: le large cercle de peau lisse, luisante, rosâtre, sans un poil, sans un cheveu, là, posé au milieu de son crâne, au centre de sa si belle chevelure, une aberration, une horreur: le début de la calvitie! Un caillou, un galet, du lino-léum, du saindoux, le rose de la marge du foie gras, le croupion d'un poulet pas encore cuit, un sorbet à la framboise, la marque fatidique, la calotte qui annonçait le plus grand malheur, le signe avant-coureur de l'ALOPÉCIE! Ce qu'il avait redouté, ce qu'il surveillait minutieusement devant son miroir, sur le front, sur les tempes, sur les côtés, et dont il n'avait pu imaginer que cela surgirait ailleurs — pas devant, pas de face, mais non, sournoisement, là-haut, au sommet du crâne, au centre même de sa tête. Là où il ne regardait jamais. Il n'en revenait pas.

Pourquoi donc personne ne l'avait prévenu ? Comment son esthéticienne, son dermatologue, sa réparatrice, son masseur, son kiné, son acupunctrice, sa shampooineuse, son coiffeur — nom de Dieu, le coiffeur ! — ne lui avaient-ils pas dit :

— Vous savez, monsieur, il risque d'y avoir un problème, là-haut.

Comment sa maquilleuse, l'assistante de la maquilleuse, la stagiaire de l'assistante, la mère de la stagiaire qui était venue soutenir les débuts de sa jeune fille (« Qu'est-ce qu'elle fait là, cette mémé ? — C'est la maman de la stagiaire. — J'en ai rien à foutre, moi, la maman de la stagiaire, virez-la-moi de cette cabine, qu'est-ce que c'est que ce bordel tout d'un coup ? »), comment son photographe personnel, le chauffeur (oui, pourquoi pas le chauffeur), comment l'habilleuse, le chargé de production, le représentant de l'annonceur (car il avait obtenu un annonceur unique, dont les pubs n'interrompaient pas l'émission, mais ouvraient et fermaient le show — il avait gagné ce privilège, au sein d'une chaîne qui, grâce aux dérégulations les plus diverses, avait ouvert toutes les boîtes de Pandore de la publicité et avait le droit, à l'américaine, de diffuser un spot toutes les huit minutes, ce qui ruinait toute continuité dans un film, un débat ou un journal), comment toute cette humanité qui gravitait autour de lui ne l'avait pas gentiment, doucement, avec maintes précautions, alerté ? Comment l'adjointe à la production, les deux corbeaux qui lui servaient d'agents, Myron et Feldmann, comment son conseiller fiscal et juridique, comment tous ces voyous marioles n'avaient-ils pas pris l'initiative de le prévenir ?

— Vous savez, monsieur, il commence à y avoir un problème, là-haut.

Cela ne l'aurait pas irrité, pourtant, qu'on vienne le lui révéler, dans la cabine de maquillage ou même dans son propre bureau, avec, naturellement, beaucoup de componction. Qu'on le lui susurre, avec une infinie prudence, il n'en aurait en rien voulu au porteur du message, non, non, il lui aurait sans doute octroyé une prime. Au lieu de cela, il avait fallu qu'il découvre le désastre tout seul, par lui-même, alors qu'il repassait le DVD de son émission.

La plupart du temps, Marcus Marcus ne revenait pas sur ses émissions. Dans le silence intérieur de ses réflexions, dissimulé dans l'intimité de son dialogue avec lui-même, il considérait que ce qu'il faisait n'était que du sable et du vent.

Certes, il ne l'aurait jamais déclaré à qui que ce fût et il apportait, à l'élaboration et à la conduite de ses entretiens, à l'exploitation de ses diversifications et de la petite fortune qu'il avait amassée, à l'exercice de sa profession et au maintien de son statut d'icône télévisuelle, tout le sérieux, la discipline, la persévérance qui avaient fait de lui un des hommes les plus respectés ou haïs — c'était selon — de ses confrères et du grand public. Il faisait le métier, et il le faisait avec excellence. Mais, dans le secret de la contemplation de sa propre existence, dans le regard qu'il portait sur lui-même, Marcus Marcus n'était pas dupe. Que resterait-il des heures et des heures d'images accumulées, d'interpellations et d'affrontements, de révélations en direct ? Avait-il seulement bâti un semblant de ce que l'on appelle une œuvre ? Il n'était rien, rien qu'un nom, une voix. Un talent d'audace et d'insolence investigatrice — mais au fond du fond, quand il se comparait avec les savants, les artistes, les fabricants, les créateurs, les découvreurs, les décideurs, les bâtisseurs, les entrepreneurs ou les écrivains qu'il avait interrogés, Marcus Marcus estimait qu'il ne pesait pas lourd. Mais il ne l'aurait avoué à personne.

C'était un homme double. Toute son énergie et sa force avaient fait de lui un perfectionniste, un personnage fascinant qui au sein d'un univers — la télévision — de paranoïaques, égomaniaques, schizophrènes et hypocondriaques, bimboettes incultes et beaux gosses à gueule carrée et cervelle de moineau, dégageait une impression d'autorité et de responsabilité, mais il ne dévoilerait à personne l'autre face de son caractère, cette conviction qu'il brassait de l'air de façon superficielle et imparfaite, précaire. Insatisfaisante. Il aurait pu ou dû être quelqu'un d'autre. Aussi bien n'éprouvait-il aucun besoin de revoir, relire, revenir sur l'entretien choc qu'il venait de diffuser en direct. Il préférait avancer sans regarder en arrière, et préparer la prochaine rencontre, organiser le prochain coup et persuader sa prochaine victime de venir à l'abattoir des célébrités se faire couper la tête au cours de son émission. Il ne pensait qu'à l'avenir immédiat. Faire. Bouger. S'activer. Faire s'activer les autres. Chasser l'angoisse.

Peut-être, cette dualité — ce mélange de domination avide d'un média, et cette secrète certitude de la vanité de son travail — constituait-elle, en réalité, la force et la différence de Marcus Marcus. Ce narcisse était aussi un relativiste. Ce fou d'influence, cet amoureux de lui-même était aussi un sceptique. Et si les gens ne parvenaient pas à déchiffrer la complexité de son masque — puisqu'il n'en exposait qu'une partie —, ils tombaient tout de même sous la puissance de son magnétisme — quelque chose de difficile à définir et qui, précisément, était dû à la part inconnue de sa personne. À l'âge de cinq ans, on offre une boussole au petit Einstein. Il est tellement excité qu'il en tremble et que son corps tout entier se refroidit d'un seul coup. Puis, il dit à ses parents ahuris : « Quelque chose de profondément caché doit se trouver derrière les choses cachées. » C'était le « profondément caché » de Marcus Marcus qui faisait son charme.

Et il le savait, il en usait. Mais puisque, malgré tout, il s'aimait, il avait, ce jour-là, par intuition ou instinct, ou simple désir de se juger dans l'exercice de son talent, décidé de repasser le DVD de sa plus récente prestation. Tout s'était déroulé de façon normale, relativement valorisante, agréable même, quand, au bout de vingt-cinq minutes (la première moitié du show) il avait été surpris par ce plan vu de haut, un plan effectué sans doute avec une Louma : la table d'entretien, les deux protagonistes en surplomb. Ils aiment bien ça, les gens, quand, sans les avertir, on leur montre un instant de vie comme ils ne pourront jamais le voir, puisque personne ne regarde véritablement les gens de façon surplombante. Ça donne un sens, une perspective, une autre sensation de la vie, car dans le réel, le quotidien, le point de vue de la Louma n'existe pas, en tout cas rarement. Ils ne vivent pas en plongée, les gens. Ils n'ont pas une caméra dans la tête, ils évoluent au ras du sol, au ras de l'existence. Alors, si on les divertit en se baladant dans les airs, et en leur montrant des êtres humains du point de vue d'un oiseau, ils sont ravis et surtout, ça retient leur A-TT-EN-TION. Ça vous prémunit du zapping. Ça entretient la concentration puisque, les gens, désormais, ne sont plus attentifs très longtemps à quelque image que ce soit. C'est donc un truc de réalisateur, et, normalement, ça n'aurait pas dû troubler Marcus Marcus. Pourtant, un détail retint son attention :

— Mais c'est quoi, ça, nom de Dieu ?

Il avait appuyé sur la touche de l'arrêt sur image

— petit recul de quelques secondes — puis *replay* et retour et arrêt : là, au beau milieu de l'écran, il y avait ce plan vu de haut, vu au-dessus de sa tête ainsi que de celle de son invité, et il avait contemplé, horrifié, l'énorme rondelle rosâtre et indécente qui faisait tache au centre de son crâne. L'obscénité. Sa calvitie naissante, déjà très avancée. Un curé ! Un vieillard ! Et il avait pensé qu'on ne voyait plus que cela. Ça crevait l'écran ! Et ç'avait duré une bonne dizaine de secondes ! C'est long, un plan de dix secondes ! Et en plus, cet imbécile de réalisateur avait recommencé ! Deux fois, il l'avait faite, sa contre-plongée ! Deux fois ! Il devait être amoureux de son plan, ce crétin, il devait croire qu'il était un immense metteur en scène et pas un « réal » — il se prenait pour qui, pour l'enfant naturel de Spielberg et de Paul Thomas Anderson, le nouveau petit génie de Hollywood ? Il voulait se la jouer Orson Welles, l'imbécile ?

C'est alors que Marcus Marcus poussa sa formidable colère. Les couloirs retentirent de ses jurons triviaux, un peu trop répétitifs, pas très inventifs à vrai dire — hurler vingt fois de suite « putain de putain » n'est pas faire preuve d'une très grande imagination — mais drôlement intrigants. « Pourquoi il crie comme ça, qu'est-ce qu'on lui a fait ? » Après quoi, revenu à une manière de calme, il avait demandé à David qu'il convoque le « réal » afin d'avoir un tête-à-tête entre hommes, sans témoin. L'ennui, c'est que le « réal » était une femme.

Nous ne comprenons jamais la puérilité de nos actions, à l'instant où nous en sommes les acteurs. S'il fallait, en permanence, comme ces cabinets chargés d'évaluer les performances des cadres, voire des ministres, mesurer le dérisoire de nos comportements, nous ne ferions rien. Nous ne pouvons apprécier notre faiblesse qu'après avoir joué la pièce. Mais cela ne nous détruit pas. Si le ridicule tuait, les rues de Paris seraient vides, et les couloirs et studios de télévision ne seraient que steppes désertiques abandonnées aux nettoyeurs de moquette et aux machines à lustrer dont les moteurs tournent silencieusement aux petites heures de la nuit, quand les clowns, les géomètres et les saltimbanques sont partis dormir et que les grands immeubles vides appartiennent aux Sri Lankais, aux Philippins, aux Maliennes vêtues de tabliers olivâtres, les mains gantées de plastique rose.

Ainsi, de Marcus Marcus, qui s'est enfermé dans la salle de bains privée attenante à son bureau. Il s'est armé d'un petit miroir portatif qu'il dresse au-dessus de sa tête, légèrement penché, afin que ce que reflète le miroir puisse être renvoyé dans la grande glace au-dessus du lavabo. Il s'est agenouillé sur un tabouret, face au lavabo, pour être à la hauteur de ce renvoi d'image. Il a incliné la tête, cherchant à ce que son miroir portatif capte entièrement l'endroit maudit de son crâne et qu'il parvienne ainsi, en levant les yeux, à contempler dans la grande glace, l'étendue de la catastrophe. C'est une position risible, mais Marcus Marcus n'en a aucune conscience. Tout ce qui lui importe, c'est de mieux examiner la béance, l'horreur, la peau nue au milieu de ses cheveux. Il a concentré toute son attention vers le vide au sommet du crâne, et c'est à peine s'il entend des coups répétés à la porte de son bureau qu'il a verrouillée. Toc — toc-toc. Toc — toc — toc. Toc-toc-toc. Trois ou quatre fois.

— Qu'est-ce que c'est, finit-il par crier à travers la porte des toilettes.

Une voix assourdie traverse les cloisons.

— C'est David, monsieur.

Miroir à la main, à genoux sur le tabouret, Marcus Marcus crie :

— Qu'est-ce que vous me voulez ?

La voix répond :

— Vous aviez demandé à me voir d'urgence, monsieur.

Il pense : « Ah oui, David, il vient me parler du réal. » Soudain, il glisse du tabouret et trébuche vers le sol. Dans la chute, le petit miroir se brise. Afin de se remettre debout, il appuie la main sur le carreau du cabinet de toilette, la paume rencontre un éclat de verre, le sang jaillit, il vocifère. Aucune douleur, mais la conscience qu'il pourrait être entraîné dans un processus de dégradation, le fameux diable dans le fameux détail. Marcus Marcus cherche à retrouver son calme : « Ça va, se dit-il, c'est rien, tout ça. Ça va. »

Il ouvre la porte des toilettes, ayant auparavant saisi plusieurs mouchoirs Kleenex pour panser la blessure. Il se dirige vers la porte d'entrée du bureau, mais une goutte de sang tombe sur la moquette claire. Marcus Marcus s'agenouille afin d'éponger le tissu : c'est un maniaque. Il déteste les taches, le désordre, la trace du dentifrice au coin de la lèvre d'un accessoiriste, l'épluchure d'une mandarine dans la corbeille du pool des documentaristes. Posément, systématiquement, avec la partie inférieure de son front, entre les sourcils, à l'arête du nez, barrée d'une ride verticale, et avec la régularité d'un pic-vert s'attaquant à l'écorce d'un hêtre, il tamponne la moquette. Il est tellement absorbé par ce qu'il fait qu'il n'entend plus les appels de David. On dirait qu'il a mis toutes ses facultés au service de ce seul objectif : effacer la petite puce rouge qui a souillé l'immaculé revêtement — cette onéreuse et exclusive moquette en soie, couleur gris poudré, posée par les soins personnels de Kia Azaglhaoui, la nouvelle coqueluche du design à Paris, New York, Abu Dhabi et Milan. « Vous voulez me dire que Kia est venu lui-même pour surveiller la pose ? — Oui, oui, pour Marcus Marcus, le petit génie avait tenu à se déplacer lui-même. Vous imaginez l'événement ! »

Sait-il seulement que ça n'est pas pour sauver cette surface que Marcus Marcus s'acharne ainsi, mais qu'il s'agit d'un geste inconscient qui traduit son obsession d'éradiquer une autre tache, cet autre et plus grave dysfonctionnement : l'indécente calotte nue de son crâne ?

Entre-temps, David s'est affolé, puisque, mobilisé par son travail, Marcus Marcus n'a pas songé à déverrouiller la porte d'entrée du bureau. Une courte brise de panique souffle alors sur le petit monde de ses serviteurs zélés. David :

— Ouvrez-moi, monsieur !

Au secrétariat, on a entendu les cris de David, et aussitôt, on alerte la sécurité. Dans le couloir, une étrange rumeur vient vite prendre naissance :

— Il s'est enfermé dans son bureau. Il n'ouvre à personne. Il se passe quelque chose de bizarre.

Et la rumeur gagnera d'autant plus en volume quand, ayant fait sauter la serrure par l'agent de sécurité, David et quelques témoins (l'agent, une secrétaire, ainsi qu'un collaborateur curieux qui passait par là) auront aperçu, par l'entrebâillement de la porte des toilettes, du sang, du verre brisé, et cette main recouverte d'un Kleenex et cet homme à genoux sur la moquette — tous ces éléments grossis et réinventés, amplifiés, détournés et amalgamés, prendront bientôt la forme d'une seule et folle affirmation : Marcus Marcus a voulu se suicider.

— Bon, David, tout ça n'est pas très important. Oublions cet incident sans intérêt. Et merci de votre aide. Mais je croyais que vous deviez m'amener Jean-Ba, le réal. J'ai deux mots à lui dire.

— Monsieur, ça n'est pas Jean-Ba qui était aux manettes ce soir-là.

— Bien sûr que si, David, puisque je l'ai vu en répétition, que je l'ai eu ensuite dans l'oreillette, c'est lui qui m'a donné le top, comme il aime le faire et comme je lui ai permis de le faire — avant que j'ôte l'oreillette, puisque je déteste cet accessoire, vous le savez bien.

— Je sais, monsieur. Il vous avait donné le top, oui, mais ce n'est pas lui qui a continué de réaliser le direct en régie.

— Comment ça ? Expliquez-moi.

— C'est un peu embarrassant, monsieur, voilà, il a fallu le remplacer au bout d'une dizaine de minutes.

— Pourquoi ? Et pourquoi je ne l'ai pas su ? Mais vous me racontez des craques, mon petit vieux, puisque Jean-Ba est descendu me voir en plateau, à la fin de l'émission !

David :

— C'est-à-dire que, voilà, pendant les trois quarts de l'émission, il s'est absenté. Et puis, en effet, il est revenu, mais pratiquement pour lancer le générique final.

— Non mais, attendez, c'est une farce, ou quoi ? C'est du Feydeau, votre truc. Il est parti, il est revenu. Mais c'est «Les portes claquent», votre truc. Qu'est-ce que c'est que ce binz ?

— On pouvait difficilement vous informer, vous dire quoi que ce soit, ce soir-là, monsieur. Rappelez-vous. Vous finissiez votre direct avec le Premier ministre. Ç'a été très chaud, vous le savez bien, très chaud entre vous deux. Et d'ailleurs, quelles retombées médiatiques! Vous avez vu les chiffres d'audience. Vous avez battu tous vos records.

Assis dans un fauteuil Ruhlmann du coin salon de son vaste bureau, Marcus Marcus dévisage David avec bienveillance. Il apprécie le jeune homme. Par courts instants, il jette un regard à la paume de sa main largement bandée et il lui arrive aussi de lorgner vers le point suspect de la moquette que, diligentés par les secrétaires, deux spécialistes ont réussi à nettoyer. Il n'empêche, Marcus Marcus croit encore y deviner une infime empreinte de sang. Il croit la voir. Elle n'est pas là, l'empreinte, car tout a été effacé — «Nickel chrome, monsieur, ni vu ni connu» —, mais si Marcus Marcus croit encore voir la tache, c'est qu'il lui confère une portée symbolique — le signe d'un étrange dérèglement. Il se tourne vers David.

— Arrêtez de noyer le poisson. Dites-moi ce qui s'est passé. Qu'est-ce qu'il y a donc d'aussi « embarrassant » ?

David Cahnac est un garçon affable. Il a des manières. Parfois, David s'interroge sur sa présence dans le monde de la télévision et sur son rôle à l'intérieur du Système Marcus Marcus. Conseiller? Directeur de cabinet? Homme à tout faire? Chargé de mission? On n'a jamais bien précisé sa position, mais il est devenu indispensable. Il a fait de bonnes études qui auraient pu le conduire vers la banque, la haute finance, voire la haute administration. Mais une rencontre, un tournant brutal dans sa vie privée, et la personnalité de Marcus Marcus lui ont fait choisir un autre chemin. Le grand homme cherchait quelqu'un sachant lire, ayant un sens de la synthèse, pouvant rédiger et compter, possédant une bonne culture générale, et pourvu d'une amabilité, d'une diplomatie qui feraient contraste avec la trivialité et la brutalité ambiantes. Il a suffi d'une entrevue, les deux hommes se sont plu, David s'est pris au jeu, Marcus Marcus lui a fait confiance. Il apprécie surtout chez David qu'il soit « bien élevé ». Sa politesse l'enchante. Et il prend une sorte de plaisir à scruter la gêne qui semble s'être emparée du jeune homme. S'il n'y avait ce nez cassé au milieu du visage, David aurait l'air d'un premier de classe, le très bon élève.

— À vrai dire, voilà, monsieur, c'est très embarrassant. Mais au bout de dix minutes de direct, Jean-Ba a été saisi, disons, d'un besoin urgent. Pressant. Irrépressible. Foudroyant.

Un rire intérieur commence à naître dans la région du plexus solaire de Marcus Marcus. David cherche ses mots. Il en rougirait presque.

— Continuez, David, n'ayez pas peur d'être vulgaire, pour une fois.

— C'est-à-dire que — c'est très embarrassant, franchement, monsieur — comment vous dire, Jean-Ba n'a pas pu se retenir. Ça s'est passé sur place, sur le fauteuil même de la régie. Une gastro-entérite violentissime, monsieur, vraiment violente. Et à vrai dire, si vous le permettez, très nauséabonde.

129

Le rire de Marcus Marcus éclate alors, retentissant. Il imagine la scène que le malheureux David sera, il le sait bien, incapable de lui décrire dans sa complète crudité. Jean-Baptiste Barbarelli, retour d'un week-end au Rajasthan où il avait assisté au mariage du neveu de son épouse — Jean-Ba, le roi de la console et des manettes, le magicien de l'image en direct, le pro le plus flegmatique de toute sa génération, incapable de retenir le fulgurant tourment de ses fonctions intestinales et faisant sur lui en pleine émission ! Les techniciens pétrifiés, certains hilares, d'autres vite suffoqués par l'odeur pestilentielle qui envahit la régie. Jean-Ba paralysé et en même temps forcé de s'extraire de son siège, le pantalon maculé, dégoulinant, avançant à petits pas comme pour tenter d'endiguer le flot presque continu de sa souillure, marmonnant quelques mots d'excuses, humilié, gagnant le couloir en direction des toilettes. On ne le reverra pas avant trois quarts d'heure.

Mais l'émission doit continuer : on est en direct. Par chance, celle qui se tenait aux côtés de Jean-Ba prend tout de suite les commandes. Il s'agit d'une réalisatrice nommée Hélène Margolis. Elle a déjà dirigé de nombreux shows et c'est pour mieux assimiler la science, et profiter de l'expérience de Jean-Ba que, ce soir-là, elle s'était assise auprès de lui, pour jouer un peu à l'assistante — puisque le maître le lui avait suggéré en riant. Elle essaie de surmonter son dégoût, car l'odeur a envahi tout l'espace. Un stagiaire efficace s'est rué vers un placard d'où il a extrait une serpillière et un seau. Tandis qu'il s'affaire à quatre pattes pour purifier le sol, aidé par quelques petites mains qui viennent d'actionner une bombe parfumée, Hélène Margolis — que tout le monde appelle Margo — a pris entièrement possession du lieu et de l'équipe, les plans à distribuer. Sa rigueur et son sang-froid sauvent la soirée. Jean-Ba peut revenir quelques minutes avant la fin, il peut déclarer de sa voix basse et autoritaire :

— Mieux vaut en rire, les enfants. Et oublier. Je compte bien sur vous tous. Pas un mot à personne ! Et merci à vous tous et à toi, bien sûr, Margo. C'est comme s'il ne s'était rien passé.

Margo va discrètement quitter la régie. Jean-Ba reprend les commandes pour le générique final et descend féliciter Marcus Marcus en plateau.

Son fou rire apaisé, Marcus Marcus se fait songeur. Il promène ses yeux sur la moquette.

— Décidément, murmure-t-il, nous ne cessons pas de frôler la loi de l'entropie.

— Pourquoi dites-vous cela, monsieur ?

— Enfin voyons, David, vous êtes trop fin pour ne pas comprendre ce que je veux dire. Regardez ce qui s'est passé depuis quarante-huit heures. Regardez-moi : tout à l'heure dans ma salle de bains, puis Jean-Ba en régie, l'autre soir. L'entropie, jeune homme. L'ENTRO-PIE. Dégradation croissante d'un système, un état de désordre évoluant vers un désordre accru. Tout système avec le temps et en s'accélérant évolue vers son

plus haut niveau de désordre. Tout va vers le désordre !
ENTROPIE !

Il se dresse, il répète le mot à plusieurs reprises au grand étonnement de David. Puis il se rassied. David :

— Certes, monsieur, mais tous les désordres ont été freinés à chaque fois. On les a résorbés. Ça n'est pas de l'entropie à proprement parler, monsieur.

— Je suis désolé, David, mais si, David, si ! Il faudra que je réfléchisse à ce que tout cela signifie. Et pourquoi l'entropie menace mon système de façon aussi répétitive. C'est un signal d'alarme. Mais de quelle source peut-il provenir ?

Un temps. David n'a pas de réponse à offrir. Marcus Marcus reprend :

— Et puis, tout ça ne me dit pas pourquoi Margo — c'est bien ainsi que vous l'identifiez — s'est crue obligée de faire des acrobaties avec sa Louma. Pour se la jouer Francis Ford Coppola.

Il s'interrompt. David :

— À quoi faites-vous allusion, monsieur ?

— À rien, à rien, David. Ça ne vous regarde pas. Ne me dites pas que vous l'avez convoquée, la réal ?

— Eh bien si, oui, bien sûr, monsieur. Elle est dans l'antichambre. Vous me l'aviez demandé. Donc, voilà.

Marcus Marcus a l'air troublé et irrité. Une femme, une inconnue, il n'aime pas cela.

— Non, David, c'est Jean-Ba que je voulais voir. Je ne voulais pas voir cette femme.

Il congédie David d'un signe de main brutal après lui avoir dit sèchement :

— Faites-la attendre un moment, voulez-vous ?

Ainsi, s'il avait voulu effacer la rage qui l'avait saisi lorsqu'il avait découvert le plan fatal — sa calvitie vue de haut — et passer sa colère sur l'auteur de cette image, Marcus Marcus ne pouvait plus avoir affaire à Jean-Ba — qu'il connaissait bien. Avec Jean-Ba, il savait quel langage utiliser et il avait anticipé la façon dont il aurait fusillé le « réal » : « Depuis quand tu te permets de faire des plans artistiques ? Qui est-ce qui te l'a demandé ? Pour qui tu t'es pris ? Tu te crois au cinéma ? Tu as oublié la Charte ? »

Mais il va rencontrer une femme, dont il ne sait rien. On ne lui a préparé aucune fiche, aucune de ces courtes cartes en velin 10,5 sur 15,5 que David ou un autre de ses nombreux assistants remplissent avec des éléments d'informations nécessaires, afin que Marcus Marcus ne soit jamais pris au dépourvu, afin qu'il domine chaque entretien ou réunion, afin qu'il demeure en « contrôle ». Lorsqu'il débat avec Liv Nielsen, la Présidente de la chaîne, il ne ressent aucune difficulté, aucune réticence, parce qu'il a reconnu en Liv un animal de sa trempe : désincarné, compétitif, entièrement axé vers la quête de reconnaissance et l'exercice absolu du pouvoir. Un animal asexué. Métallique. Toutes les autres femmes qui gravitent à l'intérieur du Système Marcus exercent des fonctions subalternes. Il adopte à leur égard une attitude de fausse bonhomie, sourire superficiel et courtoisie sans faille — mais il les regarde sans les voir, les écoute sans les entendre. Au fond, il n'est à l'aise que dans la compagnie des hommes. Avec ses hommes clés, il opère facilement. Il peut être cassant ou enjôleur, cordial ou arbitraire, généreux ou injuste, peu importe, il se sent bien et sait les diriger, les manipuler, les stimuler et les soumettre. Tandis qu'à partir d'un certain niveau de compétences, a fortiori d'intelligence, les femmes le désarçonnent. Sa psychologie des femmes est pauvre, presque craintive. Il n'est pas en « contrôle ».


Margo était une brune aux yeux clairs, dont les proportions harmonieuses faisaient oublier sa taille minuscule. Elle était vêtue d'une veste noire, jupe noire, chemisier bleu, escarpins noirs à talons fins et hauts, et elle semblait avoir une disposition particulière pour le sourire, rapide et fréquent mouvement d'ouverture des lèvres qui révélait des dents perlées blanches, des incisives brillantes, mordantes, et qui donnait la sensation qu'elle était certaine de son charme et de ses qualités professionnelles. Marcus Marcus avait perdu toute velléité de conflit à la minute où la réalisatrice, ayant installé son petit corps sur l'un des Ruhlmann, croisé ses courtes mais jolies jambes, avait décoché cet imparable sourire.

— Vous avez souhaité me rencontrer, avait-elle dit.

Marcus Marcus s'était fait aimable, débonnaire. Il

sentait d'instinct qu'il fallait aller au plus poli, au plus rond.

— Oui, je voulais vous féliciter pour votre réalisation, l'autre soir. On m'a mis au courant. Pathétique, cette anecdote, drôle, mais vous alors, formidable! Car vous avez fait ça comme si c'était signé Jean-Baptiste Barbarelli. C'était du Jean-Ba pur sucre.

Hélène Margolis fronça les sourcils. Sa voix était un peu haute, avec un léger accent parisien, la trace d'une musique qui est en train de disparaître, celle de l'air de la rue parisienne, quelque chose de faubourien mais sans vulgarité, des sonorités à la Gabin.

— Je vous demande pardon? demanda-t-elle.

— J'ai dit quelque chose de désagréable?

D'ores et déjà, il savait qu'il ne comprenait rien à la personne qui se trouvait en face de lui.

Margo secoua la tête.

— Pas du tout, pas du tout. Mais je pense que je vous ai bien entendu puisque vous m'avez dit: «C'était signé Barbarelli.» Je vous demande pardon, monsieur, mais c'était signé de moi, cette émission. C'était pas du «Jean-Ba», c'était du Hélène Margolis.

Elle avait dit cela avec fermeté, orgueil, sûreté de soi. Ce faisant, en quelques phrases seulement, elle avait contraint Marcus à adopter une position défensive.

— Oui, bien sûr, dit-il, ça n'est pas ce que j'ai voulu dire.

Elle eut un rire bref, à l'intérieur de son sourire, un rire de gorge.

— Oui, sauf que vous l'avez dit.

Il s'interrogea. Combien de temps devrait-il subir cette impertinence ? Et que voulait cette femme ? Elle souriait, semblant avancer à petits pas comptés vers autre chose, qu'il n'attendait pas et qui lui déplaisait.

— Écoutez, dit-il, bon, ça va. J'ai voulu vous féliciter, c'est tout, et c'est vous qui m'agressez.

— Moi ? Je vous agresse ?

Elle avait dressé le buste, les dents rayonnaient. Les mots « peste » et « garce » surgissaient dans l'esprit de Marcus et il s'en voulut d'avoir utilisé un verbe aussi fort. Elle avait saisi le verbe « agresser » au vol, comme si chaque mot que pouvait prononcer l'homme lui permettait de mieux le contester, le déséquilibrer, amoindrir son statut. Marcus voyait bien cela, mais il n'avait pas la maîtrise de la joute verbale. C'était elle qui menait la danse et il le sentait, et cela ajoutait à son embarras.

— Si vous croyez que je vous agresse, monsieur, c'est parce que, effectivement, vous avez voulu me diminuer.

— Quoi ?

— Oui, me diminuer. Vous diminuez mon identité et la réduisez en voulant la comparer à celle d'un homme. C'est cela, n'est-ce pas ? Vous allez protester et me dire pas du tout ! Mais enfin, c'est bien cela. C'est d'ailleurs toujours comme ça. Les hommes insultent d'abord et puis après ils s'excusent : ce n'est pas ce qu'ils avaient voulu dire. Sauf que, il y a le vouloir, et il y a le dire.

Elle croisa et décroisa ses jambes, avec la souplesse d'un escrimeur s'exerçant avant d'effectuer un premier assaut. Marcus Marcus ouvrit ses deux bras, qu'il leva au-dessus de lui à la façon d'un arbitre :

— Arrêtons, voulez-vous. On repart de zéro, OK ? On va repartir de scratch. On va faire la paix.

— Pourquoi faire la paix ? Nous ne sommes pas en guerre, que je sache.

— En effet, vous avez raison.

— J'ai voulu rectifier, c'est tout. Il faut savoir qui on est, c'est tout. La guerre, c'est bien plus grave que cela.

Elle jubilait. Il voulut reprendre la main.

— Mais dites-moi, vous souriez toujours comme ça quand vous balancez vos vacheries ?

— J'ai dit une vacherie ? Ça veut dire quoi, ce mot ? Vous avez quelque chose à reprocher à mon sourire ? Il vous dérange ?

Marcus Marcus décida de sourire à son tour, penchant la tête, puis la relevant. Il scruta Margo. Elle avait pris un air angélique. Le sourire n'était pas forcé, mais sa permanence sur le visage dérangeait. Elle avait prononcé sa dernière question avec une extrême douceur. Aussi Marcus choisit-il le même registre. « De la douceur, pensa-t-il, de la bonne langue de bois, et qu'on en finisse avec cette conversation inutile, cette parodie, cette insupportable connasse. »

— Madame Margolis — ou puis-je vous appeler Margo ?

— Appelez-moi comme vous voulez.

— Bon, Margo, où en sommes-nous ?

— Nulle part. Vous avez souhaité me rencontrer.

C'est sans doute que vous aviez quelque chose d'important à me dire. Votre temps est tellement précieux que vous n'allez pas le gâcher dans une simple démarche de courtoisie.

Il s'esclaffa.

— Mais vous êtes impossible ! Vous êtes comme ça avec tout le monde ?

— Écoutez, non, pas réellement. Je ne suis pas comme ça avec tout le monde.

— Bon, on peut pas gagner avec vous, c'est ça ?

— Qui vous parle de gagner ? Nous ne sommes pas dans une bataille.

Il s'admirait en silence. « Comment vais-je parvenir, comment parviens-tu à rester calme, à ne pas envoyer valser cette perruche, cette péronnelle, cette fausse amazone des studios. Personne ne te parle comme ça. Et tu gardes ton calme ? Tu es admirable, mon vieux, admirable. »

— Aucune bataille, Margo. J'étais simplement curieux de vous connaître, tout simplement.

— Eh bien, voilà, c'est fait. Nous nous connaissons un peu mieux maintenant.

Elle se leva et lui aussi, mais pour signifier d'un geste apaisant, les deux mains à plat dans l'air, qu'il lui suggérait de se raviser.

— Je vous en prie, Margo, je vous en prie, asseyez-vous un instant à nouveau. On est partis du mauvais pied tous les deux. Vous ne m'avez pas compris, peut-être, mais je ne vous comprends pas non plus.

Elle accepta. Il s'était aperçu, au cours de ce bref mouvement, qu'elle était réellement très petite. Sans les talons de ses escarpins, elle aurait eu la taille d'un enfant. À peine assise, cependant, l'enfant avait repris cette même expression, ce sourire dont il voyait mieux maintenant la limite et l'artifice. Il décida qu'il avait suffisamment bridé sa propre patience. Comme souvent, lorsqu'il se trouvait seul en présence d'une femme, il avait eu la sensation de perdre pied, de ne plus savoir utiliser cette autorité et ce pouvoir de persuasion qui subjuguait habituellement son monde — mais voilà que la redécouverte de la petitesse de son adversaire — car c'était bien ainsi qu'il fallait qu'il la considère, c'était une adversaire ! — lui faisait retrouver sa vraie nature, sa duplicité, ce talent qui lui avait permis d'annihiler peu à peu toute compétition au cours de sa carrière.

— Bon. Dites-moi tout sur vous, Margo, je veux mieux vous connaître. Vous êtes mariée, vous avez des enfants ?

Elle eut un rire étonné.

— Qu'est-ce que ça peut vous faire, monsieur ?

Il décida de ne pas répondre. Elle enchaîna.

— Non, pas d'enfants, mais si vous voulez tout savoir, je suis pacsée et de façon épanouie, épanouissante, plutôt — avec une femme qui, d'ailleurs, me ressemble beaucoup. Les gens croient parfois, en nous voyant, que nous sommes des sœurs. Ça vous choque, ce que je vous dis ?

Le sourire n'était plus artificiel. Il trouva qu'elle avait l'air sincère et qu'une sorte de satisfaction, de plénitude, avait envahi son visage à l'instant même où elle exposait sa vie de couple, et il en ressentit comme une violente amertume. Il se mit à la haïr.

— Non, non, rien ne me choque.

— Qu'est-ce que vous voulez savoir d'autre ?

Soudain, et enfin, il explosa.

— Rien, rien du tout. « Épanouissante », dites-vous ? Au point de vous prendre pour Orson Welles ?

— Pardon ?

— Mais oui, madame Margolis, madame Hélène Margolis-Orson-Welles-Coppola-Spielberg-Scorsese ! Avec votre plan à la con à la Louma ! Votre point de vue de Sirius ! Margo qui se croit libre de tourner n'importe comment, de contrevenir à la Charte !

Elle rit, face à la colère du grand homme.

— La Charte ? Quelle « Charte » ?

— Sortez d'ici, connasse prétentieuse, je ne veux plus vous voir, taillez-vous, giclez, vous ne réaliserez jamais une émission pour moi, vous entendez, plus jamais ! Et d'ailleurs, vous ne ferez plus rien dans cette chaîne !

Elle continua de rire, puis elle cessa. Sa voix se durcit enfin et elle tendit le doigt. Il s'aperçut qu'elle avait les ongles peints en rouge, un rouge quasi noirâtre. Il regardait ce doigt pointé vers lui comme le bout d'une dague. Elle articula très lentement :

— Attention au harcèlement moral, monsieur Marcus, attention ! Vous avez intérêt à réfréner une telle poussée de misogynie. Aux États-Unis, après ce que vous venez de me dire, je pourrais vous faire un procès pour cinquante millions de dollars, et je le gagnerais. Et ne proférez plus aucune menace à mon égard, aucune. Sinon, je vous envoie mes avocats, les syndicats, la presse, la Présidente.

Il s'immobilisa.

— La Présidente ? Liv Nielsen ? Vous plaisantez ?

— Oh non, je ne plaisante pas du tout. Liv comprendra très bien, croyez-moi.

Ils étaient debout, maintenant, face à face. Malgré les talons hauts, il pouvait toiser Margo de quelques centimètres, mais elle ne manifestait aucune crainte. Elle conservait ce sourire désarmant qui l'avait accompagnée pendant toute leur joute. Il sentit et comprit la menace à peine voilée dans cette dernière réplique. Elle avait dit « Liv », comme s'il existait un lien intime entre les deux femmes. Alors il lâcha prise, sa colère disparut, il baissa la voix. Elle le regardait de ses yeux clairs et vindicatifs, traversés par des stries, des paillettes, des éclats de lumière.

— Bon, restons-en là, dit-il.

— Non, ça ne me suffit pas, dit-elle. Nous sommes très loin du compte.

Il lui en fallait plus, elle n'était pas rassasiée, elle le tenait au bout de sa laisse, il le savait et il avait compris qu'il fallait plier l'échine.

— Acceptez mes excuses, dit-il. Je me suis laissé

emporter. Le stress, sans doute. Je suis désolé. Je vous demande pardon.

Et comme il voyait qu'elle ne semblait pas encore satisfaite, il répéta :

— Je vous prie d'accepter mes excuses. Faites-moi la faveur de croire que je n'ai prononcé aucun des mots que vous avez entendus. Je vous demande humblement pardon, Margo. Humblement.

Elle eut un court soupir. Son visage exprima le béat contentement d'un bébé enfin calmé, ayant absorbé l'ultime portion de bouillie servie au bout d'une cuillère. Alors, elle lui prit la main, ce qui le décontenança.

— Voilà, dit-elle, c'est bien. C'est très bien.

Elle parlait comme une mère, une institutrice, une aide-soignante. Elle répétait, en tapotant le dos de la main de Marcus du bout de ses doigts :

— C'est bien, c'est très bien. Tout va bien aller.

Il gardait le silence. Elle eut un geste encore plus surprenant. Elle se rapprocha de lui et l'embrassa gentiment sur une joue, puis l'autre. Elle recula, fit demi-tour, lui tourna le dos, puis elle pivota et lui dit en guise d'au revoir :

— Très instructif, tout cela, non ?

Il ne put s'empêcher, dans le confus magma de ressentiment et d'échec qui commençait à fermenter en lui, d'éprouver une certaine admiration pour la minuscule Margo. Il en aurait presque oublié le morceau de jambon rose au sommet de son crâne.

Une sorte de paralysie s'était emparée de ses impulsions. Qu'étaient devenus sa pugnacité, son culot, sa renversante arrogance, sa certitude ?

Il aurait peut-être fallu la rattraper dans le couloir, afin de lui demander ce qui l'avait motivée pour qu'elle le roule ainsi et autant dans le goudron et le couvre ensuite de plumes. Quel besoin de vengeance l'avait fait agir ? Avait-elle voulu lui faire payer il ne savait quelle humiliation qu'il aurait pu faire subir à une autre femme, dans un passé récent ou très éloigné ?

Ou bien avait-elle attaqué gratuitement, par simple plaisir de « se payer » le grand Marcus — celui qui, en direct à l'écran, pouvait au moyen de son questionnement réduire en poussière n'importe quelle célébrité ? Ayant à peine quitté le cinquième étage, se vanterait-elle auprès des autres d'avoir remporté ce duel sans témoin ? Se répandrait-elle dans toute la ville — ou plutôt dans tout le village — en racontant par le moindre détail la démystification instantanée du grand homme ? Marcus Marcus préféra pencher pour une autre hypothèse : Hélène Margolis ne vengeait rien ni personne. Elle était comme ça, voilà tout. C'était sa nature. Elle avait démontré la substance même de son être. Alors, il eut une nouvelle réflexion sur lui-même.

Marcus pensait : « Pourquoi me suis-je laissé ainsi piétiner ? Si j'ai provoqué une telle aversion chez cette inconnue, est-ce que c'est parce qu'elle a vu ma vérité ? Pourquoi je n'aime personne et pourquoi personne ne m'aime. Pourquoi je ne puis avoir accès aux rives de la tendresse, de la douceur, de l'abandon de mes préjugés et de mes impuissances. Pourquoi je suis incapable de faire l'amour à une femme, et pas plus à un homme. Qu'est-ce qui m'a fait aussi froid ? Aussi indifférent à toute forme de partage de mon intimité ? Qu'est-ce qui bloque et interdit toute envie d'une ou d'un autre, toute chaleur, tout désir, tout orgasme ? Pourquoi suis-je si habile, souple, psychologue et déchiffreur des consciences et des personnes lorsque je me présente à l'écran, sous l'œil des caméras, dans l'extraordinaire euphorie du direct, du danger, de l'événement — et pourquoi deviens-je aussi vulnérable au cours d'un incident mineur de la vie réelle ? Pourquoi ne suis-je pas un homme comme les autres ?

« Va plus loin, se disait-il. Demande-toi si la réponse se trouve dans l'absence de ta mère, morte trop tôt, ou dans la stupidité de ton père, qui t'a toujours servi de contre-exemple, demande-toi si tout cela n'a pas démarré très tôt, dès l'enfance, à Montarrabie, dans le petit bourg perdu de Haute-Provence où tu rêvais de devenir pâtissier ? Va plus loin, va parler à quelqu'un, va te livrer et te dénuder, qu'attends-tu pour déceler de quoi tu es malade ? » Il eut un rire. « Moi, un homme comme les autres ? Mais ne te plains pas : tu n'as jamais voulu être comme les autres. Remets-toi. Tu ne vas pas te faire aider, assister ou conseiller. Tu as toujours tout fait tout seul. Tu ne t'appelles pas Marcus Marcus par hasard. Tu as inventé ce nom, comme tu t'es réinventé, toi, Marcel Martial, fils unique d'employés sans le sou, venu de nulle part, autodidacte acharné, grimpant les marches du Ziggourat audiovisuel afin d'atteindre le sommet, le sanctuaire du haut duquel on observe les astres. Et devenir un astre toi-même ! Un astre, ça n'a pas d'états d'âme. Ça n'a pas, non plus, de chair. »

Cependant, comme le soir tombait, la tentation de la morosité, de la tristesse, de ce vague à la vie qui hante certains êtres, cette crainte immémoriale due au passage du jour à la nuit, montèrent en lui à mesure que la lumière s'affaissait au-delà des grandes vitres du grand bureau. Alors, les souvenirs surgissaient. Il revoyait les morsures de la jeunesse, la première et dernière fois qu'il avait essayé de faire l'amour, rien n'avait marché, la fille avait ri, il en était resté recroquevillé, blessé, il avait fermé la porte de son corps. Il s'était réfugié dans un état permanent d'inappétence sentimentale et sexuelle.

Il revoyait les années d'apprentissage en pâtisserie, le départ pour un poste plus important auprès d'un grand chef, un trois étoiles, dans la vallée du Rhône. Il revoyait ce mentor aux mains agiles, à la barbe rousse, au ventre protubérant qui lui avait appris les plus subtiles façons de cuisiner et de choisir les produits du marché. Il revoyait sa propre mère, toute

145

ronde et fière, dans la salle du restaurant, elle était venue sans le prévenir, elle avait demandé au maître d'hôtel si on pouvait «rencontrer les cuistots». Il se souvenait ensuite du minibus sur la petite route en pente avec des lacets vers Lyon et comment les freins avaient lâché et comment le véhicule avait chuté dans un ravin, c'était en hiver, la nuit, la neige n'avait pas tout amorti. Il était le seul survivant.

Il revoyait des femmes en blanc, penchées vers lui, visages flous, puis visages nets. Des voix voilées, puis des voix claires. C'est un miracle. Vous sortez d'un coma de six mois. À l'hôpital, quand il avait recouvré toutes ses facultés, il s'en était découvert une nouvelle. Il parlait et on l'écoutait avec ravissement. Surtout, il savait faire parler. Il subjuguait les autres patients, lors des séances de rééducation. Il fascinait les infirmières, les internes et certains professeurs aimaient s'arrêter auprès de son lit pour l'écouter, dialoguer, répondre à ses questions. Car il savait obtenir réponse à toute question. C'était comme si, pendant la longue plongée dans le vide absolu — il n'avait eu aucune conscience, aucun rêve, aucun cauchemar, le coma avait été profond, impénétrable —, on lui avait offert un don nouveau, on avait mis au jour un talent jusqu'ici ignoré.

Il éprouvait un plaisir inouï à interroger et explorer la vie de chacun. L'établissement, tout récent, outillé de façon moderne, avait installé son propre circuit interne de télévision. Et il avait bientôt pris possession du petit studio supervisé par un technicien et s'était approprié une heure, l'après-midi, au cours de laquelle il invitait celles ou ceux, membres du personnel ou convalescents qui l'acceptaient, à parler d'eux-mêmes. Il parvenait à extraire de chacune et chacun une vérité, à dénicher un récit, à obtenir un moment d'existence qu'il analysait avec son invité. D'une heure on était passé à deux, puis à trois, et la densité et le contenu de cette émission interne, à l'usage exclusif de l'hôpital, avaient rapidement dépassé le circuit clos de ce même hôpital. Alerté par la rumeur, le correspondant local d'une chaîne nationale avait écouté et remarqué le jeune homme et lui avait offert un stage dans la station régionale, lorsqu'il sortirait, tout à fait rétabli. C'était ainsi qu'il avait entamé son long chemin vers le statut d'étoile à Paris.

Ç'avait pris à peine huit années. Étape par étape, province après province, échecs et réussites, travaux à l'ombre des petites notoriétés locales, rencontres décisives, trahisons et alliances, coups d'éclat et coups d'audace, jusqu'à la confirmation de son talent, l'imposition de sa personnalité, l'organisation de son système, les conquêtes successives de territoires, les prises de pouvoir, la manifestation de son unicité. L'exercice du pouvoir. L'argent. L'expansion et, avec l'accroissement permanent de sa célébrité et sa puissance, l'exacerbation de tous ses défauts, ses particularités, ses autodéfenses. Il s'était durci, cadenassé, on ne savait presque rien de lui. Sa vie privée demeurait un mystère.

On pourrait jouer avec une théorie selon laquelle

l'absence de toute vie affective l'avait aidé dans sa marche triomphale. Ses confrères et consœurs avaient aimé, épousé, enfanté, divorcé, liaisonné, réenfanté, pensionalimenté, pleuré et ri, perdu parents ou amis, la vie leur avait proposé un nombre suffisant de freins et d'épreuves, autant que de joies et de surprises, de bonheurs éphémères ou de deuils inattendus. Après tout, ils ou elles avaient beau apparaître sur les écrans de télé ou dans les pages des magazines, ils étaient des humains, ils étaient comme tout le monde, ils avaient des vies, ils connaissaient des hauts et des bas, des secousses. Marcus Marcus, indifférent à toute émotion, avait pu concentrer son entière énergie, faire le don total de son adrénaline, son endomorphine, son éperdue fringale de reconnaissance, à la seule construction de sa conquête, l'unique établissement de son empire. À ce titre, il était une sorte de monstre.

Marcus Marcus avait su tout éviter : la folie de la cocaïne, quand elle s'était répandue dans les couloirs des studios pendant les années 80 ; la jouissance de la gloriole ; la répétitivité des formats et formules ; les pièges et intrigues des grands changements d'actionnaires ou de propriétaires. Il avait survécu au fameux mouvement brownien de cet univers qui peut vous entraîner dans une spirale et vous faire chuter. Le grand homme avait traversé des forêts et des jungles, machette à la main, coupant ce qu'il fallait sur le passage, mais il n'y avait aucun mystère puisqu'il n'avait aucune vie privée, en vérité. Dans la solitude de sa réussite, une phrase lui revenait comme une comptine d'enfance, toute bête et toute simple, qui trottait murmurante, parfois, dans ses nuits d'insomnie : « Ce serait bien quand même si, une fois dans ma vie... »

Il finit par s'endormir. Mais à 4 h 15 du matin, il se réveilla en sursaut. Il ressassait la loi de l'entropie dans sa tête et il lui rajoutait un corollaire : l'introduction de tout corps étranger dans un système déjà en désordre est un facteur supplémentaire de désordre. Margo était le « corps étranger ». Cette femme ne pouvait pas l'avoir attaqué comme ça, sans raison. Derrière toute attitude, tout comportement, il y a une explication, les choses ne sont pas spontanées — il faut aller à la source. « Pourquoi a-t-elle voulu autant me blesser ? Il faut que je trouve », pensait-il. Il songea à Mac Corquedale, le détective privé. Peut-être faudrait-il mettre Mac Corquedale sur la piste de cette fille. Il devait y avoir une raison.

# 6

— Un peu de pureté, je vous prie, un peu de pureté.

Quand, après avoir été expulsée de la vie de Tom Portman, elle partit se réfugier chez sa sœur aînée, Caroline crut qu'elle allait sombrer dans une dépression. Elle l'avait anticipée, puis elle la devina, lorsque, dans le mini-van conduit par Medhi, elle sentit quelque chose ronger ses côtes et son flanc gauche. La chose grimpa ensuite dans sa poitrine, désagréable, tenace comme les pattes d'une araignée en acier qui aurait tenté de l'enserrer dans sa toile.

Elle eut un cri silencieux, pour elle-même.

« Tu ne vas pas te laisser avoir, pensa-t-elle. Il ne mérite pas ça, ce salaud. »

La colère, l'orgueil, et bien plus encore, cette ressource intérieure qui sépare ceux qui en souffrent de ceux qui la dominent allaient lui permettre de chasser la dépression avant même qu'elle ne se déclenche. Elle le savait, elle se le redisait en cadence, son mantra reposait sur la conviction qu'elle était plus forte, qu'elle n'était pas douée pour le malheur, la complaisance, la perte de l'estime de soi. Avoir traité Portman de « salaud » lui avait rendu du souffle, de la respiration. Elle sentait toujours la chose vivre en elle, mais elle comprimait ses deux mains sur le haut de son ventre et elle se répétait comme pour chasser l'envahisseur : « Ne te laisse pas aller, tu vaux mieux que ça. »

Tandis que le van roulait sur l'autoroute vers le domicile de sa sœur, ça s'atténuait, il lui semblait que la toile d'acier se distendait imperceptiblement. Alors, sa confiance décuplait. Quand elle pensait à tous les conseils qu'on avait pu lui prodiguer dans sa jeunesse, avec la phrase routinière : « Ton orgueil te perdra », elle en riait en silence. Chacun son orgueil. Le sien lui était devenu précieux. Bien loin de nous perdre, notre orgueil, pourvu qu'il ne se confonde pas avec la vanité et ne nous éloigne pas de l'acceptation de ce que nous sommes, constitue un puissant rempart contre l'abandon de la volonté, la perte du désir.

Caroline se voulait sauvée par son orgueil. Elle ne se soumettrait pas à la fatalité du désespoir, elle n'irait pas chercher cet abri parfois confortable qui consiste à tomber dans la dépression, le plaisir pervers de l'autoflagellation. Cependant, elle souffrait, maintenant qu'elle se trouvait debout, valises à ses pieds, sur le gravier de l'allée devant le perron de la maison de sa sœur, aux confins de Montfort-l'Amaury. Un court vertige l'avait même saisie, elle manqua de tomber, elle se redressa, armant son sourire pour faire face à ce qui l'attendait :

— Qu'est-ce qu'il t'arrive encore, avait dit sa sœur, lorsqu'elle l'avait appelée depuis son portable, à peine sortie du loft de Tom.

— Tu peux m'héberger pendant quelques jours ?

— Bien sûr, ma chérie, à partir de quand ?

— À partir de tout de suite, je n'ai pas encore trouvé un endroit où me poser.

— Qu'est-ce qui t'arrive ? Tu quittes Portman ?

Béatrice, comme le reste de sa famille, n'avait jamais appelé le nouvel homme dans la vie de sa sœur par son prénom. Pour les frères et les sœurs Soglio, qui avaient été surpris, voire choqués, par la foucade sentimentale de Caroline, le prince de la production cinématographique n'avait été identifié que sous ce vocable : « Portman ». Ils parlaient de lui comme d'une marque d'automobile ou de parfum. Caroline n'avait fait aucun effort pour les rapprocher les uns des autres. Il y avait eu quelques rencontres, on l'avait trouvé « étonnamment séduisant, de la dynamo, un type exceptionnel », mais on en était resté là. Tom, de son côté, avait résumé sans prendre de précaution :

— Parfaits produits de la bourgeoisie de province montés à Paris. La vraie France. Je n'ai rien appris.

Caroline avait préféré ne pas réagir. Aujourd'hui, à la question posée par sa sœur, elle disait :

— C'est fini entre nous. Je te raconterai.

—Je t'attends. Quand ils sont passés l'autre jour, les enfants ont fini par m'aider à déblayer la grande salle de télé du grenier, je t'installerai là-haut. Tu me raconteras.

Elle composa son visage. Elle respira une, deux, trois fois expira de la même manière, profondément et bruyamment. Béatrice lui ouvrit la porte et lui tendit les bras. Béatrice souriait.

À la vue de ce sourire, dans lequel elle croyait lire aussi bien l'affection solidaire que la curiosité déguisée, l'amorce d'un jugement et cette supériorité inexprimée mais latente de celle qu'on appellerait toujours la « grande sœur », Caroline sut qu'elle allait lui mentir. Elle n'avait pas encore retrouvé assez d'énergie pour livrer la vérité crue et cruelle, son humiliation et sa stupéfaction. Elle tronquerait son récit. Elle enjoliverait. Elle transformerait. D'autant qu'elle redoutait la perspective qu'à un tournant ou à un autre de son « je te raconterai », qui était le prix à payer pour être admise chez Béatrice, elle entende Béatrice prononcer la phrase que Caroline détestait entre toutes :

—Je te l'avais bien dit.

Elle abhorrait cette attitude, ce passe-temps français de celles ou ceux qui, enclins à une forme de pessimisme non déclaré, annoncent défaites et catastrophes, les petites cassandres de la vie quotidienne, emmitouflées dans leur refus du dérangement et de la transgression, adversaires de tout risque et, a fortiori, de toute création, tout changement et qui, lorsque survient en effet l'accroc ou la rupture — puisque nos vies sont faites de cela — vous assènent avec la satisfaction placide du gros mangeur à la fin d'un copieux repas :

— Je vous l'avais bien dit.

Les « je vous l'avais bien dit » appartiennent à une espèce particulière que l'on peut rapprocher d'une autre race, les « c'est plus comme avant » qui, eux-mêmes, sont les cousins des « on ne l'a jamais fait », et des « ça ne marchera jamais ». Viennent ensuite les « faut tout de même pas exagérer », eux-mêmes cousins des « je ne veux pas me mêler de ce qui ne me regarde pas mais », et à rapprocher enfin de la secte suprême des « puisque je vous dis que c'est vrai ! ».


Caroline s'était trompée du tout au tout. Elle avait sous-estimé la finesse et la générosité de Béatrice. Lorsque celle-ci eut ouvert la porte et reconnu sur le visage de sa sœur les signes d'un chagrin difficilement contenu, d'une défiance, de l'amour-propre blessé et de la peur de son jugement, elle ne posa aucune question et accueillit Caroline comme si celle-ci était venue prendre le thé, telle une voisine qui profiterait d'un après-midi de congé pour bavarder.

Sa prévention, sa décision n'avaient plus de raison d'être. Ses préjugés avaient été balayés par l'intuition de Béatrice. De tous les enfants Soglio, l'aînée était sans doute celle dont les actions et les choix avaient été le plus dictés par l'instinct, par une compréhension naturelle de la vie. Elle possédait cette forme d'intelligence qu'a définie Dostoïevski et qui consiste à « savoir qu'une lampe est une lampe ». Elle installa sa sœur en toute tranquillité, laissant à Caroline le soin de décider quand elle serait capable de tout livrer, étaler la viande rouge sur l'étal du boucher, s'exprimer sans artifices. Les fils d'acier de l'araignée s'étaient lentement détachés de la poitrine de Caroline, mais elle sentait qu'elle avait frôlé le trou noir. Elle n'excluait pas le resurgissement de la bête. La présence de ce danger, ajoutée à l'expérience de l'instant où tout aurait pu basculer, l'avait modifiée. Elle était en mesure d'analyser ce que, dans son orgueil, elle définissait pour sa sœur comme un échec.

— Tu fais erreur, disait Béatrice. Ce n'est pas un échec. On passe sa vie à ne pas voir qui sont ceux que l'on croit aimer.

— Mais je l'ai aimé.

— Et alors ? Est-ce que tu ne t'es pas seulement demandé si tu n'avais pas plutôt aimé, avec et grâce à lui, sortir définitivement de ta morale petite-bourgeoise, de tes inhibitions ? Tu as aimé qu'il te révèle à toi-même, dans ta sensualité autant que tes impulsions et tes ambitions. Ce que tu appelles ton échec n'est qu'un révélateur de plus. Tu en sais aujourd'hui encore plus sur toi-même qu'hier.

— Oh, oh, doucement, la psy ! Doucement. Ne me chante pas la chanson des bienfaits de l'échec.

— Je ne te chante rien, ma grande, c'est comme ça. Tu devrais remercier le ciel, la Providence.

— Tu veux peut-être que je remercie Tom, tant qu'on y est.

— Portman ? Non, mais tu pourrais envoyer des fleurs à, comment la surnomme-t-il ? « L'Égyptienne » ? Tu devrais lui envoyer un bouquet de glaïeuls avec une carte du genre : « Merci de m'avoir permis de comprendre ce que c'est qu'un lâche. »

— Oui, pas terrible...

— T'as raison. La carte devrait être plus elliptique. Genre : « Détruisez-le jusqu'au bout. Il ne l'aura pas volé. »

— Arrête, ça va finir par me faire rire.

— Si on en rit, alors c'est qu'on a gagné.

Bientôt, elles cessèrent de parler, unies dans la même intimité, la complicité des plaisirs communs d'autrefois : les jours longs au bord de la Gironde ; les feux de la Saint-Jean ; les huîtres du bassin d'Arcachon ; l'événement régulier des vendanges ; la traditionnelle virée familiale à San Sebastián ; les figures aimantes et presque trop exemplaires du père et de la mère ; les premiers garçons qui vous attendent à la sortie du collège ; l'océan déchaîné devant l'immense plage vide d'Huchet ; les livres chez le libraire Molla ; dans le ciel un halo de lumière rose et rouge vu depuis le pont de Pierre ; des nuits de guitare et de flirts à Saint-Jean-de-Luz ou Hossegor ; le goût perdu du cannelé et du Lillet ; les premiers départs pour Paris avec l'arrivée en gare d'Austerlitz, puis ce fut la gare d'Orléans, les bancs de la fac ; toute cette enfance et cette adolescence tellement protégées que, plus tard, parmi les frères et sœurs, certains et certaines avaient connu des fortunes diverses, des difficultés pour s'installer dans l'existence et rencontrer la compétition, l'agression, l'envie, la jalousie, les erreurs et les vicissitudes de compagnonnages successifs, les accidents professionnels, les épreuves de santé, les suicides des amis, les mariages ratés, trop rapides, les amants qu'on n'a pas eus... Leur faiblesse et leur force, tout provenait de ce passé privilégié.

— Qu'est-ce que tu vas faire ?

— Je ne sais pas, je vais prendre des contacts, je vais voir.

— Dans le cinéma, toujours ?

— Ah non, ça, j'aurais vraiment trop de mal. Le cinéma, plus jamais.

— Mais non, tu dis ça, mais tu aimes ça, tu y reviendras. Tu y as excellé !

Caroline l'interrompit.

— Et toi, parle-moi de toi. Comment va Emmanuel ?

Elle crut que sa sœur ne lui répondrait pas, tant Béatrice semblait attendre, semblait chercher à maîtriser une sorte de tremblement de tout son corps. Puis, sa sœur finit par parler.

— Ça ne va pas du tout, tu sais. Il lui reste encore un peu d'humour. Il dit : « Mon ralentissement s'accélère. » Je lui rends visite demain vers midi. Tu m'accompagneras ?

— Bien sûr.

— C'est pas marrant à voir, tu sais. Il n'y a plus d'espoir.

— Je t'accompagnerai, Béa.

Elle perçut alors dans la voix de Béatrice une note aiguë, un ton à peine caché de reproche, une parcelle d'amertume.

— Est-ce que tu te rends compte, Caroline, que c'est la première fois que tu me parles de moi et de ma vie ?

D'un geste affectueux de la main vers Caroline, Béatrice voulut atténuer sa critique. Mais il restait du silex dans la voix et le désir d'une confrontation apparaissait soudain sur son visage. Le menton carré, la lèvre amincie.

— Il faut être en très bonne santé pour s'intéresser à quelqu'un d'autre qu'à soi-même. Ça doit vouloir dire que tu es déjà guérie.

Caroline, vive :

— Mais je n'ai jamais été malade.

Béatrice, encore plus vive :

— Ben voyons, c'est pas pour ça que tu m'as appelée au secours. Effectivement, t'es pas malade, t'avais simplement pas d'endroit où dormir, c'est ça ?

La connivence des souvenirs avait disparu comme ça, avec le bruit d'un ballon qui se dégonfle en sifflant, pffffffttt... Il ne restait plus, face à face, que deux femmes aux frontières verbales — l'une, soudain embarrassée par sa culpabilité, l'autre, la grande sœur, toute nue devant la mort prochaine de son mari qu'elle avait eu le courage de ne jamais évoquer tandis qu'il avait fallu recueillir un récit bien banal, tout compte fait. Après tout, il ne s'agissait que d'un mec qui lourde une fille — alors qu'Emmanuel était en train de mourir d'une leucémie. Elle avait recueilli ce récit, finalement trivial, voire vulgaire, sans jamais mettre en avant le calvaire quotidien qu'elle vivait. Comme elle était la plus résistante des deux, Béatrice écarta le nuage en train de se former. Ses traits se radoucirent. Elle voulut sourire :

— Excuse-moi. J'ai lu quelque part que la mère de Bill Clinton, trois fois mariée, quotidiennement battue par un mari alcoolique — et alcoolique elle-même —, avait posé une pancarte dans la minuscule cuisine, face au siège sur lequel le petit Bill, dix ans, venait s'asseoir pour manger son maigre breakfast. Il paraît qu'il s'est toujours souvenu de l'inscription sur la pancarte. Elle disait : « Mon Dieu, aide-moi à me souvenir qu'il n'y a rien de ce qui va m'arriver aujourd'hui que je ne puisse gérer. »

Puis Béatrice se tut, épuisée, une barre de lassitude s'imposant sur ses épaules. Son buste s'était affaissé. Son âge, tout d'un coup, prenait possession d'elle. À la commissure de ses lèvres apparaissait la tristesse du malheur accepté. Si nous pouvions, ne serait-ce qu'une fois par jour, regarder clairement la douleur des autres, la petitesse de nos propres affaires prendrait la forme d'un tas de brindilles posé sur un banc de pierres grises dans un jardin d'automne. Sœurs entre elles : les deux femmes s'enlacèrent en silence. Et c'est ainsi que

Caroline Soglio put échapper à tout risque d'une quelconque dépression nerveuse.


— Lequel d'entre vous, dans cette brillante assemblée, peut me donner comme ça, sans réfléchir, le nom du superbe critique de théâtre interprété par George Sanders dans *All about Eve*, et le non moins prodigieux patronyme du chroniqueur homosexuel interprété par Clifton Webb dans *Laura* ?

Le jeune homme étincelait, l'œil allumé, la chevelure blonde peroxydée en bataille, la main virevoltante, on aurait pu craindre que sa fourchette, qu'il maniait comme un chef d'orchestre, ne s'envole pour atterrir dans une assiette de risotto à l'autre bout d'une des grandes tables rondes disposées à travers les pièces des Gretzki, Véronique et Samuel — des pièces ouvertes l'une sur l'autre, si bien que l'on pouvait, selon le volume sonore, souvent capter ce qui se disait aux tables voisines.

— Ça suffit, Mickey, avec ta cinéphilimania. Passons à autre chose. Y en a marre de ton ciné quizz.

Les Gretzki avaient toujours été très attentifs à la nature des invités de leur dîner du mardi. En bons connaisseurs de la vie à Paris, ils savaient panacher. Pour réussir leur soirée, il fallait qu'elle eût l'air un peu désordonnée, fourre-tout, y a n'importe qui chez Sam et Véro, c'est le bordel — mais que, en réalité, ce désordre ait un sens, qu'il soit organisé, qu'il reflète la multiplicité de leurs amis et relations et ne se limite pas au strict univers de leur métier — le cinéma —, qu'on y trouve de quoi « faire son persil » : du show-biz, de la mode, de la politique, du média, de la finance, pourquoi pas de la médecine, bien évidemment de l'édition et de la littérature — et puis de la zone grise, aussi, des gens dont on ne savait jamais très bien ce qu'ils faisaient ni comment ils gagnaient de quoi payer l'Audemars Piguet tourbillon serti d'or rose et de diamants qu'ils venaient de mettre au poignet de leurs bimbotoxinettes venues de Moscou et récupérées à Courchevel.

— Tu me dis ça parce que tu sais pas, mon Bernie chéri, mon petit Belge adoré, parce que tu manques de culture, or la vraie culture, aujourd'hui, c'est la cinéphilie. Il est tout aussi vital de savoir qui est le chef opérateur de *Pendez-moi haut et court* que de pouvoir réciter le *Bateau ivre*, mon petit Bernie !

La structure des invités devait aussi être transgénérationnelle. Aux couples d'installés, établis et notoires, parfois âgés, mais dont le palmarès et l'influence expliquaient la présence, les Gretzki rajoutaient des couches plus jeunes, découvertes et révélations, succès de saison ou promesses de longue durée. Des petits génies comme Mickey Ramos, scénariste recherché, animateur intermittent de plateaux télé (« À lui seul, il fait exploser l'audimat ») dont la joute verbale avec Bernie Van Haselberg, créateur de logos et enseignes pour sites de mode et d'accessoires de luxe, animait la table n° 3, l'une des plus recherchées, installée au centre d'une des deux grandes pièces.

— Mickey, on s'en fout de ton truc.

— C'est parce que tu ne sais pas. Alors, tais-toi. Celui qui sait doit parler, contrairement à l'adage bouddhiste. Celui qui sait pas, il se tait.

— Merci, mon chéri, moi aussi je love you.

Les Gretzki n'établissaient aucune règle de conduite, à l'exception d'une seule. On pouvait fumer autant que l'on voulait, on pouvait, à condition que ce ne fût pas trop voyant, fallait tout de même pas le faire en plein repas, y avait les toilettes pour ça, sniffer un peu de farine — et Mickey ne s'en privait pas, au point que Lucien Tarnagar, le banquier suisse, avait murmuré : « S'il se lève aussi souvent, celui-là, pour aller aux toilettes, c'est ou la prostate ou la coco et, compte tenu de son âge, je pencherais plutôt pour la neige » —, on pouvait naturellement s'accoutrer comme on le souhaitait — « La cravate, c'est fini, c'est mort, c'est le XXᵉ siècle, c'est autrefois. — Tu te trompes, c'est cyclique, ça reviendra, dénouée sur col ouvert, mais ça reviendra » —, en revanche il était interdit d'utiliser son Blackberry, son portable, son Iphone. Interdit ! Sam et Véro avaient même suggéré qu'on laisse les appareils au vestiaire — comme les cow-boys déposaient leurs colts à l'entrée du saloon —, mais les modalités d'application étaient compliquées, on aurait pu confondre — vous imaginez le dir cab du ministre empruntant le portable d'un député de l'opposition ? D'une manière générale, les invités s'étaient pliés à cette règle — même si on avait connu des manquements.

Il y avait une autre règle, et les Gretzki ne savaient plus s'il était possible de la faire encore respecter : on est en « off », on ne rapporte à l'extérieur aucun des propos qui ont pu être échangés — on ne se rue pas sur son blog pour, à peine sorti de la rue de La Planche, informer en désinformant, grossir et exagérer, tromper et truquer, mais buzzer, pour l'amour de Dieu ! Buzzer !.. Les Gretzki admettaient que cette règle était devenue inapplicable. Finalement, ils ne s'en plaignaient pas puisque le fruit — même avarié — qui serait servi dans Paris et sur la Toile à partir de leur dîner ne ferait qu'en rehausser l'importance, ne ferait qu'aviver le désir « d'en être », la vanité d'y avoir participé.

— Nous sommes entrés dans une période d'immense incertitude, et c'est sans doute cela qui la rend aussi passionnante.

Les conversations ne se limitaient pas à quelques passes d'armes entre deux jeunes gens brillants habités par le souci de plaire et la simple jouissance de rire et se moquer, jouer la comédie. C'était une des fiertés de Sam et Véro : « faire avancer ». Mais avancer quoi ? Peu importait, pourvu que, le lendemain, ils aient reçu un ou deux appels — point n'était besoin qu'ils fussent nombreux tant qu'ils provenaient de gens respectables : « Dites donc, hier soir, j'ai entendu un type vraiment intéressant chez vous. »

Par exemple, Dominique Schneider, à la table n° 2, un essayiste, maître de conférences à l'IEP ; Helena Lacroix, responsable du meilleur *team* de chasseurs de têtes de la ville, une femme à chevelure brune, dont la diction musicale séduisait les autres ; Simon Terel, le normalien passé pasticheur et chroniqueur, l'œil narquois, facilité de plume ; Micha Bauer, un géologue aux lunettes cerclées. À cette table, le débat de l'instant tournait autour de la politique, l'air du temps de crise.

— Mais c'est un mot désuet, une notion qui n'a plus cours, la crise. On a toujours été en crise. Toujours. Vous connaissez un moment de notre histoire, récente ou pas, qui n'ait pas connu le malaise, la crise, la remise en question ? Crise, mon œil. Vous savez très bien, c'est un cliché, que le mot crise en Grèce et son idéogramme en Chine s'écrivent ou se dessinent comme le mot chance.

Helena Lacroix, musique dans le ton et sourire professionnel :

— Oui, mais enfin, cliché pour cliché, vous ne pensez pas tout de même qu'en cassant toutes les règles du jeu, on a rajouté de la crise à la crise ?

Simon Terel, le polémiste :

— Les règles de quel jeu ? Mais, chère madame, il y a bien longtemps qu'il n'y en a plus. Le temps médiatique les a toutes changées.

Intervention de Schneider, l'essayiste :

— Les médias, les médias, arrêtez de leur donner une telle importance. Vous avez déjà fait l'expérience d'un long voyage, d'une longue absence ? On revient, on feuillette la presse, rien n'a changé, à quelques visages nouveaux près.

Prompte réplique de Terel :

— Pas d'accord, Dominique. Tu occultes totalement le rôle du Web et des blogs, des sites, des *chats* immédiats. Tu raisonnes comme quelqu'un qui ne lit que du papier imprimé la veille. Tu ne peux pas ignorer la notion de *speed.* Il existe un nouveau concept du temps. La vitesse qu'un homme veut imposer à la société française n'est rien d'autre que la vitesse du Net, ce n'est pas lui qui a inventé la *speed attitude.* Il n'en est que l'incarnation. C'est la technologie qui nous a soumis à un autre rythme. C'est la science !

Micha Bauer vient s'insérer dans le débat :

— Là, voyez-vous, Simon, je serais tenté de vous rejoindre. Tout ce qui nous arrive, tout ce qui transforme notre monde, alimentation, durée de vie, démographie, chômage, c'est dans les découvertes scientifiques qu'il faut en chercher l'origine.

Dominique Schneider :

— Je ne comprends rien à ce que vous me dites. Ce que j'en retiens, c'est le temps. Là, franchement, c'est un peu plus compliqué. Ça n'est pas parce qu'un dirigeant est pressé qu'il doit oublier pour autant ce que Braudel appelait le temps long. Faites-lui ce crédit. Un dirigeant doit voir vite, mais loin aussi, loin et juste. Donnez-lui le crédit du « loin ».

Helena Lacroix, prise d'une sorte de fureur oratoire :

— Vous me faites bien rire. De toute façon, tout change tout le temps. Les doigts des enfants de nos enfants seront plus longs et plus fins de cinq à six centimètres, ressemblant à ceux de E.T., et leurs têtes seront plus rondes et ils sauront à peine échanger une conversation puisqu'ils ne travailleront plus que sur des écrans, avec des touches — les basketteurs mesureront plus de 2,20 mètres, il y a trente milliards de tonnes de viande consommée en plus dans le monde qu'il y a vingt ans, le Canada est en train de détruire tout l'Alberta pour y extraire le pétrole le plus cher du monde. La désertification envahissante va transporter sur les rives de nos pays des millions d'individus qu'il faudra soit intégrer, soit repousser à coups de mitraillette, c'est selon qu'on est de droite ou de gauche. Tandis qu'on cultivera des oranges à Bordeaux, du vin à l'extrême nord de la Finlande. Et... Bon... Je dis n'importe quoi, n'est-ce pas ?

Jusqu'ici, le croisement des opinions s'était essentiellement déroulé entre les quatre dîneurs. On n'avait pas entendu Jean-Jacques Arpanche, ce vieux photographe qui savait capter en noir et blanc (il refusait toujours la couleur), au moyen d'un antique boîtier Leica, les gestes quotidiens des êtres humains dans les rues des villes du monde. Il s'était installé dans une position d'écoute, le menton dans le creux de la main, le coude sur la table, la chaise un peu en retrait, et il n'avait guère touché au risotto des Gretzki. Il préférait un fruit

— qu'on lui avait d'ailleurs apporté, une grenade — le fruit à la mode. Il toussa pour s'éclaircir la voix et comme il n'avait pu, jusqu'à cette toux annonciatrice, émettre aucun son, les autres causeurs marquèrent une pause en attendant sa sentence. Arpanche, en effet, avait dépassé le statut de photographe de renommée mondiale pour se muer en une sorte de gourou philosophe. Les légendes qui accompagnaient ses photos avaient pris des allures d'aphorismes, de haïkus. Peu à peu, il avait développé ses idées et exprimé ce que soixante-dix années d'observation de l'humanité et de la nature lui avaient apporté en expérience et en sagesse. Il avait publié un recueil sous le titre *Émerveillement et désespoir* — paru d'abord au Japon où il passait près de six mois par an, lequel recueil avait été racheté par un jeune éditeur français et avait vite fait l'objet d'un culte. Le style en était limpide, proche de la pensée orientale. L'éditeur avait fait fortune. Arpanche parlait lentement :

— Vous parlez de crise, dit-il. Mais enfin, une crise provient de l'absence de valeurs suprêmes, non ? Malraux a très bien dit cela. Alors maintenant, il faudrait peut-être définir ce que c'est qu'une valeur suprême.

Il était « vieux », mais c'étaient les jeunes qui avaient propulsé son ouvrage en tête de liste des best-sellers. Cent quatre-vingt-quatre semaines — du jamais-vu. De quoi faire pâlir de jalousie les autres auteurs assis autour des tables — puisqu'il était rare que quelqu'un n'ait pas, au moins une fois, écrit un livre, avec ou sans la contribution d'un nègre. Tout le monde, à Paris, avait au moins une fois écrit un livre. Sinon écrit, du moins publié.

— Vous parlez d'un type d'homme qu'on appelle l'homme pressé, continuait-il. On est en droit de plaindre celui ou celle qui est pressé. Car le seul vrai luxe que je me sois accordé dans la vie, c'est de prendre mon temps. On peut imaginer que les gens pressés sont des gens malheureux. Mais peut-être n'avons-nous pas besoin que ceux qui nous gouvernent soient des gens heureux.

Il avait le souffle un peu court. Non point qu'il cherchât ses mots, mais il mettait son honneur à bien les choisir et souhaitait ne pas jouer au gourou, même s'il tenait pour dogme que, pour toute vérité profonde, il existe la vérité profonde contraire.

— Vous parlez, continuait-il, madame, du changement. Bien entendu, nous ne savons rien de ce que nous serons dans à peine cinq ou dix ans et comment nous nous nourrirons et qui voudra massacrer qui. Cependant, je crois qu'il y a des lois éternelles qui sont ineffaçables, même si elles ne sont pas écrites.

Simon Terel leva le doigt d'un geste moqueur comme l'élève ose interrompre le professeur. Le photophilosophe commençait à légèrement irriter son sens critique.

— Je vous interromps, Jean-Jacques Arpanche, mais ce que vous dites là, c'est une phrase de Sophocle ?

— Peut-être.

168

— Eh bien, dites donc, Malraux, Sophocle, vous êtes un vrai puits de citations. Est-ce un refuge ?

— Non, jeune homme, c'est une rencontre. Ils ont pensé bien avant moi et bien mieux que moi. Qui m'interdit de penser comme eux ?

Caroline, qui tendait l'oreille à la table voisine pour tenter de recueillir les bribes de ce débat, se disait : « Quel dommage, j'aurais préféré être assise aux côtés d'Arpanche. » À la table n° 1, en effet, les convives n'avaient aucunement tenté de brasser les poncifs en échangeant leurs vues sur l'avenir incertain de la société française et celui, encore moins prévisible, de la planète. Il y avait là une buzzeuse professionnelle, la championne dans l'exercice de cette activité quasi universelle et dont le blog (*jevaistoutdire.com*) avait en général une demi-journée d'avance sur toutes les officines de ragots, rumeurs et potins, scoops bidons et désinformation organisée qui polluaient désormais une profession — la presse et les médias, comme on voudra — partagée entre l'éthique de la vérité ou l'ambition du profit, entre le culte de l'anecdote ou le devoir de mise en perspective. Elle s'appelait Lorraine Lavezzi. Une comédienne, lunettes noires et cheveux coupés court à la garçonne ; un neurologue et son épouse ; le roi du spectacle vivant (un ancien forain au faciès rugueux) ; le funambule romancier Théodore Peyrelepont, rival en talent et âge de Mickey Ramos, dont il essayait, lui aussi, d'écouter les tirades hallucinées à la table voisine ; un publicitaire au profil anguleux, long en jambes et en cheveux, arborant une tunique à damiers multicolores avec, brodé à l'intérieur de chaque damier, un animal — un kangourou, un colibri, une taupe —, n'importe quoi, ma vieille, tu aurais vu ce truc, il l'a fait faire par un artisan qui travaille dans le 20$^e$, je peux te dire que ça vaut vraiment une mention sur mon blog : « la tenue la plus démente du moment » — l'artisan est un Chilien génial. Il y avait, enfin, un jeune homme inconnu, dont Caroline n'avait pas retenu le nom ni l'activité.

Prudente, méfiante, silencieuse derrière son beau sourire, aux aguets à l'occasion de sa première sortie chez Sam et Véro, Caroline avait été accueillie avec la gentillesse et la chaleur qui faisaient du couple Gretzki une sorte d'exception — leur penchant à l'optimisme et leur capacité de tourner toute situation en une occasion de sourire, de dédramatiser pour inventer une solution de rechange, leur subtile compréhension du monde fragile et angoissé des comédiens — tout cela équilibré par un sens de la gestion, un savoir-faire de fabricant d'images. Tom Portman leur devait beaucoup. Véronique avait voulu rassurer Caroline en lui affirmant que Tom ne viendrait pas ce soir-là :

— Ça m'est égal, avait-elle dit. Tom, c'est derrière moi. Je n'en ai rien à faire.

— On t'a mise avec des gens distrayants. C'est bien que tu aies décidé de venir. Tu vas bien au moins ?

— Très bien, très bien.

Elle s'était assise et avait suivi sans intervenir les soubresauts d'une table où l'on avait évoqué plusieurs thèmes avant de dériver vers le sport favori du dîner en ville — le Q B Q, plus récemment devenu le WFW (*Who fucks who*) utilisé par les snobs et les drogués de la novlangue américanisée, les filles qui parlent le glam, hype, must have, les garçons qui disent trash, trend, zaoui, et rangent tout individu âgé de plus de trente ans dans la catégorie « vanilla ».

On avait tout de même, en préambule, abordé la question des îles :

— C'est plus les Fidji, c'est plus Tetiaroa, c'est plus Moustique.

— Ah ça, Moustique, y a pas plus *out* que ça, c'est carbonisé — carbo total, je vais te dire. Non, l'avenir c'est Dellis Cay.

— C'est où, ça ?

— Comment, tu connais pas ? C'est dans les Turks and Caicos. Y a rien de plus beau dans les Caraïbes. C'est la plus petite île des Turks. Ils ont commissionné une chiée de grands architectes, Azid, Lisoni, Heytens-berger. Ça va être luxe, luxe, luxe. Iconique et sexy.

On était ensuite passé aux récentes sorties de films et les « c'est nul », « c'est génial », « c'est de la merde », « ça marchera pas », « faut pas y aller », « total carbo, le mec » s'étaient succédé à leur rythme habituel. Là-dessus, Lorraine Lavezzi avait lancé son premier scoop, sur un couple de jeunes artistes :

— Il ne la baise plus. Elle a trouvé quelqu'un.

— Non, elle a personne. Elle est toute seule, il lui reste son chien. C'est tout.

— Remarque, ça peut toujours servir.

— Très drôle.

— Non, vulgaire.

— Arrêtez !

— Le vulgaire a envahi le français à l'allure d'une épidémie et vous en êtes un représentant type.

— Oh, vous savez, le vulgaire, ça n'est jamais qu'une manière hypocrite de véhiculer nos pensées cachées.

— Vous dites n'importe quoi.

— Lorraine, tu savais que Jamdjaya Pasdveski, la Jamdja, n'était plus avec son vieux lord ? Vous savez qui elle a dragué, la Jamdja, l'autre soir en plein dîner au George V, au gala anti-pauvreté ?

À partir de là, noms, lieux, prénoms, sobriquets, confidences et certitudes de telles coucheries, tels *coming out* ou tels *coming in*, telles algarades dans tels aéroports, telles fornications dans telles cabines d'essayage, avaient déferlé au rythme d'un TGV dernière génération. C'était à qui des trois, le pubard, la blogbuzzeuse ou le romancier funambule, reviendrait la palme de la révélation la plus juteuse, le mot le plus cruel, l'information la plus invérifiable.

— Tu sais ce qu'elle lui a dit en partant : « Tu méritais même pas que je te fouette. Mais je te laisserai l'objet en souvenir. »

— Comment sais-tu ça, comment peux-tu savoir ce genre de choses ? Elle te l'a dit ?

— Elle va se gêner. Elle se répand en horreurs sur son compte.

— C'est rien par rapport à ce qui se passe chez les Verazano. Il paraît qu'elle l'a giflé en plein mariage civil de leur fille.

— Mais tu m'dis pas ?

Ils adoraient ça. Ils avaient tous à peu près le même âge, ils étaient les enfants du ricanement télévisuel, du talk-show, toc et chaud, héritiers du grand ravalement des façades de la convention bourgeoise, les petits soldats du dérèglement. Les commandos du dézinguage systématique de tout le monde — y compris eux-mêmes. Ils adoraient vibrionner, salir sans se salir, ironiser. Ça les agitait, un petit feu de broussaille. L'étincelle était allumée, on pouvait presque tâter les flammèches de la main, et on pouvait sentir l'odeur du soufre, goûter la calomnie qui ne coûte rien. On pique de son dard, on s'envole, on tourne le dos, le verre de vodka à la main. On balance des vannes, on parodie, on déguise, on déconne — « attends, c'est rien, c'était pour rigoler » — mais on a lancé la pierre dans l'étang et les ricochets se succèdent, sans que l'on sache où ils iront. On a obéi au dogme du « tout est permis ». Ces choses-là peuvent devenir contagieuses.

Un convive qui s'était assis en dernière minute — Véro n'ayant pas su où le caser —, un homme tardivement reconverti ou plutôt recasé dans le conseil en entreprise voulut prêter renfort aux poisons verbaux distillés par les jeunes gens. C'était un ancien diplomate qui avait navigué dans les eaux des pouvoirs publics et des puissances privées et dont le dos courbé, la mine avenante, les gestes suaves trahissaient de façon presque trop évidente sa nature courtisane, la longue expérience des usurpations et des chimères. La surprise était qu'il fût présent chez les Gretzki, qui privilégiaient plutôt ceux qui créent, agissent ou influencent et non pas leurs stériles figurants. Le type, en réalité, n'appartenait pas à la scène ce soir-là. Conscient de son statut de personne déplacée — car s'il était fade, ce n'était pas un nigaud —, il en rajouta. Mais le trio buzz-publicitaire-romancier branché n'avait aucune envie de l'inclure dans sa chanson. Théodore Peyrelepont, dont la devise qu'il avait exigée sur la bande promotionnelle de son dernier roman disait : « Dupe de rien », lui lança :

— Soyez assez aimable, monsieur, pour laisser à ma génération le soin de se vautrer dans l'infâme. La vôtre a déjà beaucoup donné.

Comme toujours au cours de cette sorte d'exercice, des voix critiques venaient contredire ce concert d'outrances. C'était le neurologue qui, à la limite du mépris, disait :

— Vous ne croyez pas qu'on pourrait parler d'autre chose ?

Caroline approuvait en silence.

Il y avait l'ex-forain avec ses lèvres épaisses, ses mains d'équarrisseur, et son maniement hasardeux de la syntaxe :

— Faut rien croire à ce qu'on dit. On n'est pas sous la couette quand ils niquent, les gens. Moi, tant que je suis pas dans la chambre à coucher, je crois à rien.

Enfin, la comédienne, fréquemment muette, hiératique, ôtant de temps en temps au cours du dîner ses lunettes noires pour révéler les yeux les plus verts de la ville et dire de cette si belle voix qui lui permettrait de traverser la face nord de la quarantaine sans craindre de perdre ses emplois :

— Avez-vous remarqué qu'un mensonge, s'il est prononcé plus de cinquante fois, n'est plus un mensonge ?

— A fortiori cinq cents fois.

— Cinquante mille fois, c'est bien plus qu'une vérité. De nos jours, un mensonge prononcé cinquante mille fois devient une loi.

Les dernières répliques avaient été échangées entre la comédienne et l'inconnu assis à la droite de Caroline. Elle se tourna vers lui. Jusqu'ici, elle l'avait négligé, plus curieuse d'entendre l'épouse du neurologue détailler tout ce qu'il lui restait à faire pour comprendre les mystères de ce qu'elle appelait un « pays inexploré », le cerveau. Le voisin de Caroline était grand, mince, un visage presque dénué de rides, un mélange d'apparente innocence et de maturité cachée. Il portait un costume de ville sombre, une chemise blanche à col ouvert, quelques mèches d'un blond foncé dissimulaient un front haut et bombé.

— Voyez-vous, dit-il, en s'adressant particulièrement au trio, quand je vous écoute, même si c'est, comment dites-vous, pour « rigoler », j'ai comme une envie de me référer à la phrase de la Bible : *Un peu de pureté, je vous prie, un peu de pureté.*

Théodore le romancier acquiesça :

— Bon oui, ça va, d'accord, on arrête. Mais vous faites quoi, vous, exactement, dans la vie ? C'est assez joli ce que vous venez de dire.

— Je suis un collaborateur de Marcus Marcus. Je travaille à ses côtés.

— Ah, intéressant ?

— Oui, très.

— Je n'ai pas saisi votre nom, je vous demande pardon.

— Je m'appelle David Cahnac.

Caroline Soglio observait avec amusement la brusque transformation de l'écrivain funambule. À peine le célèbre nom de Marcus prononcé, Théodore avait adopté un comportement plus poli, enjôleur. Son visage avait pris une autre expression. Le dévoreur de réputation se faisait agnelet. Théodore Peyrelepont était capable de telles pirouettes, il n'en éprouvait aucune gêne, estimant que le jeu du village autorisait tous les retournements de veste, affichant le cynisme comme méthode de progression. Il proclamait que sa gesticulation en société, ses numéros de cirque dans les dîners ou sur les plateaux de télévision n'avaient aucune importance au regard de son œuvre littéraire : « Tant que j'ai du talent, tout le reste me sera pardonné. » Il avait du talent. Il rivalisait ainsi avec Mickey Ramos lequel, de plus en plus exalté, au retour de son quatrième voyage aux toilettes, au même instant, avait suffisamment élevé la voix pour que Théodore et toute sa table l'entendent glapir :

— Le cul et le blé ! C'est ça qui mène le monde ! On ne parle que de ça ! Le cul et le blé ! Quel beau titre, j'en ferai un livre, car du moment que j'ai un titre, j'ai le concept, j'ai le pitch, le livre et même le film ! Vous imaginez le casting ! C'est mon ami Théodore qui en sera malade. Tu m'entends, Teddy ? Tu ne l'aurais pas trouvé ce titre-là. Je le dépose dès demain à la SACD, mon pote.

Mais, tout absorbé dans son approche de séduction de ce David Cahnac, inconnu de lui jusqu'à ce soir, Théodore négligea de répondre à Mickey. Il y avait longtemps qu'il désirait « passer chez Marcus », relever le défi de ces cinquante questions en cinquante minutes, être confronté au questionnement assassin opéré par le grand homme. Il estimait que sa propre insolence, sa propre capacité d'autodérision, son sens de la formule feraient merveille face à la méthode Marcus. C'eût été une petite consécration. Son éditeur avait réussi à le faire inscrire en liste d'attente, car la ville entière était candidate : ministres, capitaines d'industrie, chirurgiens notoires ou coach de football, divas de la mode ou de la chanson, tous et toutes attirés par le goût de la confession en direct, la mise à nue et l'autoflagellation. C'était comme si une partie des gens avait cédé à la pulsion commune de reconnaissance, quitte à payer le prix d'enfin avouer la vérité sur soi-même. Car on ne sortait pas indemne de « Vous qui aimez la gloire ». Mais on y était passé, et on appartenait, dès lors, à une sorte de club. Théodore n'aimait pas piétiner dans la liste d'attente.

— Et il est comment, au travail, Marcus Marcus ?

— Il est comme il est.

Théodore se félicita en silence de n'avoir pas, lors du quart d'heure abominable de buzz tous azimuts, lancé à ses deux complices de table, Lorraine et le pubard à veste extravagante, ce qu'il venait d'entendre dire sur Marcus Marcus au cours de la journée. Un tuyau ultra-secret, tout frais, tout neuf. Il aurait fait une tentative de suicide dans son propre bureau, oui, il y avait plusieurs témoins. Et, pour couronner le tout, un paparazzo avait cru identifier sa silhouette, lunettes noires et cagoule sur la tête, le corps dissimulé dans un gros manteau style *out back* Australien — couleur goudron marronnasse, qui tombe jusqu'aux pieds — sortant d'une berline aux vitres fumées pour s'engouffrer dans la clinique du docteur Sweigler. « Tu sais bien, c'est là où ils vont tous, les types de la télé qui ont des problèmes de cheveux. On y a mis au point une nouvelle méthode super-efficace et rapide. En quatre heures, on leur fait plus de six mille greffes de cheveux grâce à un microscope binoculaire et stéréoscopique. Il y a des acteurs américains qui sont même venus de Hollywood pour plusieurs séances. Ils y sont tous allés, enfin, ceux qui peuvent se le payer, parce que ça coûte quand même six mille euros par séance, facile. La peau des yeux. C'est cher, mais c'est mieux que les perruques qu'ils se faisaient tous poser jusqu'ici sur le crâne. — Ah, d'accord, d'accord. — Alors t'imagine, Marcus Marcus l'homme le plus mystérieux du télébiz qui se déguise la tronche avec une cagoule comme un reub du neufcube pour aller se faire mettre du poil sur le caillou, t'imagine la photo ! Le problème c'est que Roberto n'est pas sûr de son coup, le cliché est flou et pas publiable en fait. On ne reconnaît pas le mec. — Mais quel intérêt, ton scoop ? Où est le problème ? Ça ne vaut pas une couv de magazine, ça n'a rien de honteux, elles se font bien collagéner et botoxer et trafiquer la chetron et les lèvres et les pattes d'oie et les hanches et tout le reste, hein, les femmes — alors pourquoi les hommes n'auraient pas le droit de se faire faire un peu plus beaux ? — Tu veux dire plus jeunes, la clé du truc c'est que tout le monde veut faire jeune, tout le temps. C'est ça le dogme. Jeune de chez jeune ! — Cela dit, moi, si j'avais les six mille euros, tu vois, j'irais quand même, parce que j'ai mes cheveux qui partent par touffes de dix, d'où ça vient, tu crois ? Tu crois que c'est la coke ? Ça doit être le stress. — C'est les deux, mon gamin. »

Mais ce dialogue n'avait pas eu lieu et Théodore se congratula d'avoir gardé pour lui ce nouvel élément de buzz. L'aurait-il divulgué, il se serait scié auprès de ce David Cahnac dont il ne parvenait pas, cependant, à percer le mur de discrétion. Ce jeune homme représentait son contraire. Théodore n'était que volubilité et tchatche. David Cahnac, sobriété et parcimonie verbale. Théodore fit une dernière tentative.

— Une question, David. Je peux vous appeler David ?

— Bien sûr.

— Une question : c'est qui la prochaine victime ? Je veux dire, le prochain invité de Marcus Marcus ?

— Je ne suis pas autorisé à le dire.

— C'est aussi important que ça ? Ne me dites pas que « Vous qui aimez la gloire » a décroché l'inaccessible ?

— Je ne vous ai rien dit.

Théodore soupira, il s'avoua vaincu devant ce qu'il identifia plus tard face à ses amis comme une manifestation d'autisme en société — ce type ne donnait rien, tu ne peux pas savoir, un tombeau, j'ai rien pu en tirer, il lâchait rien.

— David, finit-il par conclure, vous êtes grave de chez grave.

Il sentit un courant froid venant de la partie la plus *in* de la table, la buzzeuse et le pubard. Il s'aperçut qu'il venait d'utiliser un tic verbal qui avait disparu du langage des branchés. Lorraine ne pouvait pas le rater :

— Tu sais qu'on ne parle plus du tout comme ça, maintenant, mon cher Théodore. Tu me déçois, on ne dit plus jamais « grave de chez grave ». C'est obsolète, ce machin de chez machin. Tu es en train de vieillir, mon vieux.

Le funambule fatigué — ce n'était pas la vodka, il pouvait en ingurgiter des litres sans défaillir, mais c'était la fatigue, il ne dormait pas assez, voilà, c'était ça son problème, il ne dormait pas assez — s'en sortit par une ultime pirouette :

— C'est pas que je vieillis, c'est que je suis con de chez con.

— Ah, fit Lorraine, alors là, jolie réplique, je t'adore.

Le dîner allait lentement vers sa fin. Caroline trouvait David très intéressant.

Comme toujours dans les fins de soirée, les interventions apportaient la touche nécessaire indispensable qui faisait de ce dîner un événement mémorable, sujet, plus tard, à des rires et des réminiscences. Il y eut d'abord les deux voix de Mickey Ramos et de son souffre-douleur et ami, BVH, dont le volume soudain domina l'ensemble des tables. Bernie avait lancé :

— Mickey, je vais t'étonner. Je sais comment ils s'appelaient tes deux personnages. Addison DeWitt et Waldo Lydecker. Voilà comment ils s'appelaient, George Sanders interprétait DeWitt dans *All about Eve* et Clifton Webb, Waldo Lydecker dans *Laura*.

Mickey avait émis un hululement étonné.

— Comment t'as trouvé ?

Bernie avait ri :

— Y a pas que toi qui es cinéphile, mon petit vieux. J'ai pas voulu te répondre tout de suite, tout à l'heure, parce que tu faisais tellement le beau, mais enfin, n'importe quel connaisseur du bon ciné américain noir et blanc des années 40 et 50 connaît ces noms, qu'est-ce que tu crois ?

Mickey, dans un état de rage imprévisible, s'était rué vers son ami et lui avait saisi l'avant-bras :

— Qu'est-ce que t'as dans la main ?

— Rien, pourquoi ?

— Montre-moi ce que tu as dans la main, bordel ! Montre !

— Mais j'ai rien !

— Si, t'as ton Iphone. Tu as cherché sur Google. Je suis sûr que tu as triché. Tu ne les connaissais pas, ces noms, personne ne les connaît, à part quelques cinglés dans mon genre. Je suis sûr que tu as consulté ta saloperie de machine pendant qu'on servait les desserts. Je t'ai vu filer en douce vers les toilettes. Sinon, tu l'aurais dit tout de suite. Ne triche pas, Bernie, ne triche pas !

— Je triche pas, Mickey !

— Si, tu triches. Rappelle-toi le serment qu'on avait fait au temps du Club des Vifs. On avait dit qu'on ne tricherait jamais devant les autres. Jure devant toute cette table que tu n'as pas triché !

Mickey était déchaîné, emporté par une indignation juvénile exagérée, mais aussi la mortification de ne plus être seul à pouvoir afficher sa cinéphilie maladive. Enfin, l'envie d'humilier et dominer celui qui était néanmoins son complice, son jumeau en humour, esprit, impertinence, audace en société. Ils s'aimaient, ils s'estimaient, ils avaient connu toutes sortes d'errances communes, de week-ends abrutissants chez les fortunés, de croisières idylliques sur des bateaux de millionnaires au large de la Grèce, de festivals de films ratés consternants, de soirées anniversaires arrosées dans des résidences privées des Adirondacks ou les chalets trop bien décorés du côté de Gstaad. Surtout, ils estimaient avoir vaincu les gros chats qui trônaient à Paris, assis sur leur réputation, et qu'ils avaient déboulonnés par la grâce et la vivacité inédite de leur talent respectif. Mickey, surprenant dialoguiste et scénariste à succès. Bruno/Bernie, le génial inventeur de sites et de concepts. Leur querelle ne pouvait donc que s'éteindre aussi vite qu'elle avait éclaté. Bruno sortit un Iphone de sa poche, il le brandit, et déclara :

— Oui, je l'avoue, j'ai triché. Je ne savais pas que c'était DeWitt et Lydecker. Tu avais vu juste : j'ai tout cherché sur Wikipédia.

Mickey se leva de table et força Bruno à s'extraire de son siège pour l'embrasser goulûment sur les lèvres après avoir dit :

— Bruno, tu es génial. Personne à Paris n'aurait eu les *guts* d'admettre en public qu'il avait triché et menti.

Ils se détachèrent l'un de l'autre, puis levant le poing en direction de leur front respectif, à la manière des athlètes noirs américains lors des J.O. de Mexico, ils prononcèrent le serment du défunt Club des Vifs :

« Comédiens que nous sommes, nous ne la jouerons que pour nous-mêmes, et ferons toujours aux autres le terrifiant cadeau de la vérité. »

Le plus fort moment de la soirée, à la fin, se produisait à une table plus éloignée, au centre de laquelle, debout, un homme qui jusqu'ici n'avait pas brillé prit la parole. Il avait la quarantaine, faisait dans l'édition, l'essai politique. Il était connu pour son individualisme et ses écharpes orange.

Visiblement, l'homme avait attendu que chacun ait produit son numéro et, sentant que les uns et les autres allaient se lever et partir, avait décidé de contribuer au succès final de la soirée chez les Gretzki.

— J'ai lu récemment, dit-il, un article intéressant dans le *New York Times* d'un excellent éditorialiste, David Brooks. Il faut rendre à César ce qui est à César, donc je cite mes sources. Mais je vous livre mon développement à partir de son idée.

Il prit une respiration, puis éleva la voix.

# 7

— À la fin, ils veulent quoi, les hommes ? Qu'est-ce qui les fait bouger ?

— *Thymos*. C'est pas le cul, c'est pas le blé, c'est pas le pouvoir. Tu veux savoir ? C'est le thymos.
— Le quoi ?
— Le thymos ! N'avez pas lu Platon, jeunes gens ? Avez-vous oublié ce qu'il a dit sur les trois principales composantes de l'âme humaine ? Il y a la raison, le désir (éros) et il y a le thymos c'est-à-dire le besoin de reconnaissance. Thymos, c'est ce qui motive le meilleur et le pire chez les hommes. À l'origine de toutes actions, guerrières, politiques, religieuses, économiques, on retrouve le thymos. La permanente compétition qui nourrit l'histoire des hommes, les conquêtes de territoires, les conflits d'idéologies, de religions ou de races, le thymos. Reconnaissez-nous, disent les Palestiniens

aux Israéliens. Reconnaissez-nous, disent les Israéliens aux Arabes, reconnaissez-nous bombardent les Chinois aux États-Uniens, ou alors on vous étouffe sous nos milliards de produits fabriqués n'importe comment au prix les plus bas et on empoisonne des milliards de bébés ou d'écoliers avant d'asphyxier la terre entière, après avoir à coups de barrage des Trois-Gorges annihilé l'existence de nos paysans — reconnaissez-nous, répondent les Ricains au reste du monde. Reconnaissez nos films et nos protéines, nos 90 % de croyants en Dieu, nos erreurs et nos défaites, reconnaissez que nous avons thymoisé le XXe siècle et que nous entendons le faire encore au cours du XXIe, même si la concurrence se pointe et que nous avons mal démarré le siècle. Reconnaissez-nous, disent les ex-Soviétiques devenus russes, reconnaissez notre puissance, notre importance, l'identité de notre éternelle Russie, notre puissance courroucée, et les Tchétchènes, les Kazakhs, les Géorgiens, les Ukrainiens, les Mongols crient, de leur côté, reconnaissez-nous aussi. Reconnaissez-moi, demande le petit homme iranien en chemise qui construit son arme de destruction massive et qui s'adresse au reste du monde, aux Européens, à qui les Turcs réclament la même chose, les Turcs auxquels les Kurdes — les chiites, auxquels les sunnites...

« Mais si tu ne me reconnais pas, je te massacre, je t'explose, je t'exécute, je t'inquisitionne, je te terrorise, je t'onzeseptembrise, je te guantanamise, je te benladise, je boirai le sang qui giclera des veines éclatées de ta tête que j'aurai tranquillement tranchée, je te hututerai et tu tutsimourras. Je t'irakerai. Je te djihaderai. Je te poutinerai. Je te pantagonerai. Faut pas croire, je suis capable de tout, si tu refuses de me reconnaître.


— Tu veux que je t'explique pourquoi ils se mettent du coton dans le slip, les rockeurs à banane ou à dreadlocks ou à hanches refaites avec des rotules en plastique ? Et tu veux savoir pourquoi les hommes se font rembourrer de la feutrine à l'intérieur des épaulettes de leurs costards à cinq mille euros et pourquoi ils se trempent les cheveux dans le brou de noix dès qu'il devient gris ou blanc, le cheveu ? Ils l'ont tellement noir corbeau, le cheveu, qu'ils en perdent leur identité, ils ont l'air sortis tout droit d'un musée de cire et en plus, ça leur donne des poussées d'urticaire rouge-orange au visage mais ils s'en foutent, ils sont prêts à tout supporter pour le garder bien black leur cheveu, bien jeune.

« Tu veux que je te dise pourquoi ils joggent en pleine ville dans les rues sur l'asphalte ou le ciment, même si tout ostéopathe à peu près compétent leur dira que c'est assez mauvais pour le disque L5 de leur colonne vertébrale, même s'ils répondent qu'il y a maintenant des chaussures adéquates qui leur permettent de courir autrement que sur l'herbe ou du sable — mais évidemment ce serait à l'abri des regards et il n'y aurait personne pour les voir passer ? Tu veux que je te détaille pourquoi ils actionnent parfois jusqu'à deux heures par jour les leviers des machines dans les salles de gym, afin de se muscler en ingurgitant régulièrement après chaque séance de soulevage de fonte une concoction d'anabolisants — comme ça, la gonflette, on la voit jusqu'à travers leur chemise quand ils marchent en bombant, bombant comme un bubon, un bonbon, ou une bombe, leurs torses bombés et en roulant leurs épaules bien roulées ? Tu veux que je t'élucide pourquoi il faut absolument qu'ils grimpent dans des véhicules soi-disant sportifs, soi-disant utilitaires, avec des roues montées en hauteur, un moteur surdimensionné, une carrosserie de char d'assaut et des gros tuyaux d'injection chromés à l'arrière, les types dans les villes ? Et ensuite ils t'allument leur super-stéréo, ils t'envoient le super-blast sonore de leur super-musique qui fait boum boum boum et chaf chaf chaf chaf ? Bien sûr, avec la raréfaction du pétrole, cette forme de thymos va peut-être disparaître...

« Tu veux savoir pourquoi à soixante-quinze ans bien sonnés, ils bazardent leurs épouses et trente ans de conjugo pour s'acheter des bimbos — bimbelots — bimbelettes — qui ont cinquante ans de moins qu'eux et aux bras desquelles ils entrent en chaloupant dans les restaurants à pouvoir, les dîners à pouvoir, les breakfasts à pouvoir, et qu'elles avancent en tanguotant leurs croupes onéreuses et qu'ils les exhibent comme des trophées et qu'avec ça, et après ça, ils te balancent dans la journée une opération de quelques zilliards de dollars qui va leur permettre de devenir les rois du monde, les rois de la colline, les oligo-megalogarques du pétrole, du lait, du jus sociétal, du flux et contre-flux des produits financiers ? Tu veux que je te narre et que je t'affranchisse et que j'éclair-cisse un peu ce qui est pourtant aussi clair que l'eau la plus claire du monde — celle qu'on va chercher dans les Fidji ?

« Le thymos, jeunes gens, le thymos !

« Vous allez me dire : est-ce aussi ce que souhaitent les femmes ? Il n'est pas impossible qu'elles aient été peu à peu atteintes par le besoin. Il est néanmoins évident que le pouvoir et le savoir que leur confère leur faculté de donner la vie atténuent et différencient leur comportement. Leur corps et leur cerveau ne sont pas atteints par cette tentation si masculine. Et l'abso-lue priorité de la procréation les met, la plupart du temps, au-dessus des hommes et à l'abri du thymos.

« Je vais conclure, car je vous ennuie tous et vous voulez tous partir. Le besoin de reconnaissance n'est jamais très éloigné du démon. Mais le Diable se fout bien du thymos. Il n'exige jamais, à aucun instant, la moindre reconnaissance, puisqu'il sait que, sans lui, le monde serait inexplicable. Il reçoit sans l'avoir récla-mée, en toute discrétion et toute modestie, toute la reconnaissance du monde. Seul le démon peut se passer du thymos. Il n'a besoin de rien, on lui amène tout sur un plateau.

Une masse d'invités faisait la queue devant l'ascenseur et Caroline décida de descendre les cinq étages à pied. L'escalier était large et elle vit apparaître David qui avait dû accélérer le pas pour venir à sa hauteur. Il lui fit un sourire.

— Je n'ai pas eu l'occasion de vous dire, madame, à quel point vos silences au cours de ce dîner m'ont plu. Ce n'est pas qu'on ne s'amuse pas chez les Gretzki, mais j'ai déjà remarqué que c'est bien souvent ceux qui ne disent rien qui sont les plus attractifs. Et c'était votre cas, madame.

— Merci beaucoup, mais arrêtez de m'appeler madame. Je m'appelle Caroline.

— Moi, c'est David.

— Je sais, j'ai suivi votre conversation avec le romancier. Compliment pour compliment, j'ai beaucoup aimé votre phrase tirée de la Bible. *Un peu de pureté, je vous prie, un peu de pureté*, c'est bien cela ?

— Oui, c'est ça.

Ils descendaient les marches, côte à côte, et Caroline sentait le corps présent du jeune homme, son bras droit effleurant par moments le mouvement de ses hanches. Elle s'écarta insensiblement, mais on eût dit qu'ils avaient, sans se concerter, décidé de ralentir leur descente et qu'ils se plaisaient à ce rythme.

— C'est dans quel passage de la Bible, exactement ?

Il rit.

— Je vais être franc avec vous, madame. Je n'ai jamais lu ça dans aucun livre saint.

— Ah bon ?

— Oui, mais c'était ce que j'avais envie de leur dire à ces charmants dégueulasses, et comme je suis un peu timide — vous l'avez peut-être remarqué —, j'ai pensé que ça aurait plus de poids si j'inventais une source, disons sérieuse. Quand on cite la Bible, surtout quand on en est arrivé à un tel niveau de bassesse, ça fait toujours son effet.

Elle rit à son tour.

— Habile, très habile. Je n'ai pas l'impression que vous soyez aussi timide que cela. Je vous trouve plus éloquent que pendant toute la soirée. On vous a à peine entendu.

— J'ai écouté les tirades respectives et surtout celle de machin-truc sur le thymos. Il était assez bon, non ?

— Oui, pas mal... Qui était-ce ?

— Un éditeur, il paraît qu'il a du génie pour découvrir les jeunes auteurs. Mais si je ne parlais pas beaucoup, madame, c'est que je vous regardais.

— Caroline, *please*.

— Pardon, Caroline, mais c'est la vérité. Votre personne, votre silence, et votre visage m'ont subjugué bien plus que vous ne pourriez le croire.

Elle s'arrêta au milieu des marches. Elle se tourna vers lui, coquette.

— Mais c'est pas possible, dites-moi, vous êtes en train de me faire la cour.

— Pas du tout.

— Mais si, voyons.

— Non, je ne vous drague pas. Je vous assure, je ne vous drague pas.

— Ah, mais je n'ai jamais dit que vous me draguiez. J'ai dit « faire la cour ». C'est un peu moins commun.

Elle le dévisageait. C'était un grand gabarit, il avait un maintien élégant, les traits réguliers, mais le visage était chahuté par la présence, au milieu d'un masque quasi parfait, d'un nez cabossé à la manière des rugbymen. Cette anomalie, loin de déranger, lui donnait un surplus de virilité et atténuait ce qui, par ailleurs, ressemblait trop à ce que l'on appelle, faute de mieux, un « beau garçon ». Il la surprit avec un rire moqueur.

— C'est formidable, le rapport des hommes et des femmes aujourd'hui. Mon Dieu, mais quelle autodéfense, quelle protection ! On vous fait une remarque agréable sur votre physique, un compliment, un seul, et vous prenez ça tout de suite pour une avance.

— Ne faites pas le niais, David. Vous parlez comme ça à toutes les femmes ? « Subjuguer », c'est pas une avance, ça ?

Il ne répondit pas et ils reprirent leur marche. David avait encore plus ralenti la cadence. Il se surprenait. Il n'avait pas souvent fait preuve d'une telle franchise vis-à-vis d'une femme. Son patron, Marcus Marcus, et le reste du staff du système Marcus n'en auraient pas cru leurs yeux ou leurs oreilles. David Cahnac, l'impec-cable technocrate aux manières bien élevées, cham-pion de la pudeur et de l'inhibition, qui faisait le beau entre le troisième et le deuxième étage d'un immeuble de la rive gauche, à minuit.

— Vous ne dites plus rien, dit Caroline.

— Ben, c'est-à-dire, non, vous m'avez coupé le sifflet, si je peux m'exprimer ainsi.

— Vous me faites rire, dit-elle, on dirait un enfant. Vous avez quel âge ?

— Vingt-huit ans.

Elle pensa : « Deux ans de moins que moi, c'est rien. » Puis elle s'en voulut de ce calcul et d'avoir été aussi indiscrète, aussi directe. « En réalité, se dit-elle, c'est toi qui es en train de le draguer. » Par fierté et dans un réflexe vain, elle résolut à son tour de se taire. Ils attei-gnirent le rez-de-chaussée et la porte d'entrée.

Depuis qu'elle avait été abandonnée par Tom Portman, Caroline n'avait accordé aucun temps, aucun regard à un seul homme. Son corps était resté sans joie, sans jouissance. Elle était attirée par David, elle eut une sensation proche d'une envie, ce délicieux mélange parfois trompeur du besoin physique et d'un intérêt sentimental, cette ébauche, ce fragile tremblement de soi, cette conjonction de forces inconnues. Il entrait dans ce temps et cet espace si bref, inattendu, et qu'elle était incapable de maîtriser, la reviviscence involontaire de son amour passé, le regret d'un amour qui éveillait le désir d'un autre amour. Mais elle n'analysait pas,

193

déjà victime, peut-être, de cette loi selon laquelle rien n'est rationnel en ces domaines et qu'il vaut mieux ne pas essayer de comprendre ce qui vous pousse vers une personne plutôt qu'une autre.

— Vous êtes en voiture, finit par demander David, pour rompre le silence embarrassé qui les avait mis à distance l'un de l'autre.

— Oui, dit-elle, je ne suis pas loin.

— Moi non plus.

Ils sortirent pour marcher le long du trottoir de la rue de La Planche. Ils déambulaient si lentement qu'on aurait pu les croire parodiant un ralenti de cinéma. Elle ne s'entendit pas lui répondre, quelque chose la retenait. Elle avait été trop effarouchée par le souvenir de ses blessures. Le plaisir charnel lui manquait, certes, et elle se reprochait de ne pouvoir adhérer à la nouvelle approche de l'amour physique qu'avaient la plupart des femmes de sa génération. Tu as parfaitement le droit de coucher avec qui tu veux, le sexe, c'est une chose, et, après, l'amour en est une autre, et tu verras bien. Dans le cas de Caroline, avant son coup de foudre pour Tom et la passion qui l'avait poussée à divorcer de façon expéditive, il y avait eu peu d'hommes. Elle vivrait toujours selon un concept qu'elle savait aujourd'hui suranné, on ne baise pas souvent ni avec n'importe qui, à l'amazone. On ne se donne pas n'importe comment, comme ça, n'importe quand, c'était sa règle, elle estimait qu'elle obéissait aux codes anciens d'un monde en voie de disparition. Aussi la perspective d'une aventure avec

David la faisait-elle hésiter. Il l'attirait et elle connaissait assez son propre pouvoir de séduction pour avoir senti que, de son côté, David attendait qu'elle fasse un geste ou dise un mot — mais sa réticence était aussi forte que son envie. Et puis, ce n'était pas à elle de faire le premier pas. Là encore, elle croyait appartenir à « autrefois ».

Ils entendirent des cris qui fusaient derrière eux. Mickey, Bernie, Théodore le romancier et Lorraine la buzzeuse, quatuor exubérant de chercheurs d'oubli, agitaient leur corps au son d'une musique que ni Caroline ni David ne pouvaient entendre et qui devait provenir de leurs Ipod respectifs, puisqu'on devinait, malgré l'éloignement et la nuit, qu'ils avaient ajusté des écouteurs à leurs oreilles. Ils chantaient:

— Ouh ouh ouh — ouh ouh ouh.

À la façon des chœurs de *Sympathy for the devil* ou de *Walk on the wild side* et il était possible que ce fût cette musique qui les faisait ainsi se mouvoir. Les Rolling Stones aussi bien que Lou Reed frisaient les soixante-dix ans, mais les quatre enfants du XXIe siècle se référaient encore à leur musique de légende.

— Ils ont l'air passablement allumé, on dirait, fit Caroline.

— Oui, ou peut-être pas. Peut-être qu'ils aiment simplement être ensemble et faire la fête.

— Peut-être.

Elle sentait qu'il avait repris sa tenue de jeune homme bien élevé, peu loquace, sur ses gardes. « Bon, pensa-t-elle, nous sommes passés à côté de quelque chose, c'est comme ça. »

— Je vais devoir vous laisser, lui dit David. Je suis garé juste là. Mais peut-être puis-je vous raccompagner en voiture quelque part ?

Il s'était arrêté à la hauteur d'une imposante voiture noire, de marque allemande, qu'elle reconnut aussitôt comme le monstre qui lui avait, très tôt en début de cette si longue soirée, volé son créneau. Elle poussa un petit cri.

— C'est à vous, cette chose ?

— Euh, oui, enfin non, c'est une voiture de fonction.

— Mais c'était vous, tout à l'heure ?

— Je ne comprends pas de quoi vous parlez.

— C'est vous qui m'avez brutalisée.

— Je ne comprends pas.

— Mais vous êtes un vrai mufle, un vrai petit macho. Et hypocrite avec ça. Vous ne m'aviez pas reconnue ? Vous avez passé tout le dîner à mes côtés en sachant pertinemment que vous m'aviez brutalisée ?

— Brutalisée ? Je ne vois pas de quoi vous voulez parler, Caroline. Je vous avais quoi ?

— Ne me prenez pas pour une truffe, David. C'est bien vous qui m'avez fauché mon créneau vers 20 heures, 20 h 30 ?

— Je ne vous ai rien fauché du tout. Ce n'était pas moi qui conduisais. C'était le chauffeur. Il s'est garé. Il m'a laissé les clés et il est parti. Comme on fait toujours le soir. Il faut bien qu'il ait du temps devant lui, voilà !

— Ah oui, d'accord. Et la Callas qu'on jouait à tue-tête, les *Divinités du Styx*, à pleine voix, à plein son, pour me ridiculiser et me narguer, ça venait aussi du chauffeur ?

— Écoutez, franchement, Caroline, je ne comprends pas votre colère. On a tout de même le droit d'écouter de l'opéra, non ? Tout cela est totalement absurde.

Elle savait que l'agacement était en train de gagner son visage et que rien ne s'enlaidit autant qu'une femme qui perd son sang-froid. Elle voulait maîtriser sa poussée de colère. Et comme il lui semblait urgent de ne pas verser dans une mesquinerie superficielle, elle pensa qu'il était impératif de ne pas perdre la face, et boucler l'affaire. Mais elle se sentait vexée et flouée, encore une fois. Elle lui dit :

— Bon, bah, bonsoir, David, j'ai été heureuse de vous rencontrer.

Il la regarda, incrédule. Elle lui tendit la main puis la retira.

— Attendez, dit-il, Caroline, attendez !

Mais elle avait déjà tourné le dos. Elle partait à grandes enjambées vers le boulevard Raspail, avec la prescience et l'envie qu'il courrait après elle, mais elle n'entendit rien. « Pauvre conne, se disait-elle, pauvre conne ! » Aucun pas pressé, aucun appel, elle en conclut que David était un jeune homme plus roué qu'elle l'avait cru, ou alors beaucoup plus naïf. « Malin ou innocent, de toutes les manières, il ne t'a pas suivie, pauvre cruche. » Puis, quand elle eut tourné à droite dans la rue de Varenne, et quelques mètres plus loin, encore à droite, sur le boulevard Raspail, elle eut un soupir : «Dommage, se dit-elle, dommage.»

# 8

Pendant ce temps-là, dans la nuit de la ville, les gens qui avaient dîné chez les Gretzki s'étaient éparpillés vers leurs existences respectives. Leurs petits enfers ou leurs fragiles bonheurs, leurs équilibres ou leurs désordres. Les gens avaient passé une soirée de curieux et de contents, de satisfaits, ils n'avaient pas plus appris qu'ils en avaient eux-mêmes transmis aux autres, mais ils avaient consommé du temps et du verbe et combattu le vide du mieux qu'ils avaient pu.

Des vents de force 8 s'accumulaient au-dessus de la Manche. Un porte-conteneurs était en situation de détresse au sud du cap de Bonne-Espérance. Un ancien magnat milliardaire russe du pétrole gisait, incapable de trouver le sommeil, sur la couchette froide d'une cellule en Sibérie, le foie et l'intestin rongés par les privations. Un Noir américain de couleur claire recomptait les voix des primaires en se disant qu'après tout, c'était incroyable, mais il pourrait y arriver. Dans les champs de pavots d'Afghanistan, des enfants jouaient avec des douilles vides d'AK 47. D'autres enfants agonisaient avec leurs mères, entre le Soudan et le Darfour. Aux alentours du lac du bois de Boulogne, les putes travaillaient à l'intérieur de camionnettes toutes identiques et qui formaient comme une longue ligne blanche, sagement étalée le long de la route. Au-dessus du Val-d'Oise, deux hélicoptères tournoyaient, leur projecteur braqué sur une cité de banlieue en proie aux flammes. Sur le boulevard périphérique, entre la Porte de Bagnolet et la Porte de la Chapelle, deux voitures aux engins trafiqués et aux plaques d'immatriculation faussées se faisaient la course en ignorant les radars qui cliquetaient en silence. À Bali, des ornithologues, réunis en congrès, établissaient le constat de la disparition de dix-huit nouvelles espèces ailées.

À l'Académie royale et militaire de Sandhurst, en Angleterre, tandis que les élèves officiers dormaient dans les dortoirs aux murs froids, un employé zélé rafraîchissait, au moyen d'un pinceau de peinture bleue, l'inscription historique qui définissait le code des valeurs :
« Courage, loyauté, discipline, respect des autres, dévouement et intégrité. »

Quatre enfants naissaient toutes les secondes. Chez tout nouveau-né, il y a mille milliards de neurones, dont 70 milliards de grands neurones et chacun de ces neurones a 20 000 connections. Chez un tout-petit, il se produit 350 000 connections par seconde.

*L'essentiel est sans cesse menacé par l'insignifiant* (René Char).

# 9

De toute façon, si je ne l'avais pas fait, quelqu'un d'autre l'aurait fait à ma place, un jour.

Un samedi soir, alors que je buvais un café en compagnie de Rose, dans un *coffee shop* tenu par deux Français au coin de Eddy et Leavensworth, j'ai aperçu un homme à la silhouette frêle, vêtu d'un costume noir, qui venait s'accouder au comptoir de cuivre et de bois. Je ne voyais que son profil, mais j'ai reconnu son tic, le tremblé au coin des lèvres, et cette allure qu'ont les solitaires à la recherche de quelque chose.

— Je connais ce type-là, ai-je dit à Rose. C'est un chauffeur de maître, je l'ai rencontré dans un bus, autrefois. Il s'appelle Darryl.

Au même moment, il s'est retourné vers nous et m'a fait un signe de la main comme pour dire : je peux ? J'ai fait oui de la tête et il est venu s'asseoir à notre table.

— Darryl, je te présente Rose, une amie. Rose, Darryl.

— Bonsoir, bonsoir, a-t-il répondu.

Puis, en m'examinant, il a émis un petit sifflement admiratif que je n'ai pas aimé.

— Dis donc, Maria, tu as incroyablement changé. Tu es encore plus belle que dans le Greyhound et surtout, comment te dire, tu m'as l'air plus « riche », plus cosy, en quelque sorte.

Il avait sans doute raison. Je m'étais installée dans le confort et cela avait peut-être atténué mon instinct de méfiance.


Il y avait maintenant plus de deux ans que je faisais la *au pair girl* dans la haute société de San Francisco, et mon statut avait sensiblement évolué vers un rôle familial de grande sœur des deux enfants, ou celui d'une cousine, voire d'une tante, venue s'installer à demeure. Je bénéficiais de la confiance que m'avait manifestée Edwin Stadler après que je lui eus tout avoué de mon passé, de la totale responsabilité que m'avait déléguée Tea, son épouse, surprise et ravie dès qu'elle avait appris que je renouvelais mon contrat, et de la connivence affectueuse qui s'était établie entre Randolph, Lili et moi. Quand je les conduisais à la FIAS, French International American School, sur Divisidero Street, au volant de ma propre voiture, une mini-Volvo qui m'avait été attribuée par le couple Stadler, je pouvais voir défiler les autres « au pair » — celles qui avaient du mal à tenir le rythme, celles qui arrivaient, toutes neuves, encore ignorantes des mœurs et des rites des familles qui les avaient engagées ; je pouvais presque faire figure de doyenne au sein de cette singulière population. Les mères des autres enfants, les amis ou les voisins de Tea Stadler me hélaient :

— Maria, Maria !

Comme si mon seul prénom servait de lien à cet essaim d'abeilles, ces mamans, tantes, belles-filles, et ces filles au pair qui venaient bourdonner tous les jours à la même heure, dans leurs véhicules aux plaques immatriculées « Save Tibet » ou « I ♥ Obama ».

Il y avait un embouteillage permanent à l'heure des rentrées et des sorties tout autour du bâtiment austère et bas, quatre étages seulement, long d'un bloc entier, l'institution des bonnes familles. Quand ce n'était pas les « au pair » qui déposaient les enfants, les mères s'organisaient pour les embarquer à tour de rôle dans une sorte de « car pool » au sein duquel, en l'espace de quinze minutes, on se racontait sa vie. J'avais régulièrement participé au pool, ça jacassait, ça chantait, ça miaulait, aussi bien dans les mini-vans que dans les 4 × 4 japonais, ou les Lexus. On y déversait les discours politiquement corrects du moment. On babillait, de l'écume de la vague, sans importance. Mais j'apprenais, j'enregistrais tout, je ne donnais jamais mon avis, j'entendais aussi bien les dialogues évaluant et comparant les fortunes de telles ou telles familles, avec l'argent d'autrefois (l'or, les pompes hydrauliques, l'immobilier et les médias), et l'argent d'aujourd'hui (Silicon Valley, toutes les technologies nouvelles), et tout ça se mélangeait avec la futilité des choses quotidiennes, comme la mode :

— Les pantacourts, c'est le hit.

— Non, le jean continuera sa domination.

On parlait aussi des hommes.

— On a vu Jack, l'autre jour, sur sa nouvelle Harley. Il déposait sa fille — ce qui est rare — et il paradait. C'était une trial il avait un casque de motard orange et blanc et avait revêtu une Master Legend Jacket, une Belstaff — vous savez bien, la marque favorite de George Clooney.

— Il est trop beau, cet homme, il va finir par se marier ?

— Qui ça, Jack ?

— Non, George Clooney, voyons.

On parlait aussi politique.

— Je ne peux pas supporter cette virago, cette hystérique donneuse de leçons, elle est capable de tout pour se faire élire, elle rendrait misogyne n'importe quelle féministe.

— Mais vous faites un oxymore, darling, une féministe est par essence misogyne.

— Peut-être, mais je ne peux plus supporter sa voix, ses rires, la façon dont elle a pleuré l'autre jour — et vous avez vu comment elle s'habille ? — ses pantalons ?

— D'accord, mais c'est une femme, et il faut bien qu'un jour une femme soit présidente.

Etc. Etc.

Et j'écoutais ce déballage boboesque, chic, léger, jamais dupe de sa propre superficialité, de la conscience que ça n'est pas dans un 4 x 4 qu'on dit des choses qui comptent, et je ne pouvais me défaire d'une sorte de prévention, un regard critique, presque hostile à l'égard de cet univers auquel je savais que je n'appartiendrais jamais vraiment et dont, pourtant, j'étais fière d'avoir intégré les coulisses.

J'en connaissais désormais une partie des réseaux, je pouvais traduire le langage des comportements et je croyais en repérer les pièges. Ils étaient nombreux. Plus j'avançais dans ce monde, plus je le trouvais subtil, compliqué, et si je réussissais à éviter la plupart des chausse-trapes, je ne pouvais pas toujours y échapper.

C'était un dimanche. À l'occasion d'un brunch, les Stadler recevaient les Barrymore, un couple d'amis, aussi friqués qu'eux. La femme s'appelait Liz, l'homme William. J'avais remarqué que William Barrymore tentait de s'approcher de moi lorsque je distribuais les jus d'orange aux enfants ou que j'aidais Tea Stadler à arranger le bouquet de fleurs blanches et rouges que lui avaient offert ses invités. Il frôlait, il tournicotait, il faisait des ronds de jambe, des allers et retours, il avait déjà absorbé trois vodka Martini — avec olives — sans prendre le temps de respirer. Je le jugeais néfaste et dangereux, je m'éloignais pour me concentrer sur

Randolph et Lili, et les deux enfants des Barrymore, même âge que « les miens » — je les considérais presque ainsi — mêmes vêtements, de vrais petits produits de la FIAS. Mais le type me suivait à l'autre bout du salon :

— Alors, Maria, comment allez-vous ? Comment vont les études de vos petits protégés ?

— Très bien, monsieur Barrymore.

— Appelez-moi William, allons, nous vous voyons assez souvent ici ou ailleurs.

— Je n'oserai pas, monsieur.

— Mais si, mais si.

Liz, l'épouse, une femme aux yeux bruns fureteurs, aux mouvements du corps suaves, avec cette aisance dans les gestes, cette apparente conviction que tout est bien et toujours à sa place — ils étaient tous suaves, ces gens-là, ils respiraient l'argent et les bonnes manières, j'en avais appris quelques-unes, je les observais et tentais sinon de les imiter, du moins de m'imprégner d'une certaine façon d'être, la discrétion et l'élégance, le sourire constant sur les lèvres —, Liz nous avait presque aussitôt rejoints, les quatre enfants réunis autour d'un jeu de construction, Barrymore feignant de s'intéresser à eux mais tourbillonnant de façon maladroite dans mon sillage.

— Eh bien, William, depuis quand tu te passionnes autant pour les cubes et les échelles ? Tu retombes en enfance ? C'est le petit Bill qui revient à la surface ?

Avait-elle bu aussi le verre de trop ? Elle ne parlait pas très haut, mais de façon un peu plus perçante que d'habitude, et l'on devinait l'ironie et le souci de calmer la conduite de son homme. Elle avait réagi vite, ces gens se connaissent, leurs réflexes sont rodés, ils suivent un code, une règle. Ils ne franchissent pas les limites, alcool absorbé ou pas — ou alors, s'ils le font, ça n'est pas sous le regard d'autrui. Ainsi, on pouvait facilement, à regarder le type de mâle qu'était William Barrymore, l'imaginer volage et adultère, mais on pouvait aussi être certaine qu'il aurait pris, alors, toutes les précautions nécessaires et qu'il y avait des prouesses de dissimulation derrière chacun de ses actes, tant son épouse exerçait sur lui une surveillance dominatrice. Ils se sont éloignés de nous. Ils se dirigeaient vers l'immense véranda où était dressé le buffet avec ses monceaux de victuailles — œufs brouillés, lard, toasts, saumon, bananes coupées, fruits en rondelles, courts légumes coupés en barrettes et en cubes, porridge, mini-hamburgers, pancakes, sirop d'érable et jus de fruits, pichets d'alcool —, et la démarche de Liz Barrymore exprimait une manifestation de supériorité retrouvée. Son mari lui avait pris le bras, puis la taille. Elle balançait son cul de façon rythmée, un coup fesse droite, un coup fesse gauche, et c'était comme si tout le derrière de son corps, son dos, ses cuisses, la cadence de ses hanches voulaient dire : pas touche, il est à moi. Je les ai vus bavarder avec les Stadler, je n'étais pas assez proche pour saisir leurs propos mais je me suis demandé s'ils parlaient de moi, ce qui a amorcé un sentiment d'inquiétude.

Un peu plus tard, vers la fin du brunch, Tea Stadler a proposé à ses amis de faire un tour dans la grande serre de l'autre côté du parc afin d'admirer l'état de ses rosiers. Edwin Stadler est resté auprès du buffet. Il m'a fait un petit signe de tête afin que je vienne à sa hauteur. Penché vers les plats, son assiette dans la main gauche, la droite picorant avec méticulosité des portions de nourriture, il parlait sans me regarder, posément, à voix douce, comme il savait si bien le faire.

— Vous avez, je le sais, reçu en réalité une éducation rudimentaire. Je vous conseille de lire beaucoup de livres, Maria, la bibliothèque de mon bureau vous est ouverte. On trouve de tout dans les livres. C'est très utile, la lecture. On y apprend beaucoup de choses.

— Merci, monsieur. Je vous remercie de votre conseil. Vous me direz peut-être ce que je dois lire.

— Peut-être. Mais j'ai un ou deux autres conseils pour vous, rapidement, comme ça, au débotté.

Il s'était attaqué à un chapelet de petites saucisses rôties façon mexicaine. Il en goûta une, la trouva chaude, souffla et rit, puis, le corps toujours courbé vers le buffet, il continua, toujours sans porter son regard sur moi :

— Soyez prudente, Maria. Ne perdez pas votre attitude réservée. Les femmes voient bien la beauté naturelle qui est la vôtre. Ne l'affichez jamais. Effacez-la le plus possible. Restez modeste et simple, sinon quelqu'un vous déchiquettera un jour, et personne ne pourra vous défendre.

— Mais, monsieur, je n'y peux rien si M. Barrymore vient me parler et je n'ai rien fait, rien dit.

— Qui vous parle de ça, Maria ? William ? Mais il flirte avec tout ce qui porte jupes, ce n'est pas la question. Liz n'arrête pas de le freiner. Ils jouent tous les deux une petite comédie sans importance.

— Alors, monsieur, je vous demande pardon, mais pourquoi me dites-vous cela, maintenant ?

Il décida enfin de se tourner vers moi, redressant son buste et abandonnant le buffet.

— Les épouses, Maria, les épouses ! C'est parfait, ce système des « au pair ». C'est irrésistible, ces jeunes filles, joyeuses, bien sous tous rapports, ces fraîcheurs qui débarquent au sein des familles. Mais ça crée des jeux de séduction, il peut y avoir une pente, de l'électricité, aucun passage à l'acte bien sûr, ça n'est arrivé qu'une fois dans notre milieu, et l'actrice de cette anecdote l'a payé très cher, mais enfin, si vous voulez durer, il faut toujours faire attention aux épouses.

J'ai insisté :

— Je comprends ce que vous voulez dire, monsieur, et je l'observe. Mais pourquoi me le dire ce matin ?

Il a ri.

— Oh, comme ça, je n'ai pas eu l'occasion de le faire plus tôt, c'est tout.

Il avait parlé sur le ton négligent de ceux qui ne veulent pas aller au bout d'une vérité. Il a pivoté vers la porte vitrée pour rejoindre les autres dans la grande serre. J'ai failli le retenir d'un geste de mon bras vers le sien, mais ses mots avaient suffisamment réveillé mon réflexe de méfiance pour que je demeure immobile. Pourtant, j'ai dit :

— Monsieur, vous m'obligeriez en explicitant vos propos.

Il s'est retourné et il a ri encore.

— Mes compliments, Maria. Comme c'est bien exprimé. Dites-moi, c'est quand même incroyable comme vous avez transformé votre vocabulaire. C'est impeccable. Vous êtes parfaite.

— Vous vous moquez de moi, monsieur.

— Pas du tout. Je suis ravi de vous voir aussi épanouie, et aussi changée. J'ai eu raison de vous faire confiance.

— Je ne vous remercierai jamais assez.

Il a levé la main vers son front, comme s'il avait oublié quelque chose :

— Tea ? Vous vous entendez toujours bien avec ma femme, avec Tea ? Tout va bien ?

— Naturellement, monsieur, vous devez savoir que je la suis partout et l'assiste, lorsque je ne m'occupe pas des enfants, lorsqu'ils sont à la FIAS, je l'aide dans ses travaux caritatifs. Elle m'a même confié plusieurs missions.

— Excellent, Maria, excellent. Continuez.

Et il est parti. Je me suis demandé ce qu'Edwin Stadler avait voulu me dire. Y avait-il de l'ironie cachée ou bien, lorsqu'il évoquait le « jeu de séduction », était-ce une façon déguisée de me faire deviner que je lui plaisais ou qu'il souhaitait me séduire ? Il était un des rares hommes dont je considérais n'avoir rien à craindre. Je l'admirais, parfois sans comprendre pourquoi, ce qui est une marque de jeunesse. J'aurais voulu avoir un père comme lui.

— Tu réfléchis trop, m'a dit Rose. Tu coupes trop les cheveux en quatre. Tu es tellement tout le temps sur tes gardes, tout le temps en observation, que tu crois voir les choses là où il n'y a parfois rien.

— Il n'y a jamais « rien ». Il y a toujours un sens caché derrière ce que te disent les hommes. Encore plus quand il s'agit de gens comme Edwin Stadler.

— Mais, dis-moi, tu l'aimes cet homme, c'est ça la vérité.

— Mais non, pourquoi tu dis ça ? Je l'admire, ce n'est pas du tout la même chose.

— Tu dis que tu aurais voulu avoir un père comme lui. Tu ne veux pas plutôt avoir un *lover* comme lui ?

— Arrête, Rose, aucun homme ne m'a jamais donné envie de lui faire l'amour. Je ne sais pas, et je ne veux pas, et je ne peux pas, et tu sais très bien pourquoi.

— Pardon, Maria, d'accord, oui.

Elle savait, Rose. Elle était devenue, au long de deux années d'amitié, ma complice, ma sœur des journées de Glide Church, quand nous distribuions la soupe populaire à tous les paumés de Tenderloin. Ça nous

212

avait unies. J'avais beau apprécier ma Volvo, tous les avantages distribués aux filles au pair, jouir de la TV et de l'écran plasma installé dans ma chambre chez les Stadler, mes vacances sur leur bateau, mon ordinateur, j'éprouvais toujours une certaine nostalgie des jours difficiles, au milieu des clochards, et des alcoolos, des damnés de la côte Ouest, Rose à mes côtés qui maniait la louche avec entrain, avec cette sorte de joie pure qui semblait émaner de son corps obèse et cette démonstration de bonté, ce sourire si gracieux, ce don total de soi qui me l'avait rendue précieuse. Rose, aux manières délicates et habiles, qui savait me donner l'amitié que je n'avais trouvée nulle part ailleurs et avec qui je partageais, en toute pureté, dans la même chambre du YWCA, des nuits de conversation et de confidences.

Avec elle, j'avais la sensation de retrouver une seconde nature, ma rébellion et ma colère, mes désirs secrets de vengeance, ma bâtardise, cette bâtardise dont nul et rien ne pourrait me défaire. Nous étions guidées toutes les deux par la même curiosité étrange et nous arpentions les plages de Crissy Field en passant des heures aux environs des piliers du Golden Gate Bridge, parfois côté sud, parfois côté nord, à l'affût d'un corps qui pourrait chuter ou flotter, surveillant les bateaux des gardes-côtes qui croisaient dans les courants où l'on savait que les corps avaient été emportés avec d'autres débris venus de l'océan dans cette partie de la baie. Bien souvent, nos vagabondages se faisaient la nuit, et l'obscurité du ciel et des eaux, des aires et parcs de récréation aux alentours me permettait de revenir à la propre obscurité de mes origines. Comme si j'avais besoin de confondre mon mystère avec celui de ces nuits à la recherche de l'inattendu, de l'inconnu, du périlleux. C'est alors que, de retour dans ma chambre du YWCA, je sentais que j'étais un être double. Rose ne l'était pas. Elle était bonne et généreuse. Simple en apparence, c'était pourtant elle qui m'avait initiée aux nuits sous le pont et aux journées entières passées à contempler le Pacifique, à notre interrogation sur le pourquoi et le qui et le comment de ces gens qui, toutes les trois heures, escaladaient les grilles pour sauter du parapet. Comme moi, elle aimait arpenter les chemins de terre et de cailloux, écouter ce bruissement permanent des voitures, là-haut sur les dalles métalliques des différents niveaux, ce vrombissement venu du pont comme des trombones ou les turbines d'une usine fonctionnant sans fin.

— Au fond, me disait-elle, c'est parce que j'aime beaucoup la vie que ce phénomène m'intéresse.

La première fois qu'elle m'avait entraînée vers le pont, elle m'avait dit :

— C'est tellement incompréhensible, ces gens qui escaladent la grille, arrivent à hauteur du parapet — tu sais que jusqu'ici on n'a vraiment rien fait pour les en empêcher, on dirait que c'est presque une fierté de San Francisco, ah, libres à eux de faire ce qu'ils veulent, on est dans une ville libre ! — et ils sautent, et moi je crois qu'ils sont morts avant d'arriver dans l'eau. Je crois qu'ils meurent en tombant. Et c'est ça qui me pose une vraie question : qu'est-ce qui se passe en eux entre le moment où ils escaladent et le moment où, pendant la chute, ils ont perdu leur vie.

— Ça ne doit pas durer très longtemps. À peine quelques secondes.

— C'est bien ce que je veux dire. Qu'est-ce qu'ils voient et à quoi pensent-ils pendant ces quelques secondes ?

— Je ne sais pas, Rose. Ils ne pensent déjà plus sans doute. Ça doit être tout vide ou tout noir dans leur tête. Et puis non, c'est faux, c'est pas vide.

J'avais réfléchi à ma propre chute quand on m'avait jetée du camion. J'avais vu passer tant de choses. La différence, c'est que j'avais su que j'allais vivre, je voulais vivre, j'étais même devenue une autre, lorsque j'étais tombée dans ce fossé. Ma vie d'aujourd'hui avait, en vérité, commencé ce jour-là.

— Viens, m'a dit Rose, on va boire un café quelque part.

Et c'est ainsi que j'ai revu Darryl.

Il avait changé. Il commença par nous raconter qu'il travaillait toujours pour le même patron, et qu'il se protégeait toujours du monde extérieur, bien calé sur son siège de chauffeur toute la journée, bien séparé du reste de l'humanité par un pare-brise. Il semblait plus ouvert, pourtant, plus rieur et plus volubile. Quand il regardait les deux jeunes filles que nous étions, il y avait une autre lueur dans ses yeux jusqu'ici ternes. Il avait découvert qu'il était capable d'aimer quelqu'un d'autre que lui-même.

— La personne que j'aime est un peu particulière, elle fait un métier un peu spécial, elle est *gogo girl*, *gogo dancer* dans une nouvelle boîte, un truc gigantesque qui vient d'ouvrir. Tu n'en as pas entendu parler ? C'est un truc énorme. Si vous voulez, les filles, je vous emmène. C'est un truc unique au monde, à mon avis.

Rose a dit non, j'ai dit oui, je ne sais pas pourquoi.


Tandis que la Lincoln conduite par Darryl glissait lentement le long de Powell, en direction du Fisherman's Wharf («tu verras, c'est dément, cette boîte, c'est tellement énorme, ça domine pratiquement toute la baie»), je pensais à mes consœurs, à ces dizaines de filles qui, conscientes ou pas, jouaient leur destin pendant leurs années de filles au pair. Elles connaissaient toutes l'histoire de la plus présomptueuse d'entre elles, Sylvia Culloch, celle qui s'était brûlé les ailes et dont Edwin Stadler avait évoqué l'«anecdote».

Nous roulions sans hâte. Darryl avait quitté l'axe principal et avançait, presque au pas, dans les ruelles de Chinatown, toujours en direction des quais. Les myriades d'enseignes lumineuses, les arrêts innombrables derrière des piétons, femmes, enfants, vieux, tous ces feux, ces visages, ces vagues incessantes de foule, cette vie où le noir, l'orange, le rouge et le vert venaient colorier la ruée du samedi soir vers les restaus, les bars, les fumoirs, les galeries de jeux électroniques, les traverses enguirlandées, les *videoshops*, les échoppes d'où sortaient des fumerolles blanches. Darryl s'arrêta un instant au coin de Ross Alley, pas loin du Chinese Hospital.

— Où tu vas ?

— J'en ai pour une seconde, Maria. Attends-moi. Je reviens.

J'ai préféré fermer les portes de l'intérieur. Il ne se passait rien dans ce coin quasi vide mais j'avais l'impression de sentir une odeur de danger, d'imprévisible. J'ai ouvert la boîte à gants de la Lincoln. Il y avait une fiasque en argent et à côté, enveloppé dans un carré de feutre noir, un gros pistolet à crosse nacrée. J'ai refermé la boîte. « Au fond, me disais-je, je ne sais rien de Darryl. » Il est revenu, et m'a fait un signe des doigts pour que je libère les portes, puis il s'est assis derrière le volant et m'a regardée :

— Tout va bien ?

— Ça va.

— T'as rien remarqué de particulier ?

— Non, pourquoi ? Je devrais ?

— Oh, comme ça. J'ai eu l'impression qu'une voiture nous suivait tout à l'heure.

Je lui ai demandé :

— C'est pour ça que tu as quitté Powell Street et que tu es rentré dans Chinatown ? Pour perdre cette voiture ?

J'avais l'impression de prononcer et d'entendre des mots tirés d'une mauvaise série policière à la télé ou d'un ancien film noir. Mais ça ne me dérangeait pas. Au contraire : une nouvelle et fragile sensation de risque et d'inconnu me traversait. J'étais un peu nerveuse et tendue, mais je n'avais pas peur. Curieuse, plutôt, comme si j'étais avide de retrouver un de ces périls que j'avais côtoyés pendant mes années de fugue sur les routes.

— Tu es perspicace, a dit Darryl. Oui, c'est pour ça, je voulais voir si on me suivait vraiment. Mais j'ai dû me tromper, il n'y a plus rien. De toute façon, moi, il n'y a aucune raison pour qu'on me suive. Et toi ?

— Pourquoi tu me demandes ça ?

— Écoute, parce que c'est curieux. La voiture, enfin celle dont j'ai cru qu'elle nous suivait, je ne l'avais pas vue avant de débarquer dans le *coffee shop*. C'est seulement quand on est repartis ensemble que je l'ai remarquée.

— Et alors ?

— Bah alors, ça voudrait dire que c'est toi qu'on suivait et pas moi. Enfin, si on était suivis, je veux dire.

Je me suis souvenue qu'Edwin m'avait précisé qu'il m'avait fait suivre pour découvrir ce que je faisais réellement de mes week-ends lorsque je mentais en laissant croire que je partais rejoindre ma famille à San Diego.

Sans doute avait-il fallu un vrai travail d'investigation professionnelle pour accumuler toutes les informations qu'il avait détaillées afin de confondre mes mensonges. Il avait dû payer des gens, des officines. Il savait tout de moi. Mais, après que je lui avais révélé les raisons de ma fugue et qu'il m'avait renouvelé sa confiance, Stadler m'avait assuré qu'il avait fait cesser toute enquête et toute filature. Or, voilà que les soupçons de Darryl me faisaient douter. Edwin Stadler avait-il décidé de continuer de vérifier toutes mes activités pendant mon quatrième week-end du mois, celui que j'avais « off » ? Mais si oui, pourquoi ? Que cherchait-il à obtenir ? S'intéressait-il donc autant à moi que cela ? Alors, je repensai aux propos de Rose. Je pesai aussi les mots qu'Edwin avait prononcés lors du brunch, sa manière presque trop douce de décrire le statut de ces filles « fraîches au sein des familles, la pente, l'électricité »... Je me demandais si, parlant d'un phénomène général, il n'avait pas plutôt mon cas en tête et, donc, le sien. Pourtant, cet homme n'avait eu aucun geste équivoque, aucune parole, aucune invite, aucune approche. Il me traitait au mieux comme un membre de la famille, au pire comme une employée modèle. Et il se comportait en employeur modèle. Tea, sa perfectionniste épouse, n'aurait pas supporté plus d'une demi-journée un quelconque écart de sa part. Alors, s'il me faisait suivre, que voulait-il ? Mais Darryl avait peut-être dit des bêtises, et peut-être aucun de nous n'avait été suivi. C'était l'atmosphère de cette soirée. Peut-être Darryl aimait-il jouer avec moi, l'amie du samedi, la «boîte incroyable» vers laquelle il m'emmenait, son comportement différent d'autrefois, cette sorte de comédie. Rose m'avait dit: «Tu réfléchis trop. Tu vois des choses là où il n'y a rien.» Et peut-être Rose avait-elle raison.

Darryl a remis la voiture en marche pour traverser Chinatown. Je lui ai dit:

— Il est à toi, le pistolet?

Il n'a manifesté aucune surprise.

— Tu fouilles dans les boîtes à gants maintenant. C'est du propre.

— Tu ne m'as pas répondu.

— Évidemment qu'il est à moi. Faut jamais sortir en ville sans un peu de ferraille, surtout le samedi. Ça te dérange?

— Non, tu fais ce que tu veux. Je te comprends. D'ailleurs, moi aussi j'ai de la ferraille.

J'ai sorti le couteau de Miguel de la poche de mon jean.

— Qu'est-ce que c'est que ça?

— C'est un *knife* que m'a donné un Mexicain il y a longtemps. Je le garde toujours dans mes jeans quand je prends mes week-ends. C'est une sorte de fétiche.

— T'es une drôle de fille, Maria. Pour une fille au pair des beaux quartiers, tu te balades avec un couteau à cran d'arrêt dans tes poches et en plus tu fouilles dans mes affaires. Mais c'est pas grave, j'ai rien à cacher, j'ai un port d'armes et c'est parfaitement légal. Tu as vu qu'il y a une fiasque dans la boîte à gants. C'est de la tequila. Si tu veux boire un coup, tu es mon invitée.

— Non merci.

— Comme tu veux.

À peine avais-je refusé, j'ai changé d'avis. J'ai ouvert la boîte à gants, sorti la fiasque, défait le petit bouchon avec boucle et j'ai bu une longue rasade de tequila d'un seul coup sans respirer. Ça faisait chaud dans la poitrine, puis ça montait à la tête et puis ça se stabilisait. Mais vous n'étiez plus tout à fait la même. Cela me permettait de cesser de « réfléchir », comme eût dit Rose. Il paraît que l'intelligence se mesure parfois à la quantité d'incertitudes qu'un esprit peut supporter. La tequila noyait mes incertitudes, du moins dans l'instant. Seule demeurait la curiosité, un sentiment de transgression. J'avais abandonné la bienséance dans laquelle je vivais, là-haut dans Pacific Heights et, j'ignorais pourquoi, cela me rendait presque joyeuse. J'ai bu deux nouvelles et longues gorgées de tequila.

Sylvia Culloch était une Anglaise aux cheveux courts et sombres, aux yeux verts, furtifs, à la taille parfaite et aux joues rondes et roses et à l'accent si british, si élégant et si exotique. Elle était venue d'une petite ville du Surrey pour travailler chez les Bledsoe, un clan dont l'importance et l'influence, l'ancienne fortune, dépassaient sans doute même celles des Stadler. Il s'agissait de transports maritimes et d'entreprises de produits agricoles. On racontait que Sylvia l'immaculée disposait d'un charme fou, de cette nature envahissante et possessive qui se dissimule parfois derrière les visages les plus innocents. Le fils cadet des Bledsoe était plus jeune qu'elle, à peine majeur.

On parlait du « Sylvia scandal » pendant les navettes du *car pool* de la FIAS. Avec son air de nonne angélique à la voix faussement gamine, on lui aurait donné tout San Francisco sans confession et personne n'avait pu — selon les dires des épouses ou des autres *au pair girls* — imaginer qu'en l'espace d'une année, Sylvia aurait mis le gentil puceau fils de famille dans son lit, serait tombée enceinte, et aurait fait jouer auprès des Bledsoe la carte du mariage forcé, après avoir instillé le poison du chantage. Mais c'était sans compter sur le réflexe de classe et sur une réaction rapide et violente. Ils avaient fait avorter Sylvia, l'avaient menacée de « subornation de jeune adulte » — une astuce juridique concoctée par un des avocats de la famille —, on avait immédiatement supprimé son certificat de séjour — ils faisaient ce qu'ils voulaient en ville, les Bledsoe, ils avaient accès à tous les réseaux. Ils portaient encore en eux la rudesse des pionniers devenus respectables et jaloux de préserver leur supériorité sociale, ce qu'ils croyaient être leur sang bleu.

Ils l'ont expulsée et renvoyée en Angleterre par un vol *low-cost*. La dernière fille à l'avoir vue, une amie au pair qui l'accompagnait à l'aéroport, raconta qu'elle était méconnaissable, Sylvia Culloch, cassée en deux, assise sur son énorme *back pack*, ses fameux yeux verts tout perdus et tout rougis, une pâle petite chose contemplant l'étendue de sa chute.

— Elle s'en est tirée à bon compte. Ils auraient pu la tuer, s'ils avaient voulu, bien sûr, les Bledsoe.

— C'est un peu ce qu'ils ont fait, ils l'ont tuée.

— Oui, en un sens, oui, mais enfin, elle l'avait un peu cherché, non ?

— Ah oui, un peu.

Nous sommes arrivés devant ce qui ressemblait à un immense hangar, aux parois et au toit métalliques et avec, dressée sur des tubes d'acier, une gigantesque enseigne au néon, des lettres de couleur bleu et rouge qui annonçaient « WHARF STORY — WHARF WHAM WHAM ». Il résonnait tellement fort, ce « wham wham », qu'on l'entendait depuis les vitres fermées de la voiture sur l'aire de parking, à plus de cinquante yards du bâtiment. La nuit était très claire, avec une pleine lune qui illuminait les innombrables silhouettes des clients qui faisaient la queue pour accéder à la seule entrée, une très mince ouverture au milieu du bâtiment gardé par trois videurs au faciès asiatique, des brutes épaisses, des tronches de convicts tout juste sortis du pénitencier. Les proportions de la file d'attente étaient telles qu'on avait installé des barrières en acier organisées en forme de quinconces à la façon des voies pour passagers dans les terminaux des aérogares avant le filtrage devant les agents de sécurité et les portiques électriques de détection. Ça ressemblait à un parcours labyrinthique, emprunté par une population hantée par le désir de rejoindre le grand temple du bruit.

— Suis-moi, m'a crié Darryl, on va entrer par le *backstage*. Mon amie danse à l'intérieur et j'ai droit à un pass spécial. Viens, on fait le tour de la baraque.

Nous avons longé le monumental hangar dans le sens inverse de la foule qui patientait et grossissait, et je pouvais dévisager les hommes et les femmes de tous âges, toutes tenues vestimentaires, toutes ethnies. Il y avait des Mexicains avec des chemises à fleurs et à carreaux, vert, rouge et blanc, des Coréens et des Chinois, la plupart vêtus de noir, des Syriens, des Irakiens, des Blancs en combinaison de mécano et des Blacks avec des turbans ou des bérets ou des *jackets* à franges et perles cousues sur les revers. Ils avaient aussi des *baggypants*, des casquettes à larges bords comme les rappeurs. On voyait des jeunes et des vieux, des ventripotents et des bodybuildés, des voyous et aussi des mômes des collèges manifestement venus pour s'encanailler. On les reconnaissait à leurs yeux extasiés et innocents, leurs chemises flottant par-dessus le jean. Il y avait aussi beaucoup de couples gays venus de Castro — ou d'ailleurs, car ils n'avaient pas tous l'allure de l'habitant classique du quartier homosexuel de San Francisco. Ils étaient plus rudimentaires et plus coriaces, plus country, façon *biker* ou *truckdriver*, sans doute descendus des vallées distantes, hors la ville. Les femmes étaient aussi nombreuses, mais plus extravagantes, avec des minijupes très courtes, des talons, des bottes ou cuissardes d'amazones, des gilets de cuir serrés à la taille laissant déborder le haut des seins, provocatrices, bombes de sexe, mais aussi des mochasses, des pièces à réclamer, beaucoup de viande fraîche, des teenagers aux bouches peintes et aux yeux faits, aux nombrils et aux strings visibles et qui se trémoussaient sur place en remuant les lèvres, sans doute disaient-elles ou chantaient-elles quelque chose à leurs copines ou leurs petits amis, mais il était impossible de les comprendre à cause du volume de la musique venue de l'intérieur, cette puissance du son qui traversait la tôle et empêchait toute conversation — si bien que tous ces gens éclairés à la fois par le rayon de la lune et par l'outrageant reflet des lettres géantes électriques vous donnaient l'impression de marcher le long d'une galerie, des zombies dépourvus de voix humaines, leurs lèvres psalmodiant en silence le même hymne à la gloire du Dieu Vacarme.

Nous avons contourné le bâtiment pour passer par une porte plus étroite, gardée aussi par un molosse chinois. Darryl, dans la Lincoln, m'avait raconté que le « Wham Wham » était entre les mains d'un consortium de la mafia chinoise qui avait racheté le hangar — une ancienne halle à poissons — pour en faire la plus énorme « dance machine » de toute la Californie du

Nord, voire de la côte Ouest, rivalisant ainsi avec un lieu du même genre situé au sud de Los Angeles, du côté d'Englewood, je n'avais pas retenu le nom. On a parcouru un long couloir sombre, surplombé par des poutres et poutrelles métalliques formant la structure du bâtiment. Le bruit se faisait de plus en plus fort, différent de celui entendu à l'extérieur, plus profond et plus assourdissant, un martèlement obstiné, semblable à des coups de canon. Au bout du couloir, sur la gauche, il y avait une porte à la paroi capitonnée, devant laquelle Darryl dut à nouveau présenter un badge d'accès à un autre gorille. Ce n'était pas un Chinois, contrairement au précédent. C'était un gros latino moustachu vêtu d'un blouson d'aviateur doublé de soie orange. Il avait l'air de très bien connaître Darryl, avec un regard rapide de connivence et, ce qui me surprit un peu, mais dans l'instant je n'y ai pas accordé d'importance — il lui fit signe de contourner l'appareil détecteur de métal qui encadrait une partie de l'entrée et j'ai eu droit au même traitement de faveur.

On s'est retrouvés dans un espace de loges et de miroirs dont les murs avaient été suffisamment insonorisés pour qu'on ne perçoive plus qu'un battement lointain et confus et qu'on puisse parler sans avoir à hurler. Darryl a hélé une fille qui passait, une *gogo dancer* en culotte à paillettes et justaucorps à dentelles argentées.

— Elle est où, Cindy ?

— Salut, Darryl, elle doit déjà être en train de danser à l'intérieur. J'y vais, on doit toutes être sur la piste à cette heure-ci.

Elle est partie à vive allure vers une porte capitonnée et quand elle l'a poussée, le formidable son est réapparu, comme provenant d'une bête immense dont la bouche s'ouvrirait pour dégager son souffle brutal. La porte refermée, Darryl m'a prise par les épaules, m'a regardée froidement et m'a dit :

— Bon, j'y vais. Quand tu sors, il y a la piste au milieu et je te conseille de rester sur le côté droit, on s'y bouscule moins.

— Tu ne viens pas avec moi ? Qu'est-ce que je vais faire dans ce chaudron toute seule ?

— Bah, tu danseras avec tout le monde. Tu regarderas. C'est un sacré spectacle.

— Et toi ?

— Moi, j'ai quelque chose à faire — mais je te retrouverai.

— Avec tout ce monde ?

— Oui, voilà ce que je te propose : on est pas loin de minuit. Quoi qu'il arrive, on se retrouve dehors devant la Lincoln à une heure, une heure et demie, au pire deux heures. OK ? Tiens, prends mon badge et comme ça tu pourras ressortir par ici, c'est plus pratique.

— Et toi ?

— Je me débrouille, je la connais par cœur, cette boîte.

— Mais tu vas faire quoi ?

— C'est pas tes affaires. *It's none of your business.* À plus tard.

— Tu viens pas dans la salle ?

— Si, mais je passe par un autre endroit. Je t'ai dit, arrête de me poser des questions, je t'ai dit que j'avais des choses à faire. Souviens-toi seulement de ceci : une heure et demie, deux heures, quoi qu'il arrive.

Il est parti, et j'ai poussé la porte capitonnée pour pénétrer dans la bouche du monstre.


Ça faisait WHAM-WHAM-WHAM et WACKETTA — WACKETTA — WACKETTA, et ça faisait aussi des percussions qui se cadençaient en émettant un son CHOKEPOUWA — CHOKEPOUWA. J'essayais de distinguer s'il s'agissait d'une musique unique ou si les DJ mélangeaient et croisaient plusieurs rythmiques très syncopées en les superposant les unes aux autres, pratiquement sans une seule ligne mélodique réelle, avec pour résultat une espèce de mille-feuille composé de guitares et de basses, tambours, dans un concert de cuivres, de bois et de bronzes, le tout répercuté par d'innombrables baffles géants, disposés aux parois et aux plafonds et répandant leur lave à fréquence continue, accélérée, obsessionnelle, une coulée volcanique sonore qui ne laissait place à aucune pause, aucune respiration.

WHAM-WHAM-WHAM — CHOKEPOUWA — CHOKE-POUWA — CHOKEPOUWA.

Il y avait deux pistes au milieu desquelles dansaient les *gogo girls* de la boîte. On ne les avait pas séparées des autres danseurs, clients et clientes qui s'agitaient tout autour d'elles. Les filles formaient le noyau central de ce qui n'était qu'un vaste magma humain, et on avait l'impression qu'une membrane invisible leur permettait de s'isoler du reste de la foule mais c'était de l'ordre du centimètre tellement leurs corps se pressaient les uns contre les autres, face à face, dos à dos, hanche à hanche, avec des centaines de bras et de mains qui jaillissaient et se balançaient au-dessus des têtes, des mouvements multipliés par les effets des éclairages tromboscopiques — puisque toutes les secousses musicales étaient en synchronisation avec une mitraillade d'ondes lumineuses. À chaque WHAM-WHAM correspondaient des jets de laser rouge, orange, bleu ou argent, comme si l'objectif final de cette *dance machine* consistait à faire fondre les corps dans un bain de bruit et de lumière tout en les découpant en tranches multicolores au point que les danseurs ne s'appartenaient plus et croyaient vivre, par la saccade de leurs bras et leurs poitrines, la décomposition de leurs personnes. Parfois aussi, et c'était systématique, les lumières s'éteignaient, et une courte obscurité générale s'emparait du lieu — puis les rayons reprenaient le pouvoir. Pendant la disparition de toute lumière, le WHAM-WHAM augmentait en volume et le son remplaçait toute autre sensation.

Il valait mieux, en effet, suivre le conseil de Darryl et se réfugier à droite pour se plaquer contre la cloison métallique dans un espace étroit qui n'était pas occupé par les danseurs. De là, peu à peu, je réussis à détacher mes yeux de ce bouillonnement incessant qui finissait, si l'on n'y prenait garde, par brouiller votre vue et votre sens du réel, d'autant que la tequila m'avait passablement cognée. Sur toute l'étendue de la plus longue paroi — le hangar était construit en forme de rectangle — il y avait un interminable comptoir devant lequel se pressaient celles et ceux qui avaient pu s'extraire de la foule agglutinée autour des deux pistes. WHAM-WHAM — CHOKEPOUWA — CHOKEPOUWA. Le comptoir était servi par une vingtaine de Chinoises en uniforme noir qui suivaient un protocole précis, strict, bien connu apparemment par tous les adeptes du WHAM-WHAM : un drink unique — alcool blanc, tequila ou vodka sans doute — qu'on paie en échange d'un ticket, sans argent, ce qui voulait dire que le ticket avait été acheté à l'entrée et ce qui expliquait la lenteur de cette file d'attente que j'avais vue à l'extérieur du chaudron. Les types ou les filles buvaient d'un seul coup, cul sec, reposaient le verre et quittaient le comptoir pour retourner sur la piste, le tout durait quelque trente à quarante secondes. Mais aucune limite n'avait été donnée pour le nombre de tickets par danseur et danseuse et l'on remarquait des allers-retours répétés d'un grand nombre d'individus — souvent plus âgés et moins agiles, moins pressés de rejoindre la danse. Ivres, ou en voie de l'être. Je voyais en particulier un groupe, loin de moi, une grappe d'hommes et de femmes qui retenait mon attention, je ne comprenais pas pourquoi. Ils étaient curieusement habillés avec des trucs autour du cou, comme des rubans, et je n'arrivais pas à déchiffrer les inscriptions sur ces rubans. Je n'étais pas près de ce groupe, les jeux de lumière m'empêchaient de discerner les visages, mais il y avait quelque chose qui m'intriguait. Je décidai de me rapprocher du comptoir.


— Mais tu as revu Darryl ?

— Pas du tout, en tout cas pas à cet instant. Il m'avait dit dans une heure et demie ou deux heures, « quoi qu'il arrive ». Je regarde ma montre, on est loin du compte, alors j'essaye d'avancer et de me faufiler, mais c'est impossible car je m'aperçois qu'au fond, cette région du comptoir, à mesure que le temps passe, devient de plus en plus serrée et dense. Ils ont de plus en plus soif, ils ont beau faire vite, le ticket qui va et qui vient, tu bois un coup tu repars, ça se bouscule énormément. Je décide de passer par la piste à travers les danseurs. Ils sont suffisamment mobiles, si tu bouges en même temps qu'eux, tu peux onduler avec leur corps et t'insinuer entre eux. C'est lent, c'est épuisant, mais tu avances.

— Et pourquoi tu fais ça ?

— Parce que, je t'ai dit, Rose, il y a quelque chose qui m'attire dans ce groupe de gens là-bas. Quelque chose de familier.

— Mais quoi, je ne comprends pas ?

— Le dos. Il y a des corps qui te disent quelque chose. Il y a un dos d'homme au milieu d'autres dos d'hommes et de femmes et cette silhouette me dit quelque chose et je veux voir de plus près. Ça sent le poisson, j'ai oublié de te dire. Il paraît — Darryl me l'avait raconté dans la Lincoln — qu'ils avaient désinfecté, nettoyé, vaporisé, avant l'ouverture il y a à peine un mois et ils l'avaient fait à fond mais il restait toujours un relent un peu âcre dans l'air et ça se mélangeait avec l'odeur des corps en sueur et avec celle de l'alcool.

— Tu veux dire que l'air n'est pas conditionné ?

— Si, bien sûr, mais il y a quand même cette puanteur. Si je me souviens de ça, c'est parce qu'au moment où j'ai senti l'odeur, par un de ces mouvements de piste dont tu ne sais pas comment il se produit, j'ai été déportée comme par une vague et j'ai pu me rapprocher du groupe en même temps que du comptoir. Ils chahutaient pas mal, ces gens-là, ils portaient des espèces de chapeaux ridicules un peu ronds, comme des melons. Ils étaient nombreux, ils avaient l'air de célébrer quelque chose, ils agitaient leurs rubans autour d'eux, je n'arrivais pas lire ce qu'il y avait d'écrit à cause des secousses de lumière et de toutes les têtes et les bras et les corps entre ces gens et moi. Et puis, il faut dire que j'ai la vision qui commence à se brouiller parce que le son, le WHAM-WHAM permanent et aussi les coupures, le passage des lumières au noir, ça finit par te rendre cinglée. Je ne sais pas comment font les autres, c'est peut-être ça qu'ils sont venus chercher, perdre leur boussole, perdre le contrôle d'eux-mêmes. En plus, la tequila, ça te déséquilibre, donc je ne peux pas bien lire, mais le dos, je le reconnais. Ce morceau d'homme, massif et gras, grand et lourd, tu peux déjà imaginer le ventre du mec rien qu'à voir le dos, cette ceinture de graisse autour des hanches, la chemise est un peu défaite et tu peux voir les bourrelets de chair, je le reconnais. Et je me dis, qu'est-ce qu'il fout là, cette ordure ?

L'ordure, c'était mon père adoptif, Wojtek Wazar-zaski. J'étais sûre qu'il s'agissait de lui, même s'il ne s'était pas retourné.

Dans cet enchevêtrement agité des corps de danseurs et de buveurs, ces dos et ces épaules, cette lourdeur, ce manque de grâce ne pouvaient appartenir qu'à lui, l'homme en noir de mon enfance. Ses omoplates saillantes me disaient « souviens-toi ». Je revoyais la façon dont, balançant sa carcasse grossière, il avait tourné le dos après m'avoir violée et comment cette masse satisfaite s'était lentement éloignée et je la voyais se détacher dans l'encadrement de la porte de ma chambre, comme pour signifier son acte, le signer dans la lumière du couloir, comme s'il avait voulu s'arrêter un instant et dire : je l'ai fait et je le referai. C'était cette silhouette que je reconnaissais. J'ai senti toute la haine me gagner.

Que faisait-il ici ? Sur le ruban large — couleur jaune et orange — autour du cou de l'un des hommes de son groupe, j'ai cru déchiffrer le mot « convention » et j'en ai déduit qu'il devait être là avec d'autres collègues venus de toute la Californie pour je ne sais quelle réunion, quel congrès. Mais ce n'était pas l'heure de la déduction et cette supposition n'a guère occupé mon esprit. J'étais plutôt en proie à une sorte de rage, un désir de revanche, une envie de lui nuire, le besoin impérieux de parvenir à franchir les quelques mètres de muraille humaine qui me séparaient de lui pour l'attaquer, le détruire, le tuer. J'ai porté la main à la poche de mon jean. J'ai senti le couteau de Miguel.


— Soudain, tu vois, toutes les lumières se sont éteintes et la musique avec, mais cette fois, pour de bon. Le noir absolu. Le WHAM-WHAM a disparu mais il avait tellement pénétré nos oreilles et notre cerveau qu'il retentissait encore en chacun d'entre nous et le CHOKEPOUWA — CHOKEPOUWA avait tellement abruti danseurs et danseuses que son effet durerait sans doute bien au-delà de la nuit. Tu vois, par exemple, moi, telle que je te le raconte maintenant, je l'entends encore battre dans ma poitrine et dans ma tête. WHAM-WHAM — WHAM. Si tu mettais ta tête contre ma poitrine, je te parie que tu entendrais le bruit aussi.

— Ne dis pas de bêtises, continue. Qu'est-ce qui s'est passé ensuite ?

— Il n'y avait plus de WHAM — WHAM, mais avec une foule pareille, tu ne t'imagines pas que c'était le silence. Ça criait, ça sifflait, certains riaient et on entendait des types imiter des oiseaux ou les coyotes ou les loups, mais ça n'était pas encore la panique, c'était plutôt un grand rideau sonore, un brouhaha continu et interrogatif mais pas encore apeuré. Moi, comme plus personne ne dansait et que les corps étaient restés immobiles sur place, j'avais moins de difficulté pour me rapprocher de Wojtek et je serrais le couteau de Miguel dans ma poche, j'avais la main crispée sur le manche de corne et j'avançais mais je ne savais plus tout à fait où était Wojtek car l'obscurité avait modifié tous les espaces, tous les déplacements, et je ne pouvais précisément le repérer. On a vu vite apparaître des flashes, des gens sortaient leurs portables et les brandissaient au-dessus d'eux pour s'éclairer un instant, ça faisait des centaines de petites loupiottes qui apparaissaient et disparaissaient. Tout le monde s'attendait plus ou moins à ce que le son et les lumières reviennent et donc la foule était encore plutôt figée, compacte et puis, il y a eu les coups de feu. Deux coups de feu. Ou trois. BAM BAM BAM. Et alors là, des hurlements et la panique immédiate. Avec un con qui crie : « sauvez-vous, ils vont tous nous tuer », et ça s'est emballé, le brouhaha est devenu un concert invraisemblable de cris perçants, surtout des cris de femmes, et j'ai senti des vagues humaines qui déferlaient vers moi mais avec des mouvements sans lien les uns avec les autres. T'avais pas un flot continu de gens dans un certain sens, c'était contradictoire, ils se ruaient tous vers les aires de sortie avec les grosses lettres EXIT en rouge au-dessus des portes — c'était d'ailleurs la seule enseigne lumineuse qui avait survécu à la panne —, sans doute un truc indépendant du reste, une sécurité.

— Mais ça ne peut avoir été une panne, ma petite Maria, si ça s'est éteint comme ça et que, aussitôt après, il y a eu des coups de feu, c'est que c'était délibéré, tout ça. C'était un truc organisé. Y a un schéma derrière ça. Y a une histoire.

— Évidemment, je suis d'accord, je dirai pas la panne alors, disons l'arrêt du son et des lumières. La fin de la danse. Donc moi, j'ai évolué dans cette panique avec un flot humain sur ma gauche, le long du comptoir, et j'ai cru reconnaître le son de la voix de Wojtek, son parler fracturé, une des choses que je détestais autant chez lui, sa manière de répéter, là je croyais comprendre : « ça que c'est par là qu'il faut sortir, ça que c'est la sortie », gueulait-il plus fort que d'autres. Je me suis presque battue pour passer entre deux corps qui étaient devant moi et je suis arrivée à hauteur du dos de Wojtek, ou du moins ce que je croyais être son dos.

— Pourquoi tu croyais ?

— Mais parce que c'était trop obscur, Rose, figure-toi ! Tout ça, y avait aucune visibilité, ça bougeait trop, je pouvais pas prendre le risque de frapper quelqu'un d'autre. J'avais sorti le couteau de ma poche, j'avais pas encore défait le cran d'arrêt mais je ne pouvais pas frapper n'importe qui, d'autant qu'on continuait à être balayés et bousculés, arrachés, y avait même des moments où tu tombais, tu te relevais, les gens te marchaient presque dessus, et puis ça tournoyait, tu te retrouvais tout à coup comme projetée en avant, dans le sens de la grande ruée affolée vers le plus proche EXIT. Les portables n'arrêtaient pas de flasher, c'est grâce à un flash que j'ai pu à nouveau repérer le dos de Wojtek mais il était un peu trop loin et ça n'a fait qu'augmenter mon envie de l'atteindre. Et puis une sorte de mouvement tournant, une pirouette des corps, comme un renversement du flot humain vers une sortie plutôt étroite, et j'ai cru que j'avais pris de l'avance sur lui et qu'il fallait que je l'attende, mais tu ne pouvais pas rester immobile, fallait bouger avec les autres. J'ai franchi la porte et j'ai trébuché sur un corps puis sur un autre parce qu'il y avait des gens qui restaient au sol, on leur marchait carrément dessus, et je crois bien que c'est là, à ce moment, que Wojtek m'est pratiquement tombé dessus avec deux autres hommes. J'ai senti cette masse s'écrouler sur moi, et j'ai roulé sur le côté pour les éviter.

— Comment pouvais-tu reconnaître Wojtek si tu me dis qu'il y avait un tel bordel ?

— Il était tout près, il y avait deux corps entre nous deux, celui d'une femme, une Mexicaine qui s'est relevée, et lui aussi — je suis sûre que c'était lui —, il s'est formé comme un empilement des corps et je ne comprends pas pourquoi tout le monde semblait se casser la gueule au même endroit, il y avait peut-être de l'huile ou quelque chose qui faisait glisser. Je me suis retournée. J'ai appuyé sur le cran d'arrêt, j'ai enfoncé le couteau de Miguel trois fois dans le gras de la chair du type et il s'est mis à hurler et son hurlement se confondait avec les cris des gens qui se piétinaient les uns les autres.

— Tu es sûre que c'est lui que tu as touché ?

— Oui, je suis sûre. Enfin... Je crois. Remarque bien, j'ai jamais vu sa tête, jamais vu son visage.

— Est-ce qu'il aurait pu voir le tien ?

— Impossible. Il peut pas savoir d'où viennent les coups de couteau, il est au sol, la face contre le sol, et il gueule.

— Comment tu t'es sortie de là ?

— Quelqu'un a gueulé encore plus fort : « Par ici », et j'ai vu une autre porte s'ouvrir, sur le côté, avec un rai de lumière et sans doute une issue supplémentaire de secours, et j'ai enjambé le corps de Wojtek qui gigotait en beuglant, il couinait plutôt, il faisait des petits bruits perçants comme un porc qu'on égorge — j'ai vu ça dans l'Iowa — mais j'étais prise maintenant par une telle nécessité de m'enfuir que je n'ai pas cherché à comprendre dans quel état je l'avais mis. Je marchais sur deux autres bonnes femmes, j'aurais écrasé n'importe qui pour m'extraire de là. Je me suis retrouvée dehors, sous la lumière de la lune, au milieu de centaines de gens qui fuyaient dans tous les sens en piaillant et en chialant. Puis j'ai contourné le bâtiment dans la direction de la Lincoln de Darryl. C'était long et épuisant. Je perdais mon souffle. Les lumières n'étaient toujours pas revenues à l'intérieur du hangar.

— Tu crois que tu l'as tué ?

— Je ne sais pas. Les flics arrivaient de partout. Sirènes et gyrophares. Je courais. Je ne pensais à rien.


Darryl attendait debout devant la Lincoln noire, il avait l'air très calme au milieu des éparpillements apeurés des uns et des autres. Ça paniquait dans tous les sens. Des poules à qui on avait tranché la tête et qui s'égaillent dans une basse-cour en folie. Les *bikers*, les gays, les *college boys*, les Latinos, les Chicanos, une foule en pagaille en proie à la peur et à l'effarement. Darryl semblait observer ce carnaval autour du parking avec une sorte de sourire qui s'est élargi à mesure que je me dirigeais vers lui. Je ne respirais plus, j'avais les jambes coupées, je n'étais même plus capable de courir.

— Allez, encore un petit effort, a-t-il crié vers moi, sur un ton presque moqueur.

Lorsque je suis arrivée à sa hauteur, je me suis affaissée. D'un seul coup, le choc de ce que je venais de vivre, la lutte à travers les corps, mon geste, les trois coups de lame dans la grosse panse de Wojtek, les cris des deux Mexicaines que j'avais brutalisées pour franchir l'ultime issue de secours, la course le long des parois métalliques extérieures, le WHAM — WHAM — CHOKEPOUWA — CHOKEPOUWA dans la tête et les tempes, d'un seul coup, tout cela m'a assommée. Je n'avais plus de forces, j'étais vide, je me suis agenouillée au sol, sur du mâchefer. Il s'est penché vers moi, m'a pris le bras pour m'aider à me relever. Sa main était forte, j'ai levé les yeux vers lui. Il n'y avait aucun tic autour de ses lèvres.

— Allez, viens t'asseoir à l'intérieur, on s'en va.

Il avait l'air déterminé et froid.

Dans la voiture, j'ai gémi. Darryl m'a dit :

— Qu'est-ce que t'as ? Tu es blessée ?

— Non.

— Bon, alors, ça va. En tout cas, bravo, tu étais à l'heure. Je t'avais bien dit que ça durerait une heure et demie, deux heures, quoi qu'il arrive. Il est deux heures. C'est parfait. On part !

Tout en conduisant d'une main, il a retiré de ses oreilles deux boulettes de couleur orange. Tout ça très professionnel, rapide, comme planifié.

— Le WHAM — WHAM, a-t-il continué, c'est bien gentil, mais si tu ne te protèges pas un peu, tu deviens sourd pendant au moins quarante-huit heures.

240

— Tu les as mises quand, ces boules ?

— Dans les loges, juste après t'avoir quittée. J'avais des choses à faire. Pas besoin d'être assourdi inutilement. Mais tout s'est très bien passé. Très bien passé. Ça s'est passé comme prévu.

Il semblait maître de lui, il parlait posément, roulant à vive allure et évitant habilement les ruelles étroites, allant chercher des voies rapides pour s'éloigner de la baie et du chaos autour de la « dance machine ». Si j'avais été en mesure de juger son comportement, ses gestes et ce ton avec lequel il parlait, comme s'il venait d'accomplir un exploit, remplir une mission précise, j'aurais pu l'interroger et mieux comprendre cette « chose à faire » qu'il avait faite, et découvrir qui était véritablement Darryl. Je l'avais cru inhibé, solitaire et fragile, vaguement désespéré. Il me paraissait dur, calculateur, sûr de son fait, portant un secret en lui. On eût dit qu'il avait savouré la panique, la coupure d'électricité, les cris de la foule, comme s'il avait su s'en détacher ou plutôt comme s'il en connaissait les origines et les conséquences. Comme s'il avait appartenu à cette « histoire » que Rose, intuitivement, venait de définir. Mais j'étais trop agitée et trop dérangée par le geste que j'avais commis, et, dans la poche de mon jean, je serrais le couteau de Miguel. Avais-je tué Wojtek ? L'avais-je seulement blessé ? Avait-il eu le temps de me reconnaître ? J'avais peur, mais en même temps je n'éprouvais aucun remords.

— Je te pose où ?

— Au YWCA si tu veux bien. J'y passe le week-end.

— OK. C'est pas loin. Je contourne un peu les coins chauds mais c'est pas loin. Je te laisserai là, et on ne se reverra plus, toi et moi. Plus jamais.

Maintenant, l'air de plus en plus satisfait, il s'était mis à fredonner une chanson. Je reconnaissais la mélodie, une berceuse pour enfants, et il en prononçait une ou deux strophes :

> *Libellule, petite libellule,*
> *Ne pleure pas, je t'en prie, ne pleure pas.*

Puis il reprenait le fredonnement de la berceuse mais sans les paroles. Dans le sens contraire de notre route, on voyait dévaler les ambulances et les voitures de la SFPD, tous phares et toutes sirènes ouverts en direction des quais. Plus on s'éloignait, plus l'irréalité de cette nuit me saisissait. Le calme arrogant de Darryl. Le souvenir immédiat de la lutte des corps dans l'obscurité du hangar géant puant le poisson, les coups de couteau, le ballet désordonné des paniquards sous le rayon de la lune, l'effet de la tequila qui disparaissait en moi laissant place au vide. Aucune culpabilité, aucune pensée abstraite.

En revanche, un besoin violent de raconter et partager cette expérience, le besoin, à peine arrivée au YWCA, d'aller frapper à la porte de la chambre de Rose pour ne plus être seule avec mon histoire. Pour me confesser auprès de la seule personne en qui j'avais confiance.

— Et maintenant, comment tu te sens ?

— Ça va, j'ai l'impression d'être toujours aussi vide. C'est drôle, j'ai cru que j'allais vomir, mais finalement, ça va.

— Tu m'as tout dit ?

— Oui, tout.

— C'est pas si clair que ça, ton truc.

— Non, en effet.

— Qu'est-ce que tu veux faire ?

— Je veux dormir. Est-ce que je peux rester dormir ici, à côté de toi ?

— Bien sûr, on regardera la télé quand on se réveillera. Ils vont certainement donner tous les détails à la télé. La liste des blessés, ou des morts, s'il y en a.

— D'accord. De toute façon, si je ne l'avais pas fait, quelqu'un d'autre l'aurait fait à ma place, un jour.

— N'y pense plus, Maria.

— Facile à dire.

Le lendemain dimanche, on ne parlait que de cela à la télévision, sur toutes les chaînes. Les images déferlaient à jet continu avec du flou et de l'obscurité, car beaucoup de mouvements avaient été saisis par les portables et les amateurs avaient revendu à prix d'or, aux stations locales ou nationales, des fragments de l'événement. On annonçait qu'il y avait deux morts par balle de pistolet — deux morts de la mafia chinoise et plus de cinquante blessés. On ne donnait pas encore de noms.

J'ai quitté Rose le dimanche soir pour rentrer chez les Stadler. Je devais retrouver mon identité de parfaite petite jeune fille au pair sans histoire, sans ombre ni tache. Le lundi, après avoir conduit les enfants et, avant de rejoindre Mme Stadler qui avait besoin de moi pour vérifier, nom par nom, je ne sais plus quelle nomenclature de bienfaiteurs pour je ne sais plus quelle cause humanitaire, je trouvai le temps de consulter la presse.

Les témoignages et les reportages, les comptes rendus de police, les photos, les statistiques, il y en avait des pages et des pages et des pages, toutes consacrées à ce que les journaux appelaient la «WHAM WHAM panique». Le «Tsunami WHAM WHAM». Plusieurs encadrés donnaient le lieu d'origine et la profession des blessés. J'ai cherché le nom de Wojtek. J'ai vu, parmi une liste de gens appartenant à un groupe de «congressistes» venus de San Diego pour une réunion du métier d'agents de sécurité, un seul nom de blessé, celui d'un certain Sam Whittaker. On précisait qu'il avait été hospitalisé au service des urgences, car il avait été victime de plusieurs coups de couteau portés à hauteur des hanches et des côtes. La police recherchait activement aussi bien l'auteur du meurtre des deux mafiosi chinois que celui de l'attaque de ce malheureux congressiste. Une plainte contre X avait été déposée. Il semblait que ni dans un cas ni dans l'autre, on ne possédait encore d'informations précises permettant de faire avancer l'enquête.

J'ai lu et relu ces quelques lignes. Je sentais monter une masse confuse de sentiments. La déception dominait, mais il y avait aussi de la stupéfaction, je n'arrivais pas encore à le croire, et j'éprouvais une sorte de chagrin. J'en aurais pleuré, comme ces sportifs qui viennent de perdre une finale impossible à perdre et qui savent que le train ne repassera pas. On les voit assis, couchés sur le terrain, en larmes, la tête entre les mains, tandis que leurs vainqueurs exultent, et ils subissent la terrible vérité de l'occasion perdue, le match raté, sans retour.

Je n'avais donc pas tué ni blessé Wojtek Wazarzaski, je m'étais trompée de cible. À mesure que j'enregistrais cette évidence, je ne cessais de reconstituer les minutes qui s'étaient déroulées et j'essayais de comprendre où et à quel moment j'avais pu me tromper. «Pourtant, me disais-je, c'était bien Wojtek que j'avais reconnu, c'était bien sa voix grossière que j'avais entendue au milieu des vociférations de la foule en délire, c'était bien vers lui que je m'étais dirigée, c'était bien lui que j'avais approché. Et voilà que j'avais frappé pour rien quelqu'un d'autre ?» Ce Sam Whittaker, venu comme Wojtek de San Diego, et dont le dos et la pataude carrure m'avaient induite en erreur — à croire qu'ils se ressemblaient tous, ces congressistes éméchés avec leurs chapeaux ridicules, leurs chapeaux ronds et leurs turbans de carnaval —, avait donc failli être la victime de mon vertige de vengeance, ce besoin sauvage, cette décision violente et parfaitement froide de faire mal et punir Wojtek à la seconde où j'avais cru reconnaître son dos.

« Mais comment, me disais-je encore, n'avoir pas senti qu'il ne s'agissait pas du même corps ? Tu connaissais pourtant son odeur, sa rudesse, cette chair à laquelle il t'avait définitivement associée. Quelle ironie, quel gâchis, quel travail d'amateur ! » Mais dans ce ressassement frustré, je pouvais être soulagée : il semblait que je n'avais atteint l'inconnu ni au foie, ni au cœur, ni aux reins, ni à la rate. Il y avait trop de lard entre le couteau de Miguel et les organes vitaux de ce Whittaker. Je n'étais pas une experte. Le remords me gagnait, non pas celui d'avoir presque tué un pauvre lourdaud, mais d'avoir gâché l'extraordinaire et unique chance que j'avais eue, et que je n'aurais plus jamais dans ma vie, de punir l'homme qui, selon ma loi, méritait le châtiment. Le remords d'avoir manqué cet acte.

Il résultait une sorte de souffrance nouvelle qui ravivait le souvenir — toujours quotidien et ineffaçable — des sévices et du viol. Mais je savais aussi qu'il me faudrait, dans l'univers des Stadler et de Pacific Heights, au milieu des enfants propres et protégés et des *au pair girls* propres et protectrices, tout dissimuler de cette douleur, cette expérience absurde. Ce rendez-vous inachevé qui ne m'offrait qu'amertume et la seule découverte du comique funeste et sans limite de l'existence.

J'ai vécu ainsi dans l'irritation et le doute, la curiosité et l'interrogation pendant plusieurs jours. Dans la presse, ce que Rose avait défini comme l'«histoire» commençait à s'éclaircir : le meurtre des deux gangsters chinois à l'instant où les lumières s'étaient éteintes. Il apparaissait que plusieurs personnes étaient impliquées dans ce que l'on pouvait définir comme un *contract killing* : ceux qui avaient délibérément coupé toutes les manettes du système électrique (selon les enquêteurs, il devait y avoir au moins trois complices) et celui ou ceux qui avaient abattu les deux patrons du WHAM WHAM. Les balles provenaient d'une arme de moyen calibre et avaient été tirées à bout portant, de manière très professionnelle. Il s'agissait d'une exécution en règle. Je n'ai pas pu m'empêcher de penser à Darryl : « Tout s'est très bien passé.» Les enquêteurs ne parvenaient pas à établir un lien entre ces meurtres et l'attaque dont avait été victime Sam Whittaker, mais ils semblaient convaincus qu'il y en avait un.

Un reporter, plus habile et persévérant que d'autres, avait réussi à pénétrer pour quelques minutes dans la salle des urgences et avait rencontré le type. Whittaker avait déclaré n'avoir aucune idée sur qui avait pu l'agresser. Il racontait l'obscurité, la foule, les empilements des corps les uns sur les autres, la frayeur et les cris. Le reportage le décrivait comme «un homme difficile à comprendre, désorienté, affaibli par ses blessures, un gros type poussif, dépassé par ce qu'il venait de vivre, un véritable paumé de fait divers dont on saisit mal pourquoi la police le croit impliqué dans l'affaire des meurtres par contrat».

Quelques courtes semaines plus tard, Edwin Stadler réunissait tous les membres de sa famille à l'heure du dîner. Il avait quelque chose d'important à annoncer. Tea, son épouse, était déjà au courant, mais Stadler avait souhaité donner une certaine solennité à l'affaire. Il avait même convoqué tout le personnel, majordomes et cuisinières, femmes de ménage, jardiniers et chauffeurs, Philippins et Mexicains qui s'échinaient à longueur d'années à respecter le perfectionnisme maniaque de leur exigeante maîtresse de maison. Stadler nous apprit qu'il venait d'accepter le poste d'ambassadeur des États-Unis à Paris. Les enfants applaudirent, Tea rayonnait. Le personnel, aussi, applaudit son patron, même si l'on voyait l'inquiétude surgir. Qu'allaient-ils devenir ? La demeure Stadler continuerait-elle de fonctionner au rythme auquel elle avait roulé ? Aussi leurs bravos n'étaient-ils que de circonstance. Ils pensaient déjà à leur sécurité, au probable chômage et à la queue devant le guichet de recherche d'emploi, au milieu de leurs congénères qui avaient tant envié leur boulot privilégié chez les privilégiés de Pacific Heights. L'on servit du champagne, avec des biscuits secs. Puis, les employés se retirèrent définitivement.

Avant de porter son toast, Edwin Stadler se tourna vers moi pour exprimer le souhait de Tea, son épouse, le souhait des enfants, et son propre souhait, que je les accompagne.

Les ultimes WHAM WHAM CHOKEPOUWA CHOKEPOUWA s'étaient presque effacés de ma tête. Ça résonnait encore de temps en temps dans les tympans et la poitrine mais de façon sourde, comme un doigt qui taperait doucement sur une porte couverte de velours.

J'ai jeté le couteau de Miguel dans le Pacifique, à hauteur du Presidio. On a fait ça avec Rose, la nuit qui précédait mon départ pour la France. Nous nous sommes embrassées.

— Tu es mon amie, lui ai-je dit. Tu es la seule personne que j'aime vraiment.

— Tu en trouveras d'autres là-bas.

— Non, je ne sais pas aimer.

## 10

— Si vous le voulez bien, nous allons conclure. L'heure a vite passé et nous n'avons même pas atteint la cinquantième question, ce qui est une tradition dans cette émission.

— « Si je le veux » ? Mais c'est vous qui déterminez le tempo de votre émission, pas moi. Vous m'avez entraîné dans une polémique inutile et nous n'avons absolument pas eu le temps d'aborder un seul sujet de fond.

— Très bien, dans ce cas, monsieur le Président, êtes-vous prêt à revenir sur le plateau de « Vous qui aimez la gloire » ?

— Certainement pas. Votre façon d'interroger, votre manque total d'objectivité, votre mépris, votre ignorance de la courtoisie sont confondants.

— Je vous demande pardon, monsieur le Président

Pervillard, c'est vous qui avez souhaité venir répondre à mes questions. Je me permets de vous rappeler, monsieur le Président, que c'est votre attachée de presse qui, depuis quelque temps, fait le siège de mes assistants pour...

— Eh bien, elle a eu tort, et moi aussi. Réfléchissez un instant, monsieur — si réfléchir vous est possible ; vous disposez, monsieur Marcus, d'une heure dans ce que l'on appelle le *prime time*, sur la chaîne la plus regardée du pays, et vous n'exploitez pas cette formidable opportunité pour...

— Occasion, monsieur le Président, occasion, pas opportunité. Opportunité, c'est inapproprié.

— Je vous en prie, monsieur Marcus, vous n'allez tout de même pas corriger mon français maintenant.

— Je vais me gêner.

— En effet, vous ne vous gênez guère. Si, pour une fois, vous me laissez aller au bout d'une phrase : je vous dis que vous n'exploitez pas cette « occasion » pour apprendre quelque chose au public, pour approfondir les choses. C'est du gâchis. Vous gâchez votre temps d'antenne et vous gâchez le temps des gens.

— D'abord, monsieur le Président, les gens, comme vous dites, ils ont un zappeur et ils font ce qu'ils veulent. Ils ne sont pas obligés de regarder Marcus Marcus...

— Ah, dites donc, vous parlez de vous à la troisième personne maintenant ?

— Oh, ça va, hein. Et puis le gâchis, il est entièrement de votre faute, monsieur le Président.

— Arrêtez de me donner du «monsieur le Président». Il y a bien longtemps que je ne préside plus rien.

— Peut-être, mais vous l'avez été, Président Pervillard, et vous le demeurerez toute votre vie. À mon tour d'achever une phrase : c'est vous qui avez voulu me contredire quand j'ai évoqué les rumeurs.

— «Évoquer»? «Évoquer»? Mais vous n'avez pas cessé d'y revenir. Vous n'avez pas évoqué, vous avez pilonné, vous avez bombardé, vous ne m'avez pas donné une fois la possibilité de parler d'autre chose. Vous avez pataugé dans la boue pendant trois quarts d'heure. Vous êtes ignoble.

— Dites donc, monsieur le Président, fallait quand même bien qu'on évacue un peu tout ça? Qu'on éclaire un peu vos zones d'ombre, non? Après tout, il y en a quelques-unes dans votre vie, les gens ont le droit de savoir.

— Savoir quoi? Vous croupissez dans la rumeur et l'insinuation, vous vous repaissez de ragots et de calomnies, de bassesses. Vous êtes ce qu'on fait de pire dans l'univers de la télévision.

— Je vous remercie beaucoup, vous êtes trop aimable. Je ne vous retournerai pas le compliment en disant qu'en matière de dissimulation du passé, vous êtes ce que l'on a fait de plus abouti.

— Ça suffit. Je ne vous permets pas. Vous avez

dépassé les bornes ! Il y a des lois contre la diffamation dans ce pays, monsieur !

— Ça suffit, en effet, le temps qui nous est imparti s'achève. Merci, monsieur le Président. Mesdames et messieurs, bonsoir. La semaine prochaine et toujours en direct, « Vous qui aimez la gloire » recevra le général Charmurelski, ancien responsable des services secrets français, qui jusqu'ici ne s'était jamais exprimé dans aucun média.

À peine avait-il terminé, à peine la musique du générique (les éclats de cuivre de Gluck, la voix de la Callas, les *Divinités du Styx*) avait-elle résonné que le Président Pervillard se dirigea vers Marcus, la main levée, comme pour lui porter un coup. Marcus Marcus pensa : « Génial, on est encore filmés, le vieux ne le sait sans doute pas, ça va être sur tous les blogs et sur tous les Youtube, je vais le laisser me frapper, ça fera monter l'audimat pour la prochaine émission, ça va buzzer toute la semaine, génial ! » — et il voulut offrir son visage à la lourde patte du Président mais les deux gardes du corps de Pervillard s'interposèrent. Marcus pensa : « Pas de chance, peut-être que je peux le coincer au démaquillage. » Il demeura sur le plateau un court instant, hésitant sur la meilleure façon de procéder et d'exploiter ce qui lui était apparu comme un filon. En régie, la réalisatrice, Hélène Margolis — Margo — que Marcus Marcus avait décidé de titulariser — au grand étonnement de toute son équipe — hurlait :

— La 4, la portable, ne quittez pas le Président d'une semelle. Suivez-le jusqu'à sa loge, on ne sait jamais, c'est pas fini, cette histoire. Suivez Marcus aussi, il va faire quelque chose, j'en suis sûre.

Mais de son côté, David Cahnac, conscient que le patron avait en effet « dépassé les bornes », décida d'intervenir. Après tout, le Président Pervillard comptait encore beaucoup de soutiens dans la société parisienne, et puis, David venait d'être témoin de la stupéfaction générale des techniciens et des invités devant la violence des échanges, l'hostilité sans précédent qui avait dominé pendant toute l'heure de l'émission. Dans le salon privé, attenant à la régie, où l'on asseyait quelques privilégiés, David avait senti une sorte de suffocation collective, les souffles que l'on retient, quelques « oh » choqués, des visages qui se crispent, une sensation confuse de réprobation muette et de gêne des corps. David prit Marcus Marcus par l'avant-bras.

— Monsieur, je vous en prie, ne faites rien de déraisonnable.

— Qu'est-ce que vous croyez que je veux faire ?

— Je ne sais pas, je ne vous ai jamais vu aussi agressif à l'égard d'un de vos invités.

— Peut-être, mais ce type me dégoûte. Il a régné sur les affaires françaises pendant cinquante ans. Il a fait et défait des présidents de la République et des Premiers ministres. Il n'a ni vision, ni morale, ni éthique. Ça ne me déplaît pas de l'avoir mis tout nu. Vous verrez, avec ça, on va faire sauter l'audimat.

— D'accord, monsieur, mais maintenant, c'est bon, ça va.

— Écoutez, David, il a quand même voulu me frapper, non ?

— Pas vraiment, non, je ne crois pas.

— Eh bien, pour en avoir le cœur net, je vais lui poser la question dans sa loge. Rassurez-vous, il ne se passera rien de « déraisonnable ».

— Je vous accompagne.

— Comme vous voulez.

David précéda Marcus Marcus dans le couloir qui menait du plateau vers la loge principale réservée à l'invité. Depuis quelque temps déjà, il avait gagné une autorité nouvelle au sein du système Marcus et particulièrement auprès du grand homme. On disait que c'était lui qui, bien plus souvent qu'autrefois, choisissait les invités, déterminait la liste d'attente et la conduite à suivre, lui qui supervisait l'organisation des fiches et le travail des documentalistes. Il était le premier interlocuteur de Marcus Marcus juste avant le démarrage du direct et le premier juste à la fin de l'émission. Cette nouvelle autorité, cette influence, ce rôle croissant de David ne déplaisaient pas à Marcus Marcus. Il semblait que quelque chose avait subtilement modifié son arrogance, la superbe de celui qui contrôle tout.

Ils arrivèrent à la loge de Pervillard, frappèrent à la porte, et l'ouvrirent avant même qu'on leur ait permis d'entrer :

— Ah, monsieur Marcus, vous voilà, je vous attendais.

Le Président Pervillard était un colosse aux mains lourdes, aux épaules larges, à la taille épaisse et au poitrail imposant, il devait peser dans les cent vingt kilos qu'on pouvait autant attribuer à la graisse accumulée par une vie de banquets et d'agapes officiels ou de festins privés qu'aux muscles entretenus par de longues séances quotidiennes de soulèvement d'haltères — exercices qu'il avait pratiqués toute sa vie durant, quelle que fût son activité dans les entreprises au sommet desquelles il avait régné. C'était une bête impressionnante, un ogre qui avait éliminé plusieurs générations de concurrents et dont aujourd'hui, malgré la perte de la plupart de ses attributions et malgré un scandale financier majeur dont il avait été l'acteur principal, procès à la suite, on redoutait encore la simple personne. Bien qu'il se fût retiré des affaires depuis quelques années, il continuait d'incarner par la seule force de sa personnalité une manière de pouvoir pur, la domination des hommes.

— Vous m'attendiez pour me frapper, Président ?

Pervillard eut un rire profond.

— Pour quelle raison voudriez-vous que je vous frappe, mon bon monsieur Marcus ? Pourquoi ?

— Vous étiez bien en colère tout à l'heure, vous vous êtes avancé vers moi la main en l'air.

Pervillard persista dans un rire incrédule. Assis sur la haute chaise disposée devant le miroir du démaquillage, il tournait le dos à Marcus et ne pouvait s'adresser à lui qu'en le regardant dans la glace, à la façon du client qui parle à son coiffeur. Marcus se tenait debout à quelques centimètres, David près de lui, et devait, s'il voulait maintenir son regard dans celui de Pervillard, déplacer son corps d'un côté puis de l'autre, selon les mouvements de la maquilleuse qui s'affairait autour du Président. Cette position le mettait, sans qu'on puisse vraiment l'expliquer, dans une situation d'infériorité. De chaque côté, il y avait les deux gardes du corps et, en retrait, une femme d'âge mûr, lunettes d'écaille, visage fermé — l'attachée de presse. On ne percevait aucune tension dans la pièce comme si les rires continus et satisfaits de Pervillard avaient dissous le haut niveau d'électricité qui avait dominé toute l'émission. Marcus Marcus en était lui-même étonné. Il s'était attendu à une algarade, voire une nouvelle ébauche d'agression physique. Il n'en était rien. Pervillard, énorme et placide, souriant, observait l'interrogateur qui, perplexe, cherchait ses mots. Pervillard finit par dire :

— La main en l'air ? Mais vous m'imaginez un instant, moi, vous donner une gifle, à vous ? Vous avez rêvé, monsieur Marcus, ou alors vous êtes légèrement atteint de paranoïa.

Marcus Marcus marmonna :

— Écoutez, pardon, ça n'a peut-être plus d'importance maintenant mais enfin, tout le monde a vu tout à l'heure que vous sortiez de vos gonds. Vous vous êtes avancé vers moi, vos adjoints ont même dû s'interposer.

— Aaaaaaaaaahhhhhhh, ça vous aurait plu, hein, vous auriez aimé ça, monsieur Marcus! Ça aurait fait grimper votre réputation, n'est-ce pas ? Non mais, vous me prenez pour un amateur ou quoi ?

Il se leva de la chaise, chassant d'un mouvement leste du bras le dernier geste de la maquilleuse. Debout dans la loge, brusquement, Pervillard envahissait le décor et le rapetissait par le seul déploiement de sa carcasse. Il toisait Marcus Marcus avec le même sourire impérial barrant son masque de vétéran, de baroudeur, ses rides, sillons profonds sur une peau tavelée, un faciès de navigateur qui a bravé tous les cyclones, l'alpiniste qui a grimpé la face nord de l'Iger, la tronche d'un mineur de fond ayant survécu au plus néfaste coup de grisou. Et cette expression particulière, ce regard voilé de ceux qui ont vu les pires choses et savent qu'il n'y a désormais pas plus terrible à venir — leur vie a été trop pleine, trop dangereuse et contradictoire, trop exaltante et déprimante aussi pour qu'on vienne leur raconter des histoires. Le Président René Pervillard, soudain, dans le silence de la loge de maquillage, dévoilait ce qu'il avait habilement dissimulé au cours de l'émission. Il avait joué à la victime outragée et à la dignité bafouée. On ne voyait plus désormais que sa vraie force, brutale, son don de fascination, ce qui avait fait de lui le grand Parrain de l'univers de l'argent et de la politique en France, en Europe, voire dans une partie du monde.

— Laissez-nous seuls, voulez-vous, dit-il d'une voix de commandement à toute l'assistance. Laissez-moi seul avec M. Marcus.

Maquilleuse, gardes du corps, attachée de presse et David disparurent. Les deux hommes se faisaient face, Pervillard frottant au moyen d'un rond de coton imbibé de crème ce qui restait de maquillage sur son visage de vieux combattant.

— Je déteste cette saloperie, maugréa-t-il. Comment peut-on supporter de se faire poudrer à longueur d'année, monsieur Marcus ? C'est pas fait pour les vrais hommes, ça. Il faut vraiment avoir une nature de poulasse pour faire un métier pareil, non ?

Marcus Marcus se taisait. « Ne réplique surtout pas, pensait-il. Laisse-le parler, tu vis une minute intéressante, laisse-le aller jusqu'au bout. »

— Vous savez pourquoi j'ai fait vider cette loge, n'est-ce pas ? Parce que si on veut se dire une vérité, il faut le faire seul, monsieur, tout seul. Il y aura toujours je ne sais quelle fuite venue d'un témoin et aujourd'hui, pfffffttttt, à peine prononcée, la moindre phrase se retrouve sur ces putains de blogs, cette saloperie de Toile, comme vous dites, tout ça déformé et détourné du contexte. On ne peut plus rien dire, non. Rien. Demain, c'est partout. Si on veut dire la vérité à un connard comme vous qui se prend pour l'homme le plus important des médias, il vaut mieux être seul.

Le Président eut un rire de gorge. Il s'approcha de

Marcus, tendant l'index, signe évident de sa volonté de puissance.

— Vous me prenez pour un amateur. Vous croyez que je n'ai pas déjà eu droit à la mise à nu télévisuelle. Mais vous n'étiez pas né que j'étais déjà sur les tréteaux, mon petit bonhomme. Déjà sous les feux croisés de ceux qui voulaient ma peau. Regardez-moi, j'ai quatre-vingts ans, on dirait pas, hein ? Vous pensiez m'avoir déstabilisé ? Mais vous n'avez rien compris, rien. On dirait pas, hein, quatre-vingts ans, je ne les fais pas, je suis à l'exercice quotidien, moi, monsieur. Je soulève trois tonnes de fonte tous les jours, figurez-vous. Au dernier check-up, le toubib m'a dit : il n'y a rien à signaler, rendez-vous dans dix ans ! Alors, vous savez, vos petites inquisitions en direct, vos torquémadades, ça ne me fait ni chaud ni froid, monsieur Marcus, je suis en Téflon, moi, j'ai résisté à toutes les températures. J'ai côtoyé tous les Affreux de la planète, je les ai tous affrontés, je me suis battu avec le Russe, j'ai emmerdé l'Américain, j'ai joué avec le grand catho, j'ai baisé la babouche de tous les Nègres ou Arabes. J'ai bu leur pétrole, j'ai goûté leurs femmes.

Son visage s'empourprait légèrement. Il semblait enivré par l'accélération de ses propos, la jouissance de sa propre force de vie, le déploiement de son énergie verbale et la conscience de ce qui l'avait toujours accompagné : une dynamique, ce sang catalan qui courait dans son corps. Il jubilait, avançant le doigt pointé sur la poitrine de Marcus Marcus qui reculait, centimètre par centimètre, jusqu'à ce que son dos atteigne bientôt le mur de la loge.

— On n'a pas cessé de m'attaquer toute ma vie, enquêtes, accusations, procès, complots, on m'a tiré dessus au propre et au figuré. Ah oui, on a même fini par me chasser, j'ai été ostracisé, monsieur, os-tra-ci-sé ! Ils ont voulu me tuer au propre comme au figuré — non, là, je vous vois ciller, parce que je viens d'utiliser la même expression deux fois de suite et vous êtes en train de vous dire : Pervillard perd ses billes, c'est cela ? mais ce n'est pas du gâtisme, monsieur Marcus, c'est un procédé classique d'éloquence — c'est pour marquer les choses. Est-ce que vous me comprenez ?

— Oui, bien entendu, Président, je comprends.

— On a voulu m'exécuter en place publique. Il a fallu que je démissionne devant des commissions sénatoriales. Le contrat russe ! Le contrat cubain ! Le pétrole de l'Est ! Quel scandale et quelle affaire. Fini le Président. Terminé. Il est cuit ! Ils m'ont cru mort. Eh bien, voyez-vous, je suis toujours là — et voulez-vous qu'j' vous dise, j's'rai encore là quand vous s'rez déjà tombé dans les oubliettes de votre audimat de merde. Vous avez cru que vous aviez gagné ce soir. Mais c'est moi qui gagne, m'sieur Marcus, et vous savez pourquoi ?

Il inspira profondément.

— Parce que vous m'avez mis dans la position de la victime. Je me suis laissé faire. J'vous ai laissé partir dans la vindicte, le fiel et la méchanceté. Et le grand public va m'aimer à nouveau, grâce à vous. Ils vont même me plaindre. Et avec tout cela, vous auriez voulu que j'vous gifle en prime ? Mais il faudrait plutôt que j'vous embrasse — sauf que, avec ce maquillage...

Il éclata encore de rire. Marcus s'était retrouvé plaqué le dos au mur, le grand Pervillard le dominant d'une tête, piquant sa poitrine à coups de son index fort et dur comme du bois. Marcus venait de remarquer que chaque fois que Pervillard frappait ainsi sur son thorax, son parlé se modifiait. Le Président ne disait plus « je suis » mais abrégeait en « j'suis », et plus « je vous » mais « j'vous », et les « monsieur » étaient devenus des « m'sieur » comme si l'accélération du verbe, le geste dominateur faisaient revenir dans sa voix et son accent toute la vulgarité populacière qui avait fait sa notoriété, son incroyable télégénie, sa capacité de réduire un interlocuteur à l'état de lapin de garenne face au lion.

— Vous n'avez pas compris que si je venais la main en l'air tout à l'heure, c'était pas pour vous frapper, monsieur Marcus, c'était pour vous féliciter, oui, vous fé-li-ci-ter, cher monsieur.

Soudain, le langage redevint courtois. Il empruntait le ton de la civilité, la voix se faisait pointue comme le timbre du châtelain qui s'adresse à son garde-chasse. Une sonorité quasi flûtée, du précieux et du condescendant, de la bouche en cul-de-poule.

— Cher monsieur, vous m'avez à nouveau rendu sympathique aux yeux des Françaises et des Français. Et puis, et ça n'est pas la moindre des faveurs que vous venez de me faire, vous allez me permettre de vendre des centaines de milliers d'exemplaires de mon livre. Je tiens à vous remercier. Si, si, merci! Parce que, n'est-ce pas, après tout, et tout bien considéré, c'est pour cette seule et unique raison que j'ai voulu participer à votre petit travail minable de confesseur public. Pour vendre mon livre! Ah! Ah! Ah! Les mémoires du grand requin!

Il s'interrompit enfin et souffla, inspira puis expira à grand bruit, comme il faisait sans doute « à l'exercice » lorsqu'il soulevait ses tonnes de fonte. Marcus sentait son haleine, un peu saumâtre. Le géant recula, libérant Marcus de la pression qu'il avait fait peser sur lui.

— Il fait très chaud ici, vous ne trouvez pas? On étouffe.

Il tourna le dos à Marcus pour aller s'asseoir à nouveau sur la haute chaise dans laquelle il avait subi la séance de démaquillage. Il pivota vers Marcus Marcus qui était resté silencieux, le corps plaqué au mur. Le Président Pervillard croisa les jambes, contemplant Marcus d'un œil goguenard. Quelques gouttes de sueur étaient apparues sur son front.

— Vous ne dites rien?

— Vous ne m'avez pas donné beaucoup de chances de pouvoir répliquer, monsieur le Président.

— En effet, je me suis un peu, comment dites-vous aujourd'hui dans votre jargon d'adolescent, « lâché », c'est cela?

— Si l'on veut, oui.

Marcus avait répondu avec une mimique de dérision sur le visage. Et sa réponse fit encore rire le Président. Mais à nouveau sa voix changea, elle était plus basse et plus suave.

— Ah, mais, est-ce qu'on vous a déjà dit que vous étiez un clown, monsieur Marcus ? Est-ce qu'on vous a déjà dit que vous étiez un polichinelle, un Pantalon de farces italiennes, un bouffon tartignolesque ? Quelqu'un vous a déjà dit cela ?

Marcus pensait : « Je l'ai titillé et agressé pendant une heure en direct, il se soulage, c'est normal. Pourtant, on ne t'a jamais parlé comme ça à la fin d'une émission, personne n'a osé, qu'est-ce qu'il cherche ? Et qu'est-ce que tu attends pour lui répondre ? Il n'exerce plus aucun pouvoir, il n'est plus rien, c'est toi le roi des écrans, lui n'est plus le roi de rien d'autre que de son propre passé. » Cependant, Marcus hésitait. Il avait vaguement peur. C'était cela : le vieux colosse corruptible, corrupteur et corrompu, lui inspirait de la crainte. Depuis que Pervillard avait fait évacuer la loge, Marcus avait senti le danger flotter dans l'air, la menace. Il découvrait ce que des générations d'hommes politiques, de journalistes, d'hommes d'affaires et de courtisans avaient éprouvé lorsqu'ils s'étaient trouvés en tête à tête avec ce monstre de roublardise et d'autorité : cet homme était capable de tout. Il émanait de sa personne, malgré son âge, une sorte d'électricité violente. Et autant sur le plateau, en direct, Marcus n'avait été saisi d'aucun scrupule pour entamer sa tentative de déstabiliser le Président, autant maintenant, à l'écart des projecteurs, des caméras, et surtout des rassurantes silhouettes de techniciens et assistants autour de lui, l'animateur éprouvait de l'appréhension. Il préféra la dissiper en parlant :

— Écoutez, monsieur le Président. J'ai été très critiqué pour ma façon d'interroger mais je comprends cela. Je peux très bien comprendre votre réaction, l'émission n'a sans doute pas été simple à vivre pour vous et je comprends cela, et je comprends parfaitement que vous...

Pervillard l'interrompit, fendant l'air d'un geste de sa lourde main aux doigts épais, aux phalanges protubérantes.

— Vous n'avez rien compris du tout. Je vous ai déjà dit que votre émission m'avait entièrement satisfait. Ça n'est pas ça qui m'intéresse maintenant. C'est vous. Oui, vous, Marcus Marcus. Là, maintenant, avec votre poudre sur le visage, vos implants ridicules — réussis, je dois dire, ç'a dû vous coûter bonbon, non ? Eh bien, vous avez l'air de quoi ? Vous savez, je sais lire à travers les gens. Je vous lis, monsieur Marcus, je vois très bien qui vous êtes. Ce que vous êtes.

— Ah bon, fit Marcus vexé. Et qui suis-je, monsieur le Président ?

— Vous savez, je me suis renseigné sur vous. J'ai encore mes réseaux, faut pas croire. J'ai fait travailler un ou deux pros avant de venir ici. Et ce qu'ils ont trouvé confirme ce que je vois et ce que je lis en ce moment sous votre masque de pantin poudré.

Marcus avait fini par se laisser gagner par une vraie vexation, une exaspération. Il éleva la voix :

— Ah bon, et qu'est-ce qu'ils ont trouvé, vos réseaux ?

Pervillard se fit encore plus susurrant, mielleux. Il se pencha en avant sur sa chaise.

— Rien, justement. Rien ! On n'a rien trouvé ! Y a rien sur vous. Rien. Vous êtes vide, vierge, sans trace. Il n'y a pas de cadavre dans le placard, y a pas de maîtresses, pas de petits gitons, pas de femmes, pas d'enfants qu'on attouche, pas de partouzes ou de drogue, de *fistfucking* qu'on pratique le soir dans les toilettes des bars spécialisés, y a pas l'ombre d'une pute qui viendrait vous faire une faveur buccale, tard la nuit dans votre fameux penthouse de la Tour Défense — y a rien. Pas d'amour, ni de sexe, ni de vices. Votre vie privée est d'une vacuité absolue. Stupéfiante. Comment faites-vous pour vivre comme ça ?

Marcus Marcus ne répondit pas. Pervillard se fit plus pernicieux. L'éléphant s'était transformé en serpent.

— Qu'est-ce qui s'est passé pour vous, monsieur Marcus ? Le poulet n'a pas été tout à fait cuit ?

Sous l'insulte, sous cette voix sifflante, Marcus Marcus décida qu'il s'était assez retenu. Interloqué par la vindicte du vieux monstre, il dit :

— Je vous emmerde, Président, je vous emmerde. Je suis comme tous ceux qui ont réussi à vous priver de votre pouvoir, tous vos collègues de la haute finance, tous les hommes politiques, même les plus importants, qui vous craignaient et qui aujourd'hui, comme moi, vous emmerdent.

Il tourna le dos et entrouvrit la porte pour découvrir dans le couloir, s'interrogeant sur le temps si long qui s'était déroulé dans cette loge, David et les gardes du corps, ainsi que l'attachée de presse, et Margo la réalisatrice qui s'était jointe à eux. Il referma aussitôt la porte car le Président lui répondait :

— Moi aussi, je vous emmerde.

Toujours assis sur la haute chaise de démaquillage, le Président René Pervillard tirait la langue à l'animateur en gonflant ses joues, en produisant un bruit comme celui d'un ballon rouge qui perd de l'air, le visage écarlate, les yeux arrondis, en une grimace grotesque. Marcus eut un sourire. Il s'estimait libéré et capable d'exprimer son mépris à l'égard du vieux roublard, mais il ne voulait pas le faire devant témoins. Alors d'une voix feutrée, afin qu'on ne l'entende pas de l'autre côté, il dit :

— C'est tout ce que vous avez trouvé, me tirer la langue ? Comme les enfants dans la cour de l'école ? Et pourquoi pas un pied de nez aussi, tant que vous y êtes ?

Il ouvrit à nouveau la porte et retrouva les autres, éberlués, qui n'osaient pas pénétrer dans la loge. Pervillard ne répondait pas. Il continuait de faire la grimace, la même grimace, exhibant la même langue ronde, épaisse, rouge et blanche, faisant le même bruit, comme la parodie du ronflement ou la mauvaise imitation d'une flatulence, tout cela sorti des mêmes joues toutes dilatées mais qui, d'une couleur cramoisie, semblaient tourner au gris verdâtre. Marcus s'interrogea. Que se passait-il ? Pervillard prolongeait la grimace au-delà de toutes limites, il semblait figé sur la chaise, ankylosé et bouffi, et si l'étrange bruit qui sortait de sa bouche commençait à s'atténuer et à faiblir, la marbrure violacée du masque avait pris un aspect inhumain. Marcus cria :

— Président ! Président ! Ça ne va pas, Président ?

À l'instant où il comprit enfin que quelque chose d'affreux était en train de survenir, il se sentit bousculé et renversé par une masse violente et musclée, celle d'un des deux gardes du corps se ruant vers Pervillard en criant à son tour :

— Monsieur le Président ! Monsieur le Président !

Et, s'emparant du gigantesque corps de l'homme, dont le visage conservait la même convulsion, il le souleva de la chaise, le coucha dos au sol et s'agenouilla à ses côtés pour tenter, d'abord, penché sur lui, de pincer de ses deux doigts le bout de chair qui obstruait le souffle afin de pouvoir l'embrasser à pleines lèvres et pratiquer un sauvetage respiratoire, s'arrêtant une seconde pour dire, entre deux tentatives de bouche-à-bouche :

— Je sais faire. Je suis secouriste. Appelez vite un toubib, bon Dieu, faites quelque chose !

Après quoi, n'ayant rien obtenu de satisfaisant, il

entreprit de frapper avec ses deux poings épais sur la poitrine du Président à hauteur du cœur, tandis qu'on entendait dans le couloir David et Margo gueuler presque de la même voix :

— Un docteur ! Un docteur !

La scène, dès lors, devient multiple. L'événement s'organise en plusieurs éléments simultanés : au premier plan, le garde du corps, agenouillé près de Pervillard, rigide au sol, et qui s'acharne à marteler la poitrine du Président. Il a été rejoint par le deuxième garde du corps qui triture un téléphone portable et crie des mots sans suite à l'adresse d'on ne sait qui :

— Tout de suite ! Urgence ! Val-de-Grâce !

Derrière ce premier plan, Marcus se retourne vers Margo et chuchote :

— Vous n'aviez pas un cameraman avec vous ?

Margo, aussi rapide et aussi chuchoté :

— Il est parti. Je l'ai renvoyé. On en avait tous marre d'attendre devant cette loge. Il ne se passait rien.

— Retrouvez-le tout de suite, qu'il vienne filmer ça. Vous avez un portable sur vous ? Passez-moi votre portable ! On peut filmer avec un portable, que je sache !

Margo :

— Mais, monsieur, on ne peut pas faire ça, c'est obscène.

— Quoi ?

C'est alors que, venu du troisième plan, intervient David, essoufflé, il a couru du fond du couloir et il informe :

— J'ai alerté les pompiers et le toubib, ils descendent.

— D'accord, d'accord, fait Marcus. D'accord. Mais il faut filmer ça tout de suite, tout de même. Est-ce que vous avez appelé les gens de l'info ?

— Non, répond David. J'ai d'abord alerté le service de santé. C'était quand même ça le plus important.

Marcus, outré, parlant toujours à voix basse et serrée, afin que derrière lui, dans la loge, ceux qui tentent de sauver la vie de Pervillard ne puissent l'entendre :

— Mais vous rigolez ou quoi, les enfants ? Le Président René Pervillard qui a une crise cardiaque, à mon avis une rupture d'anévrisme, allez savoir — au beau milieu d'une chaîne de télé, la nôtre, et vous n'avez pas pensé au scoop ? À l'image ? Le grand *padrino* français, le plus grand agent d'influence de toute la Ve République en train de mourir ici, chez nous, s'il n'est pas déjà mort, et vous ne voyez pas l'exclusivité ? Et vous ne percutez pas ? Ça se passe sous nos putains d'yeux et on ne va pas filmer ça ?

David et Margo le regardent sans parler. Marcus croit lire sur leurs visages un semblant de désapprobation gênée.

— Z'avez des scrupules, les enfants ?

David :

— C'est pas très décent, monsieur, ce n'est pas décent. Pardon, mais ça serait un vrai manque d'éthique.

— Qu'est-ce que j'en ai à foutre de votre éthique ? L'événement balaie toute éthique ! Reprenez-vous !

Cherchez-moi et trouvez-moi un cameraman avant qu'il ne soit trop tard.

Mais il est trop tard : une cavalcade, un piétinement de bottes, des bruits métalliques, plusieurs pompiers en uniforme, brancards et trousses d'urgence en main, viennent perturber ce conciliabule. Ils s'emparent de la scène de la loge et des abords de la loge, d'une partie du couloir. Ils sont aidés en cela par trois nouveaux membres du service de sécurité intérieure de la compagnie à qui vont aussi appartenir les lieux et les mouvements, les faits et les gestes. Marcus est dépossédé de son scoop. On l'écarte, lui, Margo et David, sans ménagement.

Le médecin de service a rejoint les gardes du corps dans la loge, il adopte la même position que le garde, se met à genoux, effectue quelques manipulations, tâtant les veines du cou, auscultant le cœur, secouant la tête, donnant des ordres. Il soulève, aidé par les autres, ce grand et lourd morceau de chair et d'os qu'on appelait un homme. On l'installe sur un brancard, on le transporte vers l'ascenseur dont les portes ont été bloquées, tout cela à travers une haie de collaborateurs et d'assistants, de maquilleuses que le service de sécurité contrôle et immobilise. Par les vitres de l'immeuble, côté droit de l'ascenseur, on peut voir, dans la cour d'accueil extérieure, les gyrophares bleus de la voiture de secours des pompiers, ceux d'une ambulance et d'une voiture de police. Autour de ce véhicule, attendant l'arrivée du brancard, plusieurs reporters de la chaîne avec des caméras. Marcus fulmine.

— Et alors, et voilà, et ils vont filmer quoi ? La sortie. L'ambulance qui s'en va en faisant « pin-pon ». Alors qu'on possédait une scène incroyable, ici, sous nos yeux, sur le sol de la loge. Mais c'est pas vrai, c'est pas vrai, putain, c'est pas possible, est-ce que vous vous rendez compte du ratage ?

David :

— Monsieur, s'il vous plaît, arrêtez, on va vous entendre, calmez-vous.

Marcus :

— Je suis très calme.

Il regarde Margo et David, esquisse un sourire de résignation. Puis, vantardise et vanité, il ajoute :

— De toute manière, j'ai été le dernier à avoir une conversation avec lui, le seul. La dernière conversation. Ça va vite se savoir et on ne va pas tarder à venir me chercher pour en parler.

Une voix nouvelle se fait alors entendre, une voix impérieuse :

— Vous en parlerez, en effet, mon cher ami, et dans moins de cinq minutes, j'ai fait interrompre les programmes pour une émission spéciale. On vous attend en bas, à l'étage et au plateau de l'info.

Marcus se retourne vers celle que Margo et David, face à l'ascenseur, ont déjà reconnue : Liv Nielsen, la Présidente de la chaîne. Elle est vêtue d'un smoking blanc, un collier de perles noires autour du cou, elle arbore son sourire supérieur, cette éternelle expression du visage où l'on lit autant l'autorité sans faille que la certitude de sa propre grâce, le sentiment intérieur d'un contrôle constant de toutes les situations et qui se diffuse vers les autres comme une lumière. Elle ajoute, sur le même ton posé et directif, avec le même sens de l'organisation :

— Faites vite. Vous êtes déjà maquillé, c'est parfait, vous interviendrez tout de suite sur l'antenne. Nous sommes déjà en train de suivre l'ambulance en direct dans les rues de Paris et vous parlerez entre les images de la moto-satellite. Vous raconterez tout.

Puis, s'approchant de lui, afin que nul ne puisse saisir ses paroles, Liv Nielsen chuchote :

— Je ne sais pas ce qui s'est véritablement passé dans cette loge, Marcus Marcus, mais je compte sur vous pour bien faire comprendre que votre agressivité sur le plateau n'a rien à voir, rien ! avec la mort du Président Pervillard — s'il est mort, ce dont je suis sûre — et que vous n'avez pas déstabilisé cet homme.

— Mais ça n'a rien à voir, rien, je vous assure. C'est lui qui s'est énervé tout seul, il m'a fait un numéro invraisemblable.

— Ça va bien, Marcus, vous me direz la vraie vérité en tête à tête. Dans l'immédiat, assurez-vous de bien organiser votre mensonge.

— Ne vous inquiétez pas, Présidente.

— Je ne suis pas inquiète. Partez.

Marcus décide d'emprunter l'escalier. Les ascenseurs

sont encore tous bloqués. En passant devant Margo et David, il saisit un regard entre Margo et Liv Nielsen. Comme une approbation complice entre la grande dame en blanc et la petite brune montée sur ses escarpins.

En dévalant les marches de l'escalier intérieur de l'immeuble, Marcus est en proie à deux pensées contradictoires. L'une qui lui dicte ce qu'il doit raconter sur le plateau, l'autre qui lui permet d'analyser ce qu'il croit avoir compris des rapports entre Liv et Margo, entre la Présidente et sa réalisatrice.

D'un côté, ce qu'il va raconter :

— Je vais leur dire qu'à peine arrivé dans les loges, j'ai voulu m'excuser auprès du Président Pervillard. J'avais été un peu trop agressif, je ne l'avais pas laissé s'expliquer sur son passé, donner sa version du grand scandale pétrolier, sa démission du consortium, ses procès en justice. Il m'a répondu : « Ne vous excusez pas, monsieur Marcus. Vous avez eu raison, et moi, j'ai eu tort de ne pas profiter de l'heure que vous me consacriez pour demander pardon à tous ceux que j'ai ruinés. Je devais dire la vérité une bonne fois pour toutes, à tous les contribuables que j'ai trompés, mais je n'en ai pas eu le courage. Je me suis réfugié dans un conflit gratuit avec vous. Belle erreur ! Ce n'est pas la première, c'est peut-être la dernière. » Là-dessus, le Président a commencé à jeter un long regard sur son passé, sur tous les grands de ce monde qu'il avait côtoyés, tutoyés parfois, et avec lesquels il avait négocié, noué des alliances, et obtenu des contrats gigantesques. J'ai alors vu, moi, simple et modeste animateur d'une émission de télé, défiler un pan entier de l'histoire contemporaine. Pervillard me faisait une brillante description des figures les plus marquantes du demi-siècle — du Soviétique brutal et madré au Canadien frondeur et habile, des Américains aveuglés par l'éclat de leurs propres certitudes et leur ambition messianique, de l'Anglaise à la dent féroce qui humiliait ses ministres, jusqu'aux Asiatiques toujours souriants, puisque convaincus qu'ils finiraient un jour par ramasser toutes les mises... Oui, c'était éblouissant et fascinant, une véritable leçon d'Histoire, les coulisses d'une moitié de siècle, et je me suis surpris à admirer l'intelligence et l'expérience incarnées par un homme qui a, pourtant, fait honte à la France. Il a interrompu son soliloque pour citer une phrase de Talleyrand : *Ce qui rend les fautes de la vieillesse si tristes, c'est qu'elles sont irréparables*. Et il a ajouté : « Voyez-vous, monsieur Marcus, je ne voudrais pas mourir triste. » C'est alors que je l'ai vu suffoquer, comme saisi par un éclair qui traversait son corps jusqu'à son cœur, il a tremblé et murmuré quelques phrases incompréhensibles. Son visage a pris un aspect inhumain. J'ai appelé à l'aide !

Oui, c'était pas mal, c'était même bien, un beau travestissement de la vérité — ça passerait bien, ça serait tout de même plus grandiose que la vulgaire réalité des insultes, ces insinuations vicieuses qu'avait proférées le vieux monstre. Marcus, ensuite, dans une partie différente de son cerveau, pouvait, presque en même temps, réfléchir à ce qui ne le préoccupait pas moins :

« C'est forcément Margo qui a prévenu Liv, sinon comment serait-elle apparue aussi vite, comme par enchantement ? Elle devait être à l'étage supérieur en train de recevoir des actionnaires, ou quelque invité d'importance dans la salle privée. Margo a sans arrêt accès à elle, c'est très clair maintenant. Mac Corquedale ne s'était pas trompé. J'ai eu raison d'engager cette fille. Ça diminue les dangers. »


Le représentant le plus redoutable du bureau français de la société d'enquête privée nord-américaine Truth Finder s'appelait Douglas Mac Corquedale. C'était un homme de petite taille, rond, portant un nœud papillon à pois rouges, chaussé de lunettes de forme rectangulaire, larges et épaisses, et dont les verres quasi opaques dissimulaient une partie du regard. Lorsqu'il ôtait les énormes bésicles, on découvrait des yeux pénétrants, dépourvus de toute chaleur. C'était un vrai tueur, il savait tout, il pouvait tout savoir, il coûtait une véritable fortune.

Au moyen d'une armée anonyme de techniciens en électronique, spécialistes du renseignement passés dans le privé, anciens militaires ou flics, anciens agents doubles ou jeunes recrues qu'il avait lui-même formés, informaticiens ou petits génies de l'écoute, de la surveillance, du décryptage et de la fabrication de faux documents, faux réseaux, faux faisceaux, fausses identités, filatures, chantages et retournements, il était capable de percer tous les secrets, traverser les murs les mieux gardés de n'importe quelle entreprise et mettre à nu la vie et les placards cachés des personnalités et patrons que leurs concurrents avaient décidé d'abattre.

Sa réputation était telle que l'on racontait une fable croustillante : deux des plus féroces rivaux de Paris avaient, sans le savoir, fait appel à ses services. Leurs offres étaient tellement juteuses que Mac Corquedale n'avait pas résisté au plaisir pervers de travailler pour les deux en même temps et avait donc envoyé deux équipes de limiers enquêter de chaque côté de ce duel. Si bien qu'une nuit, des agents vêtus de noir et de cagoules, gantés de feutre noir, s'étaient trouvés face à face devant les coffres voisins, dans la même chambre forte d'une des banques les mieux gardées de la ville, et avaient failli s'entredétruire. On avait vu sortir un Glock, un automatique Beretta O.T., un Sig Sauer P 229, les trois armes munies de réducteurs de son, mais l'un des agents avait juste à temps pu reconnaître, face à lui, la silhouette carrée d'un de ses collègues. Il avait pris le risque de baisser son arme, se décagouler et, visage découvert, avait hurlé :

— Déconnez pas, les gars, on travaille tous pour Corquedale !

Les hommes — ils étaient quatre — deux de chaque équipe — s'étaient démasqués, et, stupéfaits, avaient fini par en rire. Mac Corquedale, dans un élan d'honnêteté peu coutumier, décida quelques jours plus tard de tout révéler à ses deux clients rivaux qui se battaient pour l'obtention d'un groupe étranger. Il livra à chaque partie la totalité de sa double enquête. De façon curieuse, cet incident et le geste de l'investigateur en chef permit aux compétiteurs d'aboutir à un accord pour se partager la dépouille du groupe à cause duquel ils s'étaient entre-tués, avaient fait suivre femmes, maîtresses et enfants, fouiller poubelles et sacs de linge, analyser selles et urines recueillies dans les toilettes privées des bureaux, chambres d'hôtel et domiciles, et bousculer toutes les conventions du monde des affaires, ruinant ainsi au passage quelques bureaux de relations publiques, per-turbant des systèmes entiers de cours et de cercles de pouvoir. Mac Corquedale y avait encore gagné en sta-ture. Le petit homme au nœud papillon à pois rouges pouvait dorénavant non seulement jouer le rôle de celui à qui on ne peut rien cacher, mais encore celui d'une sorte d'arbitre, respecté des princes, des épiciers et des voyous   les trois catégories qui composent l'univers de l'argent

Aussi, lorsque Marcus Marcus demanda une investi-gation fouillée sur la personnalité d'Hélène Margolis, dite Margo, la réalisatrice qui l'avait réduit en poussière en l'espace d'une rencontre, Mac Corquedale eut-il un rire condescendant.

— C'est de la petite bière, monsieur Marcus.

— Ça ne fait rien, vous aurez tout l'argent que vous voudrez, je veux savoir pourquoi elle me déteste autant, ce qu'elle peut me reprocher, d'où ça peut venir.

— Mais je ne traite pas d'aussi menues affaires. C'est trop facile.

Le bonhomme avait longuement regardé Marcus avec une sympathie qui faisait oublier son habituelle rugosité. Il avait réfléchi, puis :

— Je vais faire une exception pour vous, parce que j'admire la cruauté de votre interrogatoire à la télévision. J'adore la façon dont vous dessoudez vos invités, quand vous parvenez à les dénuder. Ça me plaît assez. Nos métiers ne sont pas tellement éloignés l'un de l'autre. Et puis, vous êtes un homme très célèbre, un agent d'influence, ça n'est jamais indifférent. Je ferai ça pour vous, et gratuit.

— Il n'en est pas question. Je vous paierai les honoraires que vous exigerez.

— Non, je vous l'ai dit, je vous ferai ça à l'œil, peut-être qu'un jour, j'aurai besoin d'une faveur de votre part — pour un de mes clients.

— Si vous voulez.

Il n'avait pas fallu plus d'une quinzaine de jours pour que les limiers de Mac Corquedale lui fournissent un dossier complet sur Margo, sa vie, son enfance, ses habitudes, son statut fiscal, ses fréquentations.

— En vérité, il n'y a rien, dans l'exercice de son métier, qui puisse expliquer qu'elle vous en veuille. À aucun moment de sa carrière, depuis ses débuts comme assistante jusqu'à son statut actuel, ladite Margo n'a rencontré votre propre parcours. Il n'y a aucune raison cachée pour qu'elle vous ait, comment dites-vous, monsieur Marcus, « déstabilisé » ?

— Vous me surprenez. J'étais sûr qu'il y avait une raison, une erreur de ma part, quelque chose d'enfoui.

— Il n'y a rien, monsieur Marcus. Bien sûr il y a qu'il règne dans toute votre équipe, vous ne pouvez pas l'ignorer, un sentiment de peur. Vous humiliez, vous critiquez, votre comportement est considéré comme pervers. Vous avez fabriqué sans le savoir un véritable nid de haine autour de vous. Et même si les rapports d'experts qui étudient la prévention des risques psychosociaux à l'intérieur d'une chaîne comme la vôtre n'ont rien donné qui puissent vous nuire, n'oubliez pas que cela existe.

— Je vous en prie, tout ça, ce sont des balivernes, des ragots de gens jaloux.

— Écoutez, vous pourriez aussi vous demander si, tout simplement, votre propre personnalité n'a pas irrité Hélène Margolis.

Douglas Mac Corquedale avait gagné une telle importance dans le déroulement secret des jeux de pouvoir à Paris que, parfois, le détective avait tendance à jouer au psychologue. Ce petit génie de l'investigation, le plus efficace remueur de boue, le plus habile marchand de mystères, se surprenait à émettre des opinions, des sentences morales. On ne lui demandait pourtant que des faits. Mais puisque l'on peut toujours voir derrière les faits la trace d'un caractère, et déceler les vrais ressorts psychologiques, il lui arrivait d'ajouter à son seul renseignement une instruction d'ordre comportemental. Un jugement. «Au fond, pensait-il avec une certaine vanité, j'aurais pu faire un bon psychiatre.» Il s'en amusait et c'est ainsi qu'il interpella Marcus :

— Vous êtes-vous déjà demandé pourquoi l'on pouvait ne pas vous aimer ? Je ne parle même pas du petit personnel que vous rabaissez en permanence. Je parle des autres, ceux qui ne dépendent pas forcément de vous, ceux qui vous rencontrent. Les affinités, ça existe, bien sûr, mais le contraire aussi, les antipathies, et ça n'est pas rien non plus. D'ailleurs, qui a écrit qu'il n'y a rien de plus rapide qu'un sentiment d'antipathie ?

Marcus eut un grognement. Mac Corquedale continua :

— J'ai une grande admiration pour votre langue française. J'essaie de l'utiliser au mieux. Tenez, prenez l'expression : «Je ne peux pas le sentir.» Ça dit bien ce que ça veut dire : «sentir», on peut trouver toutes sortes de définitions à ce verbe, mais tout de même, il y a aussi la définition au premier degré. Elle n'a pas pu vous sentir. Vous renifler. Votre odeur l'aura révulsée. C'est comme les animaux. Il y a des odeurs contraires qui provoquent, sans raison aucune, agression et violence. Vous ne semblez pas d'accord avec moi ?

— Si, peut-être, maugréa Marcus.

Mac Corquedale ouvrit le dossier «Margo» qu'il avait jusqu'ici tenu sur ses genoux.

— Les mœurs de la jeune femme, vous les connaissez. Elle aime les femmes, même s'il lui est arrivé d'avoir une ou deux liaisons avec des hommes. Il semble qu'elle ne soit pas du tout avare de son corps. Encore jeune, elle s'est beaucoup donnée. Comme elle vous l'avait dit, je crois, elle s'est pacsée avec une dame un peu plus âgée qu'elle, la juge d'instruction Isabelle Champmartin. Vous trouverez tout ça dans le dossier. Il y a tous les noms de ses ex — hommes ou femmes. Il y a autre chose qui peut vous intéresser. Elle appartient au même club que votre Présidente, Liv Nielsen.

— Quoi ?

— Oui. Un club très fermé et peu connu, vous ne semblez pas réagir, vous le connaissez ? Exclusivement des femmes. Elles se réunissent une fois par mois. «La Sororie». Margo y a été admise il y a un an, personnellement parrainée par Liv Nielsen. Elle est pourtant jeune, la plus jeune de ce club — plutôt composé de quinqua ou sexagénaires, des femmes de poids. Eh bien, votre Présidente — c'est bien votre Présidente, n'est-ce pas, Liv Nielsen, l'Inductile ? — l'a fait coopter sans problème. Elle doit avoir de sacrées qualités, cette jeune femme, pour entrer comme ça dans un tel cercle.

Marcus s'écria :

— Eh bien, vous voyez, vous voyez bien qu'il y a quelque chose.

Mac Corquedale prit un air étonné.

— Mais, non, quel rapport ?

Mais Marcus Marcus ne l'écoutait plus. Les symptômes de sa paranoïa se bousculaient en lui. Son orgueil, sa méfiance, sa susceptibilité excessive, sa tendance à tout interpréter à l'aune de sa personne, son incapacité à juger autrui sans se référer au regard narcissique qu'il jetait en permanence dans son propre miroir avaient déclenché un orage de doutes, de questions et d'hypothèses. Liv Nielsen, qu'il avait longtemps crue son alliée, son plus fort soutien, utilisait-elle Margo pour le fragiliser ? L'avait-elle mise dans ses pattes pour cela ? Mais si oui, pourquoi ? À quelle fin ? Liv craignait-elle que, fort de son paquet d'actions et de sa réussite, Marcus veuille un jour prendre le pouvoir ? La détrôner en plein conseil d'administration ? Absurdités...

Il décida sur-le-champ, Mac Corquedale à peine parti, de convoquer Margo et de lui proposer de devenir sa réalisatrice. Jean-Ba était fatigué, il avait besoin de prendre du recul, Marcus avait été très impressionné par la performance de Margo aux manettes et aussi par la force de son caractère, son indépendance d'esprit lors de leur dialogue, « un peu animé, n'est-ce pas » — aussi voulait-il lui confier la mise en image de « Vous qui aimez la gloire » — qu'en pensait-elle ? Tout sucre, tout sourire, toute suavité et toute douceur, tout hydromel, Margo accepta. À peine eut-elle l'air surprise. Elle était enchantée et lui aussi. Il se félicita de ce qu'il croyait être un coup de maître. Il pensait à Lyndon Baines Johnson.

Lorsque, ayant succédé à John F. Kennedy, assassiné, le vice-président Johnson, devenu président des États-Unis, eut à choisir de renouveler ou pas le dangereux et légendaire patron du FBI, John Edgar Hoover, ses conseillers lui dirent :

— Débarrassez-vous de lui. Profitez de cette terrible tragédie pour nettoyer les écuries. Hoover est la pire des ordures, la plus fieffée saloperie de notre république.

À quoi, Johnson, après réflexion, avait répondu :

— Non, je le garde. Je préfère l'avoir pissant à l'intérieur de la tente qu'à l'extérieur, pissant sur la tente.

L. B. Johnson était l'une des idoles cachées de Marcus. Il adorait ses mots. Peu de gens se souviennent encore du grand politicien qui avait succédé à Kennedy. Le Texan, qui était mort beaucoup plus tard, neurasthénique, solitaire, dans son ranch, avec Lady Bird à ses côtés, avait des formules qui réjouissaient Marcus Marcus. Il en avait retenu quelques-unes :

*Méfiez-vous des hommes dont les yeux se rapprochent trop des narines.*

Ou encore :

*Le plus puissant des puissants ne pourra jamais faire qu'un crabe marche droit.*

Marcus Marcus ne savait pas si Margo n'était, après tout, qu'une petite arriviste rusée qui l'avait manipulé ou si, en l'incorporant dans son équipe, il parviendrait à la contrôler. Il chargea David de la surveiller de près. David et Margo s'entendirent à merveille. Ils avaient le même âge. Ils démontraient à Marcus qu'ils travaillaient pour lui, le grand homme, en toute loyauté et transparence. Marcus Marcus commença alors à lâcher un peu de son pouvoir de décision. Devant ces glissements de terrain psychologiques et ces associations inattendues, il laissait doucement s'effilocher une partie de ses attributions. Sans doute en était-il conscient, mais quelque chose en lui, quelque chose dans son corps qui commençait à le déranger, avait, depuis quelque temps, entamé sa résolution et les plaisirs de la domination. La vie lui faisait plus peur qu'autrefois. La petite Margo lui avait filé la trouille, il ignorait encore pourquoi. Dans le vide sidéral de sa vie intime, dépourvu de tout soutien familial, amical, sentimental, amoureux, il se réveillait chaque matin avec une sorte de peur, indicible, passagère, mais la peur, tout de même. Et il regardait chaque personne autour de lui comme une menace potentielle alors qu'auparavant cette même personne était une potentielle victime.

La vulnérabilité s'était emparée d'une partie de lui-même. Il était entré dans le premier cycle de l'acceptation de ses faiblesses.

Cependant, et présentement, dans l'ascenseur qui descend vers l'étage des infos, Marcus Marcus est envahi par de violentes décharges successives d'adré-naline, car l'anticipation de l'événement dont il va être l'acteur principal («je suis le dernier à avoir vu le Président Pervillard vivant et à avoir recueilli son ultime confession») efface toute forme de résignation, mélancolie ou lassitude qui avait pu récemment entamer sa confiance en lui-même.

D'un seul coup, l'action pure, le fait de se savoir, lui, Marcus Marcus, au centre de cette action, l'a emporté sur tout le reste. Balayé, le doute. Le «direct» comme antidote absolu à la dépréciation de soi. C'est sa drogue, son kif, sa dope, sa blanche, son crack, son sel et son pain, son endomorphine et sa vitamine C.

Alors, il pense : «J'aime ça. Je n'aime que ça. Et si je devais perdre ça, j'en mourrais. »

# 11

Quand David reconnut Caroline qui s'apprêtait à pénétrer sous le porche de la résidence de l'ambassade des États-Unis, rue du Faubourg-Saint-Honoré à Paris, il ressentit un petit coup à la poitrine, qui fut suivi aussitôt d'une idée opportuniste.

Elle était vêtue d'un tailleur droit, d'un tissu léger, bleu sombre, qui faisait ressortir l'éclat de sa chevelure et dont la jupe, étroitement coupée, dessinait la courbe de son dos, la cambrure de la taille, le galbe des hanches. Elle était parfaite. Elle semblait déterminée, à l'aise, familière des lieux et du système de sécurité d'entrée. Il la trouva ravissante et s'étonna de n'avoir pas pris l'initiative de la relancer après leur première rencontre ratée, rue de La Planche, à la fin du dîner chez les Gretzki. Il s'en voulut. Il eut une brève et claire pensée : « C'est la femme que j'attendais. »

Simultanément, il se dit : « Ça va me permettre de tricher. »

Car il était arrivé tard pour la traditionnelle réception du 4 Juillet à l'ambassade et il avait été contraint de s'aligner au bout de la longue file d'invités qui poireautaient en piétinements interminables. Attente frustrante, insupportable pour notre petite vanité. Stagner au milieu des autres, les gens anonymes. Être comme tout le monde. N'avoir pas bénéficié du privilège des privilégiés. N'avoir pas encore accès au passe-droit. Insatisfaction mesquine. Petitesse des ego. Il jaillit alors de la foule, contourna la file et parvint en plusieurs enjambées pressées à rejoindre Caroline en criant son nom. Elle se retourna, le reconnut à son tour, eut un sourire étonné. Il se rua vers elle, la prit dans ses bras en parlant suffisamment fort pour que, autour de lui, les autres invités soient dupes de son jeu :

— Ma chérie, pardon, je suis en retard, merci de m'avoir attendu !

Comme Caroline s'apprêtait à répondre par une phrase qui aurait pu le compromettre, David la retint dans ses bras, colla son corps au sien et l'embrassa sur la bouche pour la faire taire. Ce qui le surprit, c'est qu'elle lui rendit son baiser. Elle entrouvrit ses lèvres, il goûta sa langue, sur la pointe de la sienne, il découvrit une fraîcheur vivante et inconnue, il eut un début de forte érection. Elle se détacha de lui et chuchota :

— Décidément, vous êtes un voyou. Vous savez vraiment vous servir des gens.

— Pas du tout, pas du tout, dès que je vous ai vue, j'ai eu envie de vous parler. Irrésistible.

— Ben voyons !

Mais elle n'insista pas. Elle avait aussi senti le désir du jeune homme contre son ventre et elle avait éprouvé une sensation, une sorte de décharge à travers son propre corps. Elle sourit. Ils restaient figés, immobilisés l'un contre l'autre, comme paralysés par ce phénomène simultané.

C'était inédit et, en même temps, Caroline savait bien que ça ne l'était pas tout à fait. Cette brusque libération émotionnelle et érotique, elle ne l'avait pas connue depuis la fin de sa liaison avec Tom Portman. À la suite de la rupture qu'elle s'était évertuée à considérer comme effacée, qu'elle avait obstinément minimisée, blessure d'orgueil qu'elle avait voulu occulter, Caroline n'avait pu non seulement faire l'amour, mais même envisager de le faire.

Au cours d'une série de jobs transitoires, entretiens, ébauches de projets divers avec plusieurs amis ou relations, collaborations provisoires, coups de main amicaux, Caroline Soglio avait côtoyé de nombreux hommes — mariés, célibataires, divorcés, disponibles ou pas. Il y avait eu des dîners, des déjeuners, des *business breakfast* — expression qu'elle trouvait risible — des *meetings* — autre déformation inutile de la langue — et de multiples occasions au cours desquelles elle avait été approchée, courtisée, sollicitée. Elle était seule, séduisante, structurée, ils la croyaient prenable.

Elle avait connu les : « Qu'est-ce que vous faites plus tard après la réunion ? »

Les : « J'ai deux billets pour la dernière de Brendel demain soir, ça vous intéresse ? »

Les : « Je peux me permettre de vous dire que vous êtes très sexy ? »

Les : « Je ne comprends pas comment une femme comme vous n'a pas... »

Les : « Je vous ai beaucoup observée pendant l'entretien et... »

Les : « Vous savez que vous avez des yeux incroyables ? »

Et autres centaines de fadaises.

Elle avait entendu les expéditifs, les vulgaires, les connards, les moroses, les plats, les volubiles, les talentueux, les amoureux d'eux-mêmes, les malheureux en mariage, les rêveurs maladroits, les misogynes repentis et les misogynes triomphants. Elle avait connu des fins de semaine amères, des matins de tristesse, le recours pernicieux autant que salutaire au plaisir que seule à soi-même on peut se donner. Elle en avait développé sinon une aversion, du moins une attitude indifférente et amusée à l'égard des hommes. Baiser, baiser, ils voulaient tous plus ou moins la baiser. Elle s'apercevait qu'on pouvait vivre sans cela. Pourtant, même s'il ne réclamait rien, son corps était en attente, son corps autant que son cœur puisqu'elle avait la malchance

290

— ou la chance, c'est selon — d'appartenir à cette catégorie d'êtres qui ne conçoivent l'amour et le plaisir
d'aimer que s'il se conjugue à un sentiment et dépasse
la simple sensualité. À une certaine forme de symbiose.
Elle se savait en décalage avec sa propre génération,
elle se croyait démodée.

Il lui arrivait de lire avec un étonnement parfois
envieux, parfois méprisant, l'impressionnant volume
hebdomadaire ou mensuel que la presse la plus conve-
nable consacrait à l'art de la fellation, du cunnilingus, de
la pénétration anale, à l'échangisme, aux *sex toys*, aux
lubrifiants, au fétichisme, à l'amour à quatorze ans, à
soixante-dix-huit ans, à l'éclate à plusieurs, la foufoune
en folie et la bite turgescente, au saphisme, au triolisme,
au cuir et à ses dérivés, à la masturbation, à la jouissance érigée en règle morale, à l'orgasme en institution
nationale. *There is no business like sex business.* Qui ne
jouit pas n'est pas. Elle était consciente que, par-delà
cette commercialisation unanime du sexe, il aurait
peut-être fallu lire une traduction de la désespérance
d'un pays en proie à l'effroi du changement ou, ce qui
revient au même, un des multiples stratagèmes pour
chasser la peur de l'avenir, oublier l'invasion du créti-
nisme, la défaite à plate couture de la guerre du goût, et
tirer un trait (provisoire) sur les variétés d'apocalypse
que prédisaient les tenants de la « vérité qui dérange ».
Elle le savait, car elle était intelligente et elle avait fait
un compromis avec elle-même, puisque, malgré cette
vision de son époque, il demeurait en elle une réserve

d'espoir, la conviction que la vie doit être approchée comme une merveille, quoi qu'il arrive à soi ou aux autres. La vie comme un miracle de chaque jour.

La vie, précisément, elle l'avait vue s'effacer dans les yeux de son beau-frère, dont la leucémie n'avait connu aucune rémission. Il lui avait fallu s'occuper de sa grande sœur, qui, soudain, n'était plus très grande. Béatrice avait tenu bon pendant l'agonie de son mari, les derniers instants, la mort, l'incinération, les cérémonies de condoléances, les premiers lendemains de deuil véritable suivis de la lente mais inévitable dispersion, le desserrement du cercle et du clan familial — frères, sœurs, cousins, amis intimes, chacun et chacune retournant à des rythmes différents dans son propre quotidien — jusqu'aux enfants qui, tout autant accablés par le chagrin qu'ils aient pu être, se devaient, jeunes adultes mariés et déjà parents, de se consacrer à leur progéniture. On peut toujours se préparer à la disparition de celui ou celle qu'on aime, ça ne se passe jamais, après, comme on l'a envisagé. Et rien ne dispose votre esprit au choc de la chambre vide, de l'espace nu, du geste de main qui manque, du dialogue qui ne sera plus établi, de la perte des minces et invisibles membranes qui communiquaient souvent en silence et qui vous sont comme arrachées, desquamées. On peut toujours essayer de comprendre, on ne peut pas le concevoir à l'avance, et une fois que la déchirure s'est produite, savoir que l'on n'a plus rien à attendre n'ouvre pas forcément la porte à la sérénité.

Caroline, presque seule, avait alors aidé et accompagné, écouté et conseillé Béatrice. Un soir, après que, sous les yeux d'une amie de passage, une amie de sa sœur, Sylviane, elle eut littéralement bordé Béatrice dans son lit, non sans lui avoir fait avaler la dose nécessaire de Tercian, Sylviane la prit à l'écart et s'adressa à elle :

— Caroline, vous gagnez votre vie comment, en ce moment ?

— Des petits jobs, des trucs par-ci par-là, dans la com, la pub, la mode, rien de passionnant, pourquoi ?

— Parce que, en vous observant au chevet de Béa, je me suis dit que vous feriez une coach formidable. Je peux vous aider, si vous voulez.

Sylviane Carvalhal était une grande femme rousse d'une cinquantaine d'années, au visage parcheminé, aux seins lourds. Elle respirait l'autorité. Il y avait, dans sa dégaine, cette forme de supériorité bon enfant que vous donne une intuition immédiate des autres. Son entregent l'avait amenée à créer une petite société de recrutement, de formation puis de placement, de coaches en tout genre. À la façon des chasseurs de têtes ou des agents d'artistes, elle prenait un pourcentage sur les cachets récoltés par ses recrues. Sa réputation dans Paris était excellente. Elle était recherchée, courtisée, son chiffre d'affaires toujours en progression.

— C'est pas un métier ça, coach, répondit Caroline.

Sylviane eut un rire un peu cynique, avantageux.

— Détrompez-vous. C'est le grand truc. Tout le

monde a besoin d'être coaché. Les gens sont complètement paumés. On les a tellement abreuvés d'infos, on les a tellement bombardés d'images, ils ont perdu leurs repères. L'instinct d'imitation et le manque de courage gouvernent les hommes comme les femmes. Ils ne savent rien parce qu'ils en savent trop. Comment choisir, comment décider, qu'est-ce que je fais pour décorer une maison, organiser un jardin, ou même faire pousser des plantes sur un balcon. Et ma grand-mère qui est malade, et mon garçon qui ne fait plus rien en classe, je crois qu'il s'est mis au cannabis, et mon métier, au bureau, avec des collègues qui refusent de m'intégrer, et mon couple qui fout le camp, et ma robe pour aller chez les machins, et d'ailleurs, est-ce que je dois mettre une robe, et d'ailleurs, est-ce que je dois aller chez les machins ? Et ma femme qui refuse de me faire l'amour, et mon boss qui m'humilie devant les collègues, et où je vais envoyer les kids en camp d'été, et qu'est-ce que je fais de tous ces livres d'art que j'ai hérités de mon oncle, et où je vais, et d'où je viens, et qui je suis ? Aidez-moi, coachez-moi, faites-moi une vie ! Ils veulent tous être coachés, les gens. Il y a un coach pour tout. Y a même des coaches pour coacher les autres coaches qui commencent à plus supporter les gens qu'ils ont coachés trop longtemps.

Caroline l'interrompit :

— D'accord, mais précisez-moi, tout de même, quelque chose que je ne comprends pas. Vous dites,

« les gens ». Mais c'est qui, « les gens » ? C'est quelle catégorie de la population ?

Sylviane la regarda. Sa voix baissa d'un ton.

— Vous savez, je ne suis pas plus aveugle ou sourde qu'une autre. Il est bien évident que l'on ne va pas réclamer des coaches dans les cités à risques, les camps de Roms de la banlieue est, les chômeurs de l'industrie textile, les centres de rétention des immigrés illégaux, les veuves des suicidés de la gendarmerie ou de la police, les marins bretons sous-payés, les esclaves philippins qu'on maltraite dans les suites des princes arabes de l'avenue Foch.

— Oui, bien sûr.

— Bien sûr, Caroline, bien sûr. Que voulez-vous, je ne suis pas faite pour coacher la misère du monde. Nous sommes d'accord que le besoin de coaching n'est qu'un épiphénomène d'une partie de notre société. Il s'agit de la moyenne, la *middle class*, la sous ou la sur-bobo population, mais ça fait du monde, tout de même, ça fait des sous. Ça fait un business. Je n'en ai pas honte. Et puis, figurez-vous qu'il y a coaching et coaching.

— C'est-à-dire ?

— Ah, vous voyez, là, je commence à vous intéresser.

— C'est vrai.

— Eh bien, moi, par exemple, je me réserve le coaching des gens les plus importants, les plus sérieux, les plus puissants, parfois les plus célèbres. Et donc, les plus passionnants. Ils ont abandonné la voyance et l'astrologie — ça marche moins bien, ces trucs-là, en ce moment. Ils se méfient des psys. Mais un coach intelligent, fin, renseigné, psychologue et détaché des choses, si possible une femme, c'est attractif. Ça soulage, ça repose, ça vous aide. Si je vous disais qui je coache en ce moment, vous ne me croiriez pas. C'est du top niveau. *First Class*, *red carpet*, *five stars*, et même un peu plus.

Soudain, Caroline la trouva vulgaire, à l'énoncé de cette dernière phrase, mais Sylviane Carvalhal était trop subtile pour ne pas déceler dans le regard de Caroline sa réaction critique. Aussi corrigea-t-elle sans attendre :

— Pardon, je sais que j'emploie un langage un peu commun et vous méritez mieux, et je vaux mieux que ça, ne vous y trompez pas. Il m'arrive simplement de laisser mon enthousiasme l'emporter sur la bienséance. Vous savez, c'est comme en art. L'enthousiasme est parfois le premier critérium du talent.

— C'est curieux, fit Caroline, vous êtes une drôle de femme. Il vous arrive de proférer de jolis aphorismes au milieu de tant de formules faciles.

— Par exemple ?

— Eh bien, celui-ci, sur l'enthousiasme. Et puis tout à l'heure, quand vous m'avez donné votre définition de ce qui gouverne les hommes et les femmes : « le manque de courage et l'instinct d'imitation ». C'était bien cela, non ?

Sylviane lui prit les deux mains avec effusion, fébrilité, ses bracelets, qu'elle avait nombreux à ses deux forts poignets, faisaient un son de clochettes de montagne :

— Mais vous êtes sensationnelle — mémoire, acuité intellectuelle, lucidité ! Vous avez tout pour faire une grande coach. En plus, vous êtes ravissante. Je vais vous faire gagner de l'argent. Laissez-moi vos points de chute. Je ne vous contacterai que pour un cas vraiment intéressant.

Quelque temps plus tard, Caroline recevait un court e-mail de Sylviane Carvalhal :

« Appelez-moi. J'ai un gros poisson pour vous. »

Elle hésita, mais elle naviguait entre plusieurs missions aussi dénuées d'intérêt les unes que les autres. Et puis, Sylviane l'avait intriguée. Et puis, les leçons récentes de sa vie — rupture avec Tom, mort de son beau-frère, papillonnage à travers de nombreux milieux et métiers — lui avaient appris que pour guérir d'un événement malheureux, il n'est besoin que d'une décision. Sans le savoir, Caroline avait franchi un pas, en sagacité comme en audace. Il lui arrivait ce qui peut survenir de mieux à un être encore dépourvu de chaînes : elle estimait qu'elle n'avait, dans toute action qu'elle pouvait entreprendre, strictement rien à perdre. Seul, l'amour lui manquait — mais c'était aussi pour cette raison qu'elle était prête à n'importe quelle nouvelle expérience d'ordre professionnel.

Elle appela Sylviane.

— J'ai un gros poisson pour vous, répéta Sylviane.

— Dites toujours.

— Il s'agit de l'épouse du nouvel ambassadeur des États-Unis en France. Rien que ça! Elle a grandement besoin d'une coach. Elle attend votre appel.

Tea Stadler.

Paris et la France, les Parisiens et les Parisiennes, les Français et les Françaises, elle ne savait comment s'y prendre. Elle avait été une des reines de la haute société de San Francisco, et elle avait cru que ce serait facile, *smooth*, et qu'il suffirait, le pouvoir et le prestige aidant — quel beau poste et quelle belle aventure pour elle et son mari! —, de transposer à Paris ce qu'elle avait si bien su manier, toute sa vie durant, en Californie.

Mais elle n'y comprenait rien. Elle se sentait provinciale, plouc, étrangère aux mœurs, aux rites, aux codes, à l'esprit, à la culture d'un autre univers. Exclue. Certes, la fonction de son mari, les avantages qui y étaient attachés lui permettaient d'avoir accès à toutes les strates de la ville, mais elle se trouvait comme le bouvreuil qui se heurte à la vitre et dont les ailes reproduisent des petits bruits et des petits mouvements affolés.

Tea Stadler, dès son arrivée, avait commis toutes les erreurs possibles et imaginables. Elle avait renvoyé le staff entier qui s'était occupé de celle qui l'avait précédée. Sa maniaquerie légendaire, son perfectionnisme maladif avaient fait de gros dégâts, et lorsque ce n'était pas elle qui virait les employés, c'étaient eux qui souhaitaient démissionner. Comme elle n'était pas bête, même si la fierté chez elle l'emportait parfois sur le raisonnement, elle avait vite rectifié son comportement. Mais il faut, en toutes choses, du temps pour réparer un début catastrophique. Elle se reposait beaucoup sur Maria qui, étrangement, et cela ne manquait pas d'irriter, voire de vexer Tea, semblait s'adapter aisément dans cette nouvelle existence. Ainsi Maria apprenait l'usage du français avec une rapidité qui stupéfiait l'entourage de l'ambassade. Mais Maria était incapable de seconder Tea Stadler dans sa vie mondaine, ses choix vestimentaires ou sociaux, ses sorties, ses activités officielles. Maria s'occupait avant toute chose des enfants — et leur intégration prenait du temps.

Le charme de Tea, ses yeux noisette, le blond cendré de ses cheveux, la finesse pointue de son visage, avait cependant bientôt contribué à lui valoir quelques compliments et quelques ouvertures, la naissance de quelques relations. On trouve toujours une cour lorsqu'on devient roi. Elle possédait un autre atout. C'était une Américaine — c'est-à-dire qu'elle ne renonçait à rien, avait pour credo que l'action n'est pas antinomique de la réflexion, et avait fait sienne la philosophie de cet expert militaire américain qui, à la veille d'envahir l'Irak de Saddam Hussein, à la question : « Que ferez-vous le deuxième jour ? » avait répondu : « *We try – We fail – We fix* », « On essaie, on échoue, on répare ». Dans le cadre de l'Irak, si les deux premières parties de la proposition avaient en effet été appliquées à la lettre — on essaie et on échoue — on ne peut pas franchement dire que le troisième axiome — on répare — avait été entièrement respecté jusqu'ici. Mais Tea n'était pas un général en proie à la guerre. Et elle tentait avec ardeur, frénésie, parfois hystérie, de « fixer » les choses. Ce qui la mettait dans un état d'extrême tension nerveuse, et cela se voyait trop.

— Elle est plutôt bien, finalement, la nouvelle Mme Ambassadeur, murmuraient les gens du monde, mais dites donc, c'est Mme Stress, cette femme. Elle se ronge les peaux, c'est pas croyable. Vous avez vu ses ongles ? Et puis, entre nous, il faudrait qu'elle apprenne à s'habiller.

Comme, dans sa vie en Californie du Nord, Tea avait elle-même été au « centre du monde », elle avait tellement pris l'habitude qu'on la recherche que toutes celles ou ceux qui, à Paris, la fuyaient ou l'ignoraient lui semblaient les plus dignes d'attention. Elle avait été une snob, ce qui est une maladie, mais suffisamment localisée pour que cela ne gâte pas entièrement une âme et, désormais, elle poursuivait les snobs qui, le sachant, la dédaignaient. Cela ne pouvait pas durer.

— Qu'est-ce que vous voulez que je vous dise, confia-t-elle à Caroline, lors de leur première rencontre qui dura tout un après-midi. J'y arriverai, ne serait-ce que parce que les snobs ne peuvent pas tout le temps dire non à l'apparat d'une ambassade aussi importante que la nôtre. Mais il est nécessaire que vous m'aidiez. Il me faut des clés.

Elle avait énuméré tout ce dont elle avait besoin, ce qu'elle ne parvenait pas à saisir, et ceci avec une franchise désarmante mais logique puisqu'elle payait Caroline. Elle pouvait tout lui dire, ce qu'elle n'aurait osé faire face à une femme d'homme politique, de chef d'entreprise, ou de directeur d'opéra. Un coach, c'était bien pratique, c'était comme un docteur. On pouvait lui confier son intimité, il vous livrait un diagnostic, vous vous affranchissiez de ses honoraires, les choses étaient sans équivoque. C'était un deal, ça correspondait bien à la culture du pays natal de Tea.

— Vous avez tout de même parlé avec les responsables du protocole, non ? avait dit Caroline.

— Oui, mais ce n'est pas eux, elle ou lui, qui vont me dire ce que je dois porter, où je dois faire mes déjeuners de femmes, et qui est la maîtresse de qui et l'amant de qui d'autre. Je veux comprendre les gens, ce qui fait rire dans cette ville. Je veux savoir dans quelle direction je dois me propulser pour faire quelque chose d'utile et de spectaculaire. Du caritatif, comme je le faisais à San Francisco. Mais je ne veux pas faire d'erreurs et marcher sur le gazon d'une autre. J'ai besoin que l'on me dise à quelle occasion je peux mettre mon ensemble parme sans passer pour une parvenue de l'Oklahoma ou du Texas. J'ai besoin de perdre mon accent et je veux savoir pourquoi vous accordez tous autant d'importance à la « rentrée ». On ne me parle que de ça, en ce moment. Et ça veut dire quoi, la rentrée ? J'ai besoin que l'on m'explique tout cela, pourquoi on brûle des voitures tous les soirs dans vos villes, et pourquoi ça n'a pas l'air d'inquiéter qui que ce soit ? Et puis, et surtout, surtout ! j'ai besoin qu'on m'explique les Françaises, Caroline ! Je ne les comprends pas ! Elles ont quelque chose que je ne peux pas percer. Il y a un mystère des femmes françaises, j'ai besoin de le connaître. Et les hommes, dites-moi pourquoi ils sont comme ça, les Français ?

Caroline souriait sans rire, elle écoutait Tea et se disait que ce ne serait pas très difficile.

— Comment « ils sont comme ça », les Français ?

— Eh bien, pourquoi, au cours d'un dîner, je m'aperçois que je n'arrive pas à les intéresser à ma conversation. Ils sont très polis avec moi, mais ce que je leur dis ne les intéresse absolument pas ! *Why ?*

— Ce n'est pas aussi difficile que vous le croyez, madame.

— Appelez-moi Tea, à partir de maintenant.

— Très bien, Tea. Vous savez, ce n'est pas très difficile. Ne surestimez pas les hommes que vous et votre mari recevrez à dîner, à déjeuner, ou que vous rencontrerez dans d'autres circonstances. Ils sont certainement compétents, réussis, cultivés, mais aussi et souvent, ce sont des puits de vanité. Parlez-leur d'eux-mêmes. C'est tout ce qui les intéresse. Eux ! S'ils sont beaux, dites-leur qu'ils sont intelligents, et s'ils sont intelligents, dites-leur qu'ils sont beaux.

Tea Stadler déploya son corps sur le canapé du salon dans lequel cette première séance de coaching avait lieu. Elle exprima un soupir de contentement, comme si, d'une seule phrase, Caroline l'avait délivrée d'un poids. Elle allongea ses jambes, remua ses hanches.

— Ah, dit-elle en soupirant, comme c'est vrai. Alors, c'est tout à fait comme chez nous ?

— Bien évidemment, mais c'est tout de même différent et plus sophistiqué, si je puis me permettre. En France, une bonne partie du mal des gens intelligents vient de leur intelligence. C'est à vous de découvrir leur mal.

Tea lui prit les deux mains et voulut l'embrasser.

— Caroline, vous êtes fabuleuse, vous serez mon *fixer*, n'est-ce pas ? Vous le serez !

Alors, en utilisant le volumineux carnet d'adresses qu'elle s'était créé chez Portman et en faisant appel à ses amis, au couple des Gretzki entre autres, avec leur propre réseau, en manipulant avec cette vivacité efficace qui faisait sa qualité principale, et en y prenant un plaisir d'autant plus aigu qu'elle trouvait cela divertissant, Caroline commença le coaching de Tea Stadler et devint, en peu de temps, une familière de la résidence. Certes, il fallait parfois qu'elle établisse quelque distance entre Tea et elle, tant la femme de l'ambassadeur s'était habituée à solliciter son avis sur tout — la faisant passer du rôle de coach à celui de confidente. Il n'y avait pas un membre de la résidence qui ne connaisse Caroline, son allure, son sourire, l'élégance de sa démarche et la courtoisie de ses gestes.

Ce qui explique aisément pourquoi, alors que Caroline était paralysée par le désir qu'elle éprouvait pour David, lui-même embarrassé par la réalité de sa pulsion sexuelle, le couple Caroline-David, immobilisé devant le porche d'entrée de la rue du Faubourg-Saint-Honoré, fut traité avec délicatesse par le personnel de sécurité. On ne bouscule pas comme ça celle qui passe pour la confidente privilégiée de l'ambassadrice.

Mais un membre nouveau du service de sécurité, qui n'avait jamais vu Caroline, un petit latino en costume noir, se crut obligé d'intervenir :

— Madame, monsieur, vous êtes ensemble ?

— Certainement, répondit David.

— Alors, merci d'avancer sous le porche, vous bloquez les autres invités. Merci de sortir votre bristol et vos pièces d'identité.

Une fois franchis les différents contrôles, ils se rapprochèrent l'un de l'autre, comme un couple déjà formé, déjà habitué à marcher presque en mesure, dans cette sorte de rythme naturel acquis au long des années. Il lui prit la main et ressentit une poussée de désir encore plus intense. Elle le regarda. Ils étaient au pied des quelques marches qui conduisaient à la première salle de réception de la résidence. Le soleil aveugla Caroline un court instant, le temps de percevoir qu'un sentiment équivalent à celui qu'éprouvait David était en train de la gagner. Elle avait envie de lui, mais refusait encore de l'admettre. Elle s'arrêta à la dernière marche. Par réflexe de méfiance ou peur de l'impromptu, elle voulut user du sarcasme.

— Qu'est-ce que vous auriez fait si vous ne m'aviez pas vue à l'entrée ? Vous auriez embrassé une autre femme, une inconnue, pourquoi pas ? Vous en êtes capable.

— Je ne pense pas, non. J'aurais fini par partir, je déteste ce genre de trucs, ces clampins qui piétinent. La question n'est pas là, l'important, c'est qu'on se soit retrouvés. Il y a si longtemps que je vous attends.

— Vous mentez.

Il n'allait tout de même pas jouer aussi facilement avec elle. Elle le regardait, et comme il était redescendu de deux marches, elle pouvait presque le toiser.

— Vous pouviez m'appeler n'importe quand, depuis le dîner chez les Gretzki. Vous ne l'avez pas fait.

— Vous avez raison, dit David. J'ai eu tort. J'ai été stupide. Car je pensais souvent à vous. Mais j'ai pas osé. J'ai du mal avec les femmes.

Elle rit.

— Arrêtez encore, s'il vous plaît, ça va. Vous êtes trop habile.

— Je vous en prie, à quoi ça rime, tout ça. Vous n'avez donc pas compris ce qui m'arrive avec vous.

— Si, mais ça m'angoisse un peu.

— Eh bien, moi aussi, figurez-vous.

Elle revint vers lui, lui reprit la main, et ils entrèrent dans le grand hall. Un jeune chargé de mission aux cheveux roux, le petit drapeau étoilé en acier fiché au revers gauche de sa veste, se précipita à sa rencontre.

— Ah, bonjour Caroline, comment allez-vous ?

— Bien, et vous, Brian ?

— Très bien. Mme l'ambassadrice voudra certainement vous voir en tête à tête avant le discours de son mari. Pour l'instant, elle est en train de recevoir les invités avec lui dans le troisième salon. Je vais vous faire passer par là pour vous éviter d'attendre avec les autres.

David la regarda, ébahi :

— Qu'est-ce qui se passe, ici ? Vous avez vos entrées ?

— On peut dire ça comme ça, oui.

Ça ne déplaisait pas à Caroline de démontrer à David qu'à sa manière, elle disposait d'une sorte de pouvoir à l'intérieur du prestigieux hôtel particulier. Ils empruntèrent un étroit corridor pour suivre Brian, et ses cheveux roux, oubliant ainsi tous les invités du 4 Juillet. Au bout du corridor, ils se retrouvèrent dans un lieu encore plus exigu, mal éclairé. Ils furent une nouvelle fois pressés l'un contre l'autre. Brian leur dit :

— Attendez-moi, je préviens M. et Mme Stadler. Ne bougez pas.

Il les abandonna dans l'obscur espace, entre deux portes capitonnées. Ils étaient ventre contre ventre. Elle était collée à son corps, elle pouvait sentir le raidissement du sexe de David à travers le tissu. Il chuchota :

— Désolé, vous me faites trop bander, je sais que c'est

trivial de vous dire ça comme ça, mais je suis en train de vous le dire, j'ai trop envie de vous.

— Moi aussi, dit-elle. Je ne sais pas quoi faire.

Il eut un rire étouffé.

— Si seulement j'étais sûr que le petit assistant ne revienne pas trop vite, je vous prendrais là, tout de suite, debout.

— Vas-y, dit-elle, fais-le, baise-moi, baise-moi, ne reconnaissant pas le son de sa propre voix, bousculée qu'elle était par l'impérieux besoin d'être prise, méprisant toute convention, toute prudence, incapable de brider ses instincts, indécemment libre.

Alors il l'embrassa, une main tenant sa nuque, l'autre autour de sa taille, plaquée dans le bas de son dos, les doigts tentant de dégrafer sa jupe. Ils étaient pris d'une telle fébrilité que leurs bouches se cherchèrent furtivement et la maladresse de leur baiser fit que leurs dents se choquèrent. Elle eut mal. Elle se détacha de son étreinte. La porte s'ouvrit. Brian toussait, embarrassé :

— Excusez-moi. Excusez-moi. Mais M. l'ambassadeur vous attend.

Ils émergèrent du corridor, Caroline en tête. Elle ajustait sa veste, la jupe de son tailleur. Elle présenta David à Edwin Stadler qui les salua avec ce calme patricien, bienveillant, cette haute contenance, non hautaine, qui lui avait permis d'endosser avec naturel le costume d'ambassadeur en moins de vingt-quatre heures, dès son arrivée à Paris, contrairement à son épouse, la nerveuse et faillible Tea. Celle-ci embrassa Caroline sur les deux joues.

— Vous me semblez fiévreuse, *my dear*, vous n'êtes pas malade ?

— Pas du tout, Tea. Nous nous voyons plus tard, n'est-ce pas ?

— Oui, mais vous êtes bien sûre que ça va ? Allez donc boire un rafraîchissement à l'un de nos buffets. Brian va vous y conduire.

— Merci, tout va bien.

Elle prit David par la main et ils s'éloignèrent péniblement au milieu des invités qui pullulaient. Il n'y avait jamais eu autant de monde. C'était la première grande réception donnée par le nouvel ambassadeur mais David et Caroline n'en avaient rien à faire. L'obsession érotique de leur désir conjugué les empêchait de réfléchir à quoi que ce soit. Au sein de cette foule, on aurait pu les prendre pour deux zombies, éberlués, paumés, l'air vaguement hanté.

— Qu'est-ce qu'on fait maintenant, dit David.

— Taisez-vous, lui dit-elle.

Caroline crut avoir retrouvé une partie de sa composition, un semblant d'ordre intérieur dû, peut-être, au regard intrigué que lui avait lancé Tea. Mais il demeurait en elle cette avidité et comme un émerveillement narcissique sous l'empire de cette sensation qui contractait son bas-ventre, cette évidence heureuse d'être à nouveau et enfin animée par le désir, la fringale, l'urgence de l'amour physique. C'était délicieux, mais c'était insupportable, et elle connut un éblouissement, un court vertige.

— Je dois m'asseoir tout de suite, dit-elle.

David lui demanda :

— Ça ne va pas ?

— Éloignez-vous, je vous en prie, partez plus loin. Oubliez-moi, oublions-nous un peu tous les deux, cette situation est impossible.

Elle pensa que plus elle s'écarterait de lui, plus elle pourrait calmer le jeu, se calmer. Elle trouva refuge dans le coin d'un vaste canapé mou, beige rosé, situé dans le second salon, moins fréquenté parce qu'une grande partie des gens avait choisi de se disperser dans les jardins. Il faisait beau et frais, elle entrevit, par l'ouverture d'une des portes vitrées, une brusque envolée d'oiseaux au-dessus des rangées d'hortensias. Étaient-ce des mouettes ? Depuis quelque temps, déjà, elle avait remarqué la présence de mouettes au-dessus des toits de son quartier, près de Saint-Augustin. Leurs cris violents, disgracieux, la réveillaient le matin et elle n'aimait pas cela, elle y voyait un signe de dérèglement. Des mouettes dans Paris, pourquoi ? Cette courte incidente dans le vide de sa pensée lui permit d'oublier un instant l'état dans lequel l'avait mise son contact avec David. Elle ferma les yeux. Elle se disait :

« C'est bien. Sois stupide. Sois conne. Oublie ta libido. Concentre-toi sur l'image des mouettes. Qu'est-ce qu'elles foutent là-haut, perchées sur les cheminées et les gouttières ? Il y en a une qui a le bec plus jaune que les autres, on dirait presque un goéland, plus gros. C'est elle qui gueule le plus fort. Est-ce qu'elle appelle les autres, est-ce qu'au contraire elle veut les repousser ? D'où viennent-elles, elles ont dû redescendre le long de la Seine, depuis la mer, elles doivent chercher de la nourriture à bouffer, il n'y a plus rien sur les côtes. Ça doit avoir un rapport avec les changements de climat. Elles ont chassé les moineaux, les hirondelles, les mésanges et les pinsons que je n'entends plus chanter autour du petit square Marcel-Pagnol. C'est malsain. Il devrait y avoir quelque chose dans les journaux là-dessus, mais c'est marrant, personne n'en parle. Personne ne semble se préoccuper de la présence accrue de mouettes dans Paris, c'est tout de même extraordinaire ! »

Ce petit délire mental la conduisit à se moquer d'elle-même, à prendre du recul. Elle s'était voulue bécassine, indifférente, s'autoparodiant. Satisfaite d'avoir enfin été capable de penser à autre chose qu'au sexe gonflé de David contre son ventre et à sa propre convulsion intime, Caroline ouvrit les yeux. David avait disparu. En déplaçant ses regards vers la droite, elle put saisir son propre reflet dans un miroir vertical.

« Regarde-toi, pensa-t-elle, ma pauvre fille, tu as l'air d'être passée sous un train. »

Le miroir, en réalité, renvoyait le spectacle d'une femme de trente ans, assise, jambes légèrement écartées, son chemisier de soie moulant sa poitrine, les cheveux tombant sur son front en mèches, le visage un peu creusé comme si elle avait faim, les lèvres ouvertes comme si elle avait soif, une pure figure de sensualité encore secouée par ce qui venait de lui arriver et anxieuse de retrouver l'homme qui l'avait ainsi métamorphosée. Elle décida que, tout compte fait, elle s'aimait plus que de coutume, elle aimait cette image dans le miroir. David arrivait, deux verres remplis de mint-julep à la main, les glaçons débordaient, il se courba pour s'asseoir sur le bras du canapé.

— Tenez, dit-il, buvez, c'est frais. Comment vous sentez-vous ?

Elle pivota et le regarda. Il y avait une lueur espiègle dans ses yeux.

— Des mouettes en plein Paris, vous trouvez ça normal, vous ?

— Ah non, c'est pas du tout normal, pas du tout ! Ça mérite une très sérieuse investigation.

Ils rirent. Elle devina qu'ils pourraient devenir des complices autant que des amants et que s'il avait répondu d'une façon plus niaise et plus conforme, faisant l'étonné, le « de quoi donc me parlez-vous », elle n'aurait pas eu la même envie de lui — ce désir qui la reprenait à nouveau mais d'une manière plus apaisante, plus patiente. Elle posa sa main sur l'avant-bras de David, dans un geste presque maternel.

— Je vais vous dire ce qu'on va faire, lui dit-elle. On va se livrer à un ou deux rites obligatoires dans ce genre de cérémonie — je dois parler quelques minutes avec la femme de l'ambassadeur, vous nous attendrez dehors avec les gens. Et puis, on va partir d'ici, vitesse grand V, pour aller faire l'amour.

— Dans l'heure qui vient, si possible, répliqua-t-il.

Elle retira la main de l'avant-bras du jeune homme. Elle s'étonnait à peine d'avoir pris l'initiative, d'avoir fait sa proposition avec cette autorité, saisi, en quelque sorte, les cartes du jeu dans sa main. La réponse de David lui avait plu, même si ni lui ni elle, à ce moment précis de l'amorce de ce qui allait devenir leur relation, ne pouvait prédire que ce premier signal indiquait peut-être déjà lequel serait l'enclume, lequel serait le marteau.

C'est alors qu'ils aperçurent Maria qui se dirigeait vers eux.

# 12

La vraie beauté a quelque chose de si particulier et si nouveau qu'on a du mal à la reconnaître et à l'identifier comme telle.

Aussi, la première fois que David, Caroline et Marcus Marcus virent Maria, ne purent-ils trouver les mots qui convenaient pour définir l'effet qu'elle leur faisait. Il est vrai que l'événement ne fut pas simultané, et que chacun, dans des circonstances différentes, la vit à travers un prisme différent.

Caroline Soglio fut la première à rencontrer Maria Wazarzaski et, d'emblée, elle fut séduite et intriguée.

Elle avait reçu un appel de Tea, le matin même.

— Chère Caroline, j'ai besoin de votre conseil. Nous sommes invités à une réception demain soir chez les Severaguais. Les services de mon mari ont accepté, je ne sais pourquoi.

— Ils ont eu raison, Tea. C'est une des grandes réceptions de l'année, le dîner incontournable. Il y a tout le monde.

— Précisément, Caro, qui est « tout le monde » ?

— Tous les gens insignifiants et tous les gens signifiants.

— Je ne comprends pas ce que vous voulez dire. Vous voyez, encore un bon exemple. Je ne comprends pas vos subtilités françaises.

— Mais si, Tea, vous comprenez très bien, ce n'est pas différent de la Californie. Il y aura de la finance, du média, de la politique, de l'art, de l'édition, de la médecine, de l'argent et du pouvoir. De l'argent propre et de l'argent sale, du pouvoir apparent et du pouvoir réel. Ça, c'est les signifiants. Et puis il y aura des snobs, d'ex-cover-girls reconverties en comtesses, des courtisans, des imposteurs, des fausses valeurs, des laissés-pour-compte mais qui s'accrochent encore et des *has been* qui peuvent toujours faire un *come-back*, et puis des vrais *has been* qui ne feront plus de *come-back*, mais à qui l'on doit, selon leur passé et leur palmarès, respect et reconnaissance, voire considération. Ce sont les moins signifiants et les insignifiants. Vous comprenez ?

— Évidemment !

— Alors ce qu'il faut bien voir, Tea, c'est qu'une bonne partie des gens que vous rencontrerez — on vous placera forcément à la meilleure table — ont l'esprit tellement agité par ce qui va se passer dans l'heure, par l'événement qui vient, que vous risquez de les croire superficiels alors qu'ils ne le sont pas obligatoirement.

— Oui, fit Tea, ça je connais, c'est ce que l'on appelle chez nous l'*attention span*. Mais venez quand même à la résidence cet après-midi, si possible vers 16 heures, j'ai besoin de choisir ma tenue. Je compte sur vous ?

— Vous pouvez compter sur moi. Je serai là.


À la suite du premier tête-à-tête entre Caroline et la femme de l'ambassadeur, la patronne de « Coach and Coaching », Sylviane Carvalhal, avait tenu à rédiger elle-même les termes du contrat de coaching. Ils étaient drastiques, détaillés, Caroline les avait jugés trop exigeants, mais Sylviane avait dit :

— Nous n'avons rien à perdre. Elle sera d'accord. Vous lui avez tapé dans l'œil au cours de votre fameuse première rencontre. Elle ne peut pas attendre. Et puis, je suis sûre que cela ne la dérange en rien. C'est une Américaine. Je vous fiche mon billet qu'elle a mis beaucoup plus de temps à établir son contrat de mariage incluant toutes les clauses, conséquences, et compensations d'un divorce éventuel, qu'elle ne le fera à signer notre malheureux petit papier.

Sylviane continua :

— Les Américains adorent les contrats. C'est la civilisation du commerce et de l'échange, le paradis des avocats et des lobbyistes, c'est dans leur culture. Ça les rassure.

Caroline :

— Vous connaissez bien les Américains ?

— Non, on ne connaît personne, vraiment. Mais enfin, je les ai beaucoup pratiqués dans une autre vie.

Le contrat stipulait que Caroline Soglio coacherait Mme Stadler de façon exclusive, c'est-à-dire que, pendant toute la durée (minimum un an, renouvelable par tacite reconduction) du coaching, Mme Soglio ne pourrait prodiguer ses conseils à aucune autre personnalité « du même statut social ». Il était établi une base forfaitaire de trois séances d'une durée indéterminée par semaine, dans les locaux de la résidence ou un autre lieu du choix de la cliente, les consultations téléphoniques imprévues étaient gratuites, à condition de ne pas excéder une heure par jour. En revanche, si pour une raison quelconque, la coach était sollicitée pour un entretien supplémentaire, celui-ci serait taxé sur la même proportion que celle de la base.

Tea Stadler avait fait relire le contrat par son conseiller juridique privé en Californie et par l'un des avocats de l'entreprise de son mari à San Francisco. Elle avait demandé une modification (le coût de l'heure supplémentaire téléphonique) et avait signé le tout sans discuter, sous les yeux ravis de Sylviane Carvalhal. Cette dépense, naturellement, n'entrait aucunement dans le budget de l'ambassade. Tea Stadler était très riche et même si, comme tous les gens riches, elle regardait l'argent avec circonspection et vénération, elle avait décidé de réussir dans son nouveau rôle d'ambassadrice, elle était prête à y mettre le prix. Enfin, il était entendu que toute cette opération devait être confidentielle et qu'une seule brèche dans cette confidence serait matière à litige, à rupture. Mme Soglio se ferait passer pour une proche amie de la famille, et personne, à la résidence ou ailleurs, ne devrait soupçonner sa véritable fonction. Magnanime, Edwin Stadler avait laissé faire. Il avait d'autres soucis immédiats : il préparait sa première entrevue avec le président de la République. Il souhaitait que ce soit un succès. Il fonctionnait selon Winston Churchill qui, à la question : « Et si ça ne marche pas ? » répondait toujours : « La défaite n'entre pas dans mes plans. »

Sylviane Carvalhal, assise dans les bureaux de son entreprise, dans le 9e arrondissement, se frottait les mains à la relecture du contrat :

— Finalement, disait-elle à Caroline, vous allez bien gagner votre vie. On peut imaginer quelques dépassements téléphoniques, quant aux rendez-vous d'exception, à mon avis, en tous les cas dans les premiers mois, ils peuvent rapporter gros. N'oubliez pas deux choses : d'abord et avant tout, une discrétion d'acier. Et puis surtout, mettez bien le compteur en marche quand on entrera dans le rendez-vous d'exception !

Lorsque Caroline avait reçu l'appel pressant de Tea pour venir l'aider à choisir sa tenue de sortie chez le baron et la baronne de Severaguais, elle avait hésité à dire à Tea :

— J'arrive, mais ça, c'est hors forfait.

Elle n'avait pas encore tout à fait assimilé l'attitude décomplexée de Sylviane Carvalhal. Elle n'eut pas à le faire, car d'elle-même, Tea avait ajouté :

— Bien entendu, selon notre contrat, il s'agira d'un extra. Votre premier ! avait-elle dit dans son rire de gorge impatient, avec cette tonalité particulière de la West Coast qui faisait partie de sa différence, et donc de son charme.

Caroline, en attente dans l'antichambre, entendit brusquement s'ouvrir une porte derrière elle. Puis, dans un mouvement semblable à celui d'une ballerine, une jeune femme apparut qui dépassa le canapé en courant, s'arrêta, la regarda et lui dit :

— *Sorry, but I've got to go and get a band aid for Randolph. He just cut his finger.*

Elle sourit, tourna le dos et s'empressa vers le fond d'un couloir, ouvrit une porte — Caroline pouvait distinguer des placards de couleur blanche —, puis la jeune inconnue revint dans le même déplacement rapide et aérien, ses cheveux clairs flottant sur ses épaules revêtues d'une chemise d'homme de couleur rose pastel, et dont l'ampleur souple ne pouvait révéler ses formes. Mais il était évident, à la vue de ce bref aller-retour, que le corps de la jeune fille possédait cette esthétique rare, proche de la perfection, elle était comme une floraison, une offre de grâce. Elle s'arrêta à nouveau à hauteur de Caroline qui, assise sur une des chaises de l'entrée, la dévisagea en silence. Dans un français maladroit, recouvert d'un accent qui n'avait rien de nasillard, la belle jeune fille dit:

— Pardon, peut-être êtes-vous française. Il faut soigner Randolph. Doigt blessé.

Elle avait une voix plutôt basse et ferme, ce qui contrastait avec la luminosité juvénile de son sourire, mais correspondait par ailleurs à une expression volontaire, nichée dans le dessin de ses lèvres. Avec le petit replat entre la naissance de son nez et l'arcade sourcilière, son menton parfaitement dessiné, un front large et à peine bombé, ce visage présentait une harmonie, une régularité de traits, une symétrie impeccable et assez rare pour qu'on s'arrête devant cette beauté. Caroline, qui avait un œil juste, une faculté de déchiffrer les visages, ce qui lui avait vite valu, dans sa collaboration avec Sylviane, estime et respect, ne s'y trompa pas. Malgré la fugacité de l'apparition, elle crut lire un mélange de violence contenue autant que de douceur possible — une manière de mystère. Elle se demanda qui était cette créature.

Tandis que la «créature» disparaissait dans une pirouette, Caroline recoupa vite les informations qu'elle possédait déjà sur l'organigramme de la résidence et de la famille Stadler. Il devait sans aucun doute s'agir de

Maria, la *au pair girl* venue de Californie dans les bagages de la famille. Mais ce n'était pas parce qu'elle l'avait identifiée qu'elle pouvait savoir qui était, véritablement, cette étrange jeune personne.

— « Tenue de cocktail », en Europe ou plutôt en France, ça veut dire quoi ?

— Ça veut dire qu'on n'est pas à Hollywood, ce n'est pas la remise des oscars, ça n'est pas *splashy* et voyant, lourd et faussement simple, ça n'est pas du tapis rouge et du bling-bling et les maisons de couture qui vous ont envoyé ces robes longues font erreur.

— Pantalon, alors ?

— Pas idéal, non, ça n'ira pas. Vous pourriez, oui, peut-être le tailleur et le pantalon blanc, mais c'est un peu tard pour la saison et vous ne vous êtes pas encore assez montrée pour aller déjà dans cette direction. J'irais plutôt vers une robe courte. Voyons celle-là.

Tea Stadler ôta la longue robe rouge, criarde, qu'elle avait voulu choisir et avec laquelle elle avait paradé devant une grande psyché installée au milieu de la pièce. Les deux femmes étaient seules. Tea, en culotte et soutien-gorge, révélait une silhouette fine, presque maigre, malgré quelques bourrelets autour des hanches et sur le haut des cuisses, mais avec une paire de fesses rebondies, une cambrure racée qui donnait à son corps une allure plus animale, et suggérait qu'après tout, cette femme à l'attitude glaciale pouvait être pourvue d'un certain attrait sexuel. Tea se pencha pour saisir la robe, et pendant ce geste fugace, Caroline aperçut un minuscule tatouage à la naissance de la fesse gauche, juste au-dessus de la bordure supérieure en dentelle de sa culotte. Ça ressemblait à un insecte, peut-être une guêpe, et cela surprit Caroline qui se demanda ce que cela voulait dire. Elle avait été instruite dans l'idée que cette sorte de tatouage, à cet endroit précis du corps, était souvent le signe d'un caprice amoureux, ou d'une dépendance. Elle s'en ouvrit plus tard à Sylviane Carvalhal qui lui dit :

— Vous avez raison. C'est en effet très, très intéressant. On ne s'attendrait pas à ce que la richissime épouse de l'aîné d'une des plus grandes et plus anciennes dynasties de l'Ouest américain se fasse tatouer un petit machin bizarre sur le cul. C'est peut-être aussi qu'elle ne vient pas du tout du même milieu que son mari. Le tatouage est aujourd'hui banalisé, mais Tea Stadler n'est plus une gamine, et chez une femme de son âge, cela peut signifier qu'elle est d'une origine très modeste, de très basse extraction, qu'elle a ramé toute sa vie pour acquérir son look, sa posture et son statut aristocratique. Alors, l'extrême tension dans laquelle elle vit — si j'en crois ce que vous me racontez à son sujet — s'explique en partie, tout comme son obsession maniaque et son désir d'être parfaite.

— Je veux bien, répliquait Caroline, mais un tatouage,

on peut très bien se le faire enlever. Si elle l'a gardé, il doit y avoir une raison.

— Bien vu, Caro, très bien vu. Vous êtes géniale, vous savez. Vous voudriez devenir mon associée ? Réfléchissez. Quand vous aurez terminé cette mission, je vous verrais bien à mes côtés — on ferait des choses formidables ensemble. Vous avez du *brain*, du chou, ça vaut de l'or.

Caroline ne s'était pas non plus attardée sur le fait que l'épouse de l'ambassadeur se soit dénudée aussi aisément devant elle, alors qu'elles n'en étaient qu'au premier mois de leur « collaboration ». Elle avait trouvé cela embarrassant, mais elle avait voulu interpréter cette brusque intimité comme un besoin de connivence, une manière, caractéristique chez les gens parvenus au pouvoir, de combler un excès de solitude, de se fabriquer une cour. Tea Stadler se cherchait une complice et une alliée. En outre, sa notion du temps n'était pas la même que celle de la Française, et si Caroline se méfiait de cette progression rapide dans l'univers de la résidence, elle y voyait aussi un double intérêt. D'abord — et elle n'éprouvait qu'un semblant de honte à penser ainsi —, plus souvent elle approcherait Tea, plus solide, plus ancré serait son bénéfice. Ensuite, avoir pénétré au sein de la famille Stadler lui permettrait de mieux connaître la jeune fille aérienne et énigmatique qu'elle avait vue passer en coup de vent dans l'antichambre. C'était un des effets produits par Maria sur les autres : la curiosité d'en savoir plus sur elle. Comme tous les gens qui semblent porter un mystère, Maria Wazarzaski éveillait l'esprit et les sens.

Tea adopta le choix de Caroline avec satisfaction. Une robe en satin de soie, imprimée de fleurs noires et blanches, à petites manches ballon, ras du cou, serrée à la taille et légèrement évasée, le tout style années 40.

— Vous mettrez, aux pieds, des escarpins à bouts ouverts, avec une bride derrière, en vernis noir, talons aiguilles — vous avez certainement ça dans votre garde-robe. Vous verrez, ça va faire sensation ce soir, chez ces snobs de Severaguais.

Au téléphone :

— Je ne vous remercierai jamais assez, Caroline, je n'ai reçu que des compliments sur ma robe. D'ailleurs, les gens ont été exquis avec moi, prévenants. Plus je les connais, plus j'aime les manières françaises. Il y a, comment vous dire, un tel art de la courtoisie, de la politesse. En même temps, c'est très curieux, ils vous font aussi comprendre que vous n'êtes pas leur seul centre d'intérêt. Il y avait des gens à ma table qui faisaient tout pour démontrer que je n'étais pas la personne la plus importante qui soit.

— Comment ça ?

— Eh bien, une sorte de distance, j'ai du mal à vous le décrire. Une façon élégante d'un seul coup de vous oublier et de passer à quelqu'un d'autre.

— Oui, mais vous savez très bien que c'est comme ça dans tous les dîners en ville, dans le monde entier, ça ne peut pas vous surprendre. J'imagine que c'était pareil à San Francisco ou ailleurs aux États-Unis.

— Oui et non. Car ça n'est pas la même affectation dans le détachement, la même fausse désinvolture chez les hommes, et le même mensonge discret et souriant chez les femmes. On est plus brutal chez nous, moins hypocrite.

— Eh bien, dites donc, Tea, rien ne vous a échappé.

— Qu'est-ce que vous croyez, *darling* ? Je ne suis pas une idiote, et si je n'ai pas leur vernis, j'ai peut-être plus d'intuition.

La voix de Tea s'était faite plus rauque, plus âpre.

— De toute façon, ils et elles rouleront tous bientôt à mes pieds. Je les aurai tous et toutes à ma table, et quand je leur servirai de l'eau de vaisselle, ils s'extasieront et diront que c'est du pur nectar.

Caroline fut frappée par la violence du propos.

— Qu'est-ce qui s'est passé pour que vous parliez ainsi ?

Tea se radoucit.

— Rien, rien. Tout s'est bien passé, je vous dis. J'ai été fabuleusement bien traitée. Et mon mari aussi, bien entendu, vous pensez, un ambassadeur des États-Unis... Mais il y a une ou deux femmes dans ce petit monde qui me sortent par les yeux.

Tea ne voulait pas raconter à Caroline la manière d'humiliation qu'elle avait cru subir en soutenant le regard de certaines mondaines. Une imposante douairière, veuve d'un grand financier disparu, qui lui avait à peine adressé la parole. Et une fine et hautaine femme, dont les yeux cruels l'avaient — pensait-elle — déshabillée, et dont les allusions, références et citations de livres, pièces de théâtre ou personnalités parisiennes, lui avaient été jetées au visage dans la seule intention, croyait Tea, de démontrer son inculture, la virginité parisienne de cette Américaine. Elle observa un silence, puis changea de ton au téléphone :

— En revanche, j'ai fait la connaissance d'un personnage fascinant, un drôle de type, à qui ils faisaient tous une cour incroyable ! Quelle comédie... comme si tout le monde avait peur de lui. Un homme qui possède une sorte de show à la télévision. Marcus Marcus, vous connaissez ?

— Tout le monde le connaît, Tea.

— Vous voulez dire, tout ce petit monde ?

— Non, lui, c'est toute la France qui le connaît, c'est tout simplement l'intervieweur le plus célèbre du pays et, en effet, le plus redouté. À sa manière, c'est une superstar.

— Ah, ça se voit tout de suite. Mais c'est un monstre, n'est-ce pas ?

— Je ne sais pas, je ne l'ai jamais rencontré. Pourquoi dites-vous ça ?

— Eh bien, mais ça se voit tout de suite, cet homme-là n'est pas normal avec ses implants noirs au sommet de son crâne, avec son torse bombé, ce corps rigide, des bras trop courts, des mains épaisses, un ego démesuré. Ç'a dû lui couter une fortune, les implants, mais même si c'est très bien fait, on voit que c'est fabriqué, on voit surtout la vanité derrière tout cela. En tout cas, il ne pense qu'à lui et ne parle que de lui.

— Mais ça, je vous avais prévenue.

— Oui, vous aviez raison : « Il suffit de leur parler d'eux-mêmes. » J'ai bien retenu votre leçon, mais là, dans le cas de, comment l'appelez-vous, Marcel Marco ?

— Mais non, Marcus Marcus.

— Oui, bon, bref, dans son cas, ça dépasse l'entendement.

Tea pensait n'avoir jamais assisté à un tel étalage de nombrilisme. Mais ce n'était pas seulement cela qui l'avait frappée. Elle avait trouvé quelque chose d'obscur chez cet homme. Opaque. À San Francisco, New York, ou Los Angeles, elle en avait côtoyé aussi, ils en avaient reçu, les Stadler, de ce qu'on appelle des « superstars ». Elles étaient super, les stars, et bien plus super que celles de ce petit village français dans lequel elle évoluait depuis quelque temps, mais elles avaient toutes, comment pouvait-elle l'exprimer, du sex-appeal, du charme et de la séduction, de la testostérone à revendre.

— Hommes ou femmes, peu importe, ils veulent toujours vous plaire. Ils veulent qu'on les aime. Mais là, voyez-vous, chez ce type, il y a quelque chose. Tous ceux dont je vous parle, ils plaisent. Ils dégagent tous chaleur et lumière et là, cet homme dégage le contraire :

froideur et obscurité. On a l'impression qu'il est...
comment vous dire, différent. Il y a quelque chose de
sombre, je vous l'ai dit.

— C'est peut-être pour ça qu'il vous a fascinée.

— Peut-être, mais il est vrai aussi qu'il est passionnant
à écouter. Les gens n'arrêtaient pas de l'interroger sur
sa méthode, son «tableau de chasse». Ses victimes. Si
j'ai bien compris, ce type est un tueur. Voyez-vous, la
méchanceté humaine, à ce niveau-là, ça me stupéfie. Il
va falloir le mettre sur nos listes d'invités. Eh bien, je
vous laisse, j'ai ma leçon de français.

La communication achevée, Caroline réfléchit un
instant, puis elle se dit : «Premièrement, Tea Stadler est
une femme plus complexe, plus rusée, donc plus dangereuse, que je le pensais. Surtout ne pas la sous-
estimer. Deuxièmement, elle ne parviendra sans doute
jamais à exprimer en français autant de sentiments et de
perceptions qu'elle le fait dans sa langue natale. Mais,
troisièmement, elle va aller très vite dans sa connaissance du territoire parisien et ma mission ne durera
peut-être pas aussi longtemps que Sylviane l'escomp-
tait. Enfin, si je veux en savoir plus sur cette jeune
femme qui m'intéresse tant, Maria, il ne faut pas passer
par Tea pour le faire. Car c'est une femme jalouse, et je
me demande pourquoi et comment elle peut supporter
une beauté comme celle de Maria dans son entourage.»

Ça commençait à se savoir et à se dire dans certains segments d'une microsociété à Paris : il y a une beauté cachée à l'ambassade des États-Unis. Une vraie beauté cachée.

On pouvait très régulièrement apercevoir la jeune femme à la sortie de l'École bilingue lorsque, déposée là par un chauffeur de l'ambassade, elle venait chercher ou amener les enfants. On l'avait aussi entrevue pendant les leçons de français données à Mme Stadler — deux profs qui se relayaient, deux jeunes universitaires qui en avaient parlé à des amis de leur âge. Le bouche-à-oreille avait fait le reste. On l'avait aussi observée quand, aux côtés de Caroline Soglio — qui semblait être une amie du couple ambassadeur —, elle avait accompagné Tea Stadler pour rencontrer plusieurs associations caritatives, avec lesquelles Tea voulait renforcer des liens et reprendre son activité californienne, entamer une recherche de fonds pour sortir le plus rapidement possible de son statut de « femme de » et redevenir, vite, un moteur en action, un pouvoir en mouvement, comme elle l'avait été en Californie.

En peu de temps, Tea associa de plus en plus fréquemment Caroline, dissimulée en amie de longue date, cette Française à l'œil si vif et au sens psychologique si aigu, pourvue de cette expérience dont elle appréciait tellement la valeur, avec Maria, l'*au pair girl* qu'elle ne considérait plus comme telle mais presque comme une fille aînée, un membre de la famille. À ce sujet, Caroline avait commis une importante erreur de jugement : Tea Stadler n'était pas jalouse de Maria. Elle en était fière. C'était elle qui l'avait dénichée dans les cantines de l'armée du Salut de la ville basse de San Francisco. Ses enfants l'aimaient. Son mari l'appréciait. C'était elle qui avait pressenti qu'elle pourrait devenir un point de référence pour ses enfants, dont Tea n'avait jamais su ni voulu s'occuper. Elle l'avait formée et instruite, rodée, aguerrie, responsabilisée, elle l'avait impliquée dans ses actions humanitaires. Quand on la complimentait sur les qualités, l'allure, la discrétion et l'efficacité de cette belle jeune fille, elle en retirait une satisfaction légitime. L'insolite beauté de Maria ne la dérangeait pas — sans doute parce que, trop accoutumée à sa présence quotidienne et à toutes ses tâches secondaires, elle ne la voyait pas avec les mêmes yeux que ceux des Parisiennes et des Parisiens, épris de nouveauté, avides de curiosité, à la recherche permanente de l'inédit et de l'inattendu.

Aussi, les femmes — deux Américaines : l'altier et souriant animal social, Tea Stadler, en passe de bien vite conquérir la ville, et Maria, l'étrange et silencieuse accompagnatrice ; la Française : cette Caroline Soglio, d'où sort-elle ? Elle n'a pas été la maîtresse de Portman pendant un an ? — constituaient-elles un trio qui attirait le regard, suscitait les bavardages. Ce fut flagrant au cours d'un défilé de mode sous les verrières du Grand Palais, lorsque, assises au premier rang, elles eurent droit à l'agglomérat instantané de photographes traditionnellement enclins à chercher des personnalités déjà établies, reconnues.

— Qu'est-ce que je dois répondre, chuchota Maria à Caroline.

— À quoi ?

— À ce photographe qui vient de me demander mon nom pour «légender» son cliché.

— Tu réponds que tu appartiens au staff privé de l'ambassade. À moins que tu aies envie de donner ton nom.

— Non, c'est très bien, merci.

Le photographe s'appelait Aviv Vasta. C'était un jeune Israélien, de très petite taille, aux cheveux curieusement argentés bien qu'il n'ait pas atteint la trentaine. Il se déplaçait comme un chat à travers le monde, possédant une faculté de saisir la lumière, de découvrir et repérer les visages et silhouettes des femmes dignes d'entrer dans son art du cadrage, de l'identification morphologique. Il avait un sourire d'enfant, des manières douces et rapides, et n'avait jamais de sa vie touché à une seule des substances artificielles dont se nourrissaient les top models et autres rock-stars qu'il devait portraiturer sans avoir à les aimer. Il mangeait bio, pratiquait le yoga, s'habillait de noir, portait des chaussons en soie fabriqués sur mesure pour lui à Osaka. Bien souvent, alors que ses collègues allaient vers les célèbres et les tapageuses, il recherchait les inconnues, les anonymes, toutes ces beautés qu'on ne voit pas, toutes ces Mona Lisa que la vie quotidienne ignore ou détériore.

Le visage de Maria l'avait surpris. Il vérifiait les quelques clichés qu'il avait pris et il pensait, avec sérieux, qu'elle était sans doute ce qu'il avait rencontré de plus photogénique dans toute son existence professionnelle. Un faciès exceptionnel. Aucune asymétrie. Un mystère insondable, une mélancolie et une violence mêlées dans les yeux.

Il obtint son nom sans difficulté auprès de la *control list* d'entrée du défilé et voulut la contacter à l'ambassade. Il lui fit porter des messages, une carte de visite, une demande de rendez-vous :

« Accordez-moi au moins une séance de photos, une seule. Ça ne durera pas plus d'une heure. *Please !* »

— Que dois-je faire ? demanda Maria à Caroline.

— Tu en as envie ?

— Non, pas du tout.

— Alors, tu ne réponds même pas. Il finira par se fatiguer.

Les deux femmes s'étaient très vite rapprochées l'une de l'autre. En sortant de ses séances de coaching, Caroline tombait régulièrement sur Maria au coin d'un couloir, au bas de l'escalier, ou dans l'ascenseur étroit qui menait aux étages privés de la résidence. Caroline partageait avec elle le snack après l'école des enfants. Puis elles déjeunèrent et dînèrent ensemble. Maria trouvait en Caroline une écoute attentionnée, affectueuse, qu'elle n'avait connue qu'auprès de Rose, là-bas, à San Francisco. Elle ne regrettait en rien sa vie en Amérique. Elle découvrait un pays, des mœurs, des gens — une langue à laquelle elle s'adaptait avec une telle aisance qu'elle se demandait d'où pouvait lui venir cette évidence d'accès à la musicalité et au vocabulaire français. Il lui arrivait d'attribuer ce don à ce moment irréel, lorsque, jetée du camion dans la Napa Valley, elle avait cru être traversée par une sorte d'éclair et qu'elle avait pensé que sa vie et sa propre personne avaient été transformées. Elle regrettait de ne pas avoir tué son père adoptif. Rose lui avait écrit que l'inconnu qu'elle avait pris pour lui, Sam Whittaker, était mort des suites de ses blessures. Cela avait fait quelques lignes dans le bas des pages de faits divers des journaux locaux. Faute de preuves et de témoignages, il semblait que l'enquête était close — en tout cas suspendue.

« Ainsi donc, pensait Maria, j'ai commis un meurtre, mais il n'a servi à rien. Je ne pourrai jamais me venger. »

Et ce secret, dont elle se sentait incapable de se soulager auprès de qui que ce fût, même auprès de sa nouvelle amie Caroline, faisait partie d'elle. C'était ce qui lui donnait son étrangeté, cette mystérieuse différence qu'un petit génie comme Aviv Vasta avait subodorée en captant son visage dans l'objectif.

— Il y a quelque chose chez cette fille, murmurait-il, en examinant, une fois de plus, les quelques clichés qu'il avait pris d'elle. Elle n'appartient pas tout à fait à ce monde.

Aussi la relançait-il par intermittence, entre deux déplacements à Hambourg, Tokyo, Londres ou Shanghai. Il n'était pas pressé. Il croyait qu'en principe, personne ne pouvait indéfiniment résister à l'appel narcissique qu'il proposait. Pas plus que l'on ne pouvait être indéfiniment insensible à sa propre aura, sa réputation, sa séduction. Mais Maria ne répondait pas, suivant les conseils de Caroline. Même s'il n'y avait entre les deux femmes qu'à peine dix ans d'écart, Maria parvint bientôt à écouter Caroline comme on le fait d'une mère, car c'était le lien qui lui avait toujours manqué.

De son côté, Caroline était attendrie, émue, intriguée par Maria. Elle enregistrait et admirait chez elle sa forte dose de maturité, une sûreté de jugement qui s'acquiert d'ordinaire avec l'expérience de toute une existence. Or, à mesure que la jeune orpheline lui faisait quelques confidences sur ses errances le long des routes de Californie, le hasard de ses rencontres, sa lente progression dans l'univers des riches de San Francisco, Caroline détectait un personnage à la fois fragile et coriace, une solitude sans égale, et devinait un passé douloureux et cruel. Sa manière de penser, juger, interroger, lui semblait hors du commun. Et la méfiance de Maria envers les hommes rejoignait celle de Caroline. Ceci se passait quelque temps avant que Caroline ne retrouve David Cahnac sur le perron de l'ambassade et ne soit prise d'une violente envie de lui.

# 13

David Cahnac fut le deuxième à rencontrer Maria
Wazarzaski.

Il était si énamouré de Caroline qu'il n'accorda à
Maria qu'un regard fugace, presque indifférent. Elle se
dirigeait vers eux. Elle avançait comme un voilier fendant lentement les vagues, au sein de la foule des invités
de la réception du 4 Juillet. Caroline et David étaient
assis sur le canapé beige rosé du deuxième salon, en
partie paralysés par leur désir l'un pour l'autre et préoc-
cupés par le temps qui leur restait avant de pouvoir
décemment quitter la cérémonie et trouver un endroit
où faire l'amour.

— Ah, dit Caroline, voilà Maria. Il faut que je vous
la présente. C'est ma jeune et nouvelle grande amie. Je
l'aime beaucoup. Elle est tellement différente de toutes

les femmes que j'ai pu rencontrer. Et puis, regardez-la, elle est superbe.

— Oui, en effet, dit David.

Il la regardait mais ne la voyait pas. Il pensait à Caroline. Il ne pensait qu'à cela. La perte de toute boussole, de tout repère, qui caractérisait son attente de l'acte d'amour, l'avait rendu sinon stupide, du moins incapable de voir chez quiconque, et a fortiori chez une autre femme, autre chose qu'une figurante dans ce nouveau et merveilleux théâtre intime qu'il abordait avec Caroline. Aussi, comme ces technocrates qu'on installe devant un coucher de soleil magique sur un océan émeraude et qui ne le voient pas, comme ces hommes de pouvoir ou d'argent qu'on place au premier rang d'un concert dirigé par le plus grand des grands chefs et qui ne l'entendent pas, comme ces femmes de vanité que l'on confronte à la splendeur d'une ancienne bibliothèque et qui la traversent en ignorant les trésors qu'elle contient, David demeura-t-il impassible face à Maria.

— Maria, voici David. David, je vous présente Maria.

La jeune fille sourit au jeune homme et la réserve polie qu'il affichait à son égard lui plut. « Voilà bien un des premiers hommes français que je rencontre et qui ne me dévisage pas aussitôt des seins aux fesses et des hanches aux cuisses », pensa-t-elle. Elle prit vite conscience, ce qui n'était pas très difficile, de la fiévreuse façon dont David couvait Caroline. Elle surprit un geste, une caresse de sa main sur le poignet de Caroline. Elle se pencha vers eux :

— Vous allez très bien ensemble, tous les deux, dit-elle en souriant.

Caroline parla à voix basse, ce qui obligea Maria à se rapprocher encore plus d'elle.

— Maria, rends-moi un grand service. Sois gentille et dis à Tea que je ne me suis pas sentie très bien — d'ailleurs, elle l'a vu quand je l'ai embrassée — et que j'ai préféré m'en aller — je l'appellerai dès demain matin. OK ?

Maria avait compris. Elle les envia.

— Allez-vous-en, vous n'avez rien à faire ici.

Ils se levèrent. David salua Maria d'un mouvement de tête, tandis que Caroline l'embrassait sur les joues. En s'éloignant et malgré un intérêt peu marqué pour la jeune fille, David eut cette réflexion :

— Un visage pareil, ça ferait un vrai malheur à la télé.

Car il était, depuis un temps qu'il ne pouvait vraiment définir, atteint par un travers propre à une certaine catégorie de gens qui, comme lui, travaillaient dans la production audiovisuelle, et qui consistait à jauger, d'un coup d'œil, les possibilités télégéniques de n'importe quelle personne rencontrée. C'était un tic, une habitude quotidienne, dans n'importe quelle circonstance, on se demandait toujours : comment ça passerait à la télé ? Est-ce qu'il serait bon à la télé ? David Cahnac avait pris goût à ce monde et à ces mœurs. Au contraire de son patron, Marcus Marcus, il n'était pas entièrement dépendant de cette vie et de cet univers, pas entièrement enfermé dans la bulle puisqu'il n'apparaissait pas à l'écran. Puisqu'il n'avait pas été touché par le Haut Mal.

Le 10 mai 1996, une cordée d'alpinistes japonais à la conquête de l'Everest (8 848 mètres d'altitude) ne fit aucun cas, sur la fin de l'escalade, de grimpeurs indiens à demi morts de froid, rencontrés là. Interrogés sur ce parti pris, les Japonais expliquèrent : « Au-dessus de 8 000 mètres, on ne peut pas se permettre d'avoir une morale. Nous étions dans la zone de mort et nous avions le mal des hauteurs. » Certains survivants indiens, à la surprise générale, trouvèrent du fondement à ces déclarations. « C'est normal, ils avaient été saisis par la folie des hauteurs. » Un spécialiste de cette activité tira la conclusion suivante : « La fièvre des hauteurs sonne le glas de la morale — et la fin de la morale, c'est la fin du véritable alpinisme. »

Marcus Marcus aimait raconter ce fait divers, voulant ainsi signifier qu'il n'était en rien frappé par le Haut Mal. Le « glas de la morale » avait pourtant sonné depuis longtemps déjà pour lui comme pour la Présidente Liv Nielsen, et aussi pour quelques autres célébrités du petit écran, au point que ce monde ne connaissait plus le son de ce glas, son timbre, son sens. Mais personne n'aurait voulu l'admettre. Ils étaient quelques-uns à vivre ainsi à 8 000 mètres d'altitude et à avoir laissé sur la pente des demi-morts, parfois des morts. Marcus Marcus s'en défendait. Mais il était le seul à croire à son propre mensonge. Et si David, plus « raisonnable » et moins exposé, se croyait immunisé contre le Haut Mal, il n'en avait pas moins acquis certaines manies, dont celle qui lui fit répéter à Caroline :

— À la télé, cette fille ferait un malheur.

Puis, ils quittèrent la résidence.



Il lui demanda :

— On va où ?

Elle répondit :

— Chez vous, j'imagine.

— Non, chez moi, je ne peux pas, il y a ma mère.

Elle eut un rire.

— Ah bon ! Vous vivez encore chez maman ?

— Mais non, elle est de passage à Paris. C'est pas pareil.

— Eh bien, dit Caroline, prenez une décision.

Depuis qu'elle avait été saisie par son désir pour David, son désir pour cet homme, son désir d'homme, Caroline ne s'étonnait pas d'avoir autant remisé son orgueil — ce fameux orgueil, si souvent blessé mais si souvent protecteur de sa dignité —, et d'avoir, brusque-

ment, oublié ses réactions prudes devant l'envahisse-
ment du sexe dans le discours quotidien des gens et
des médias. Balayée, la distance, évanoui, le détachement. Elle était comme les autres, elle voulait aimer.
Mais elle n'allait tout de même pas agir à la place de
David. Il y avait l'orgueil et le regard qu'elle portait sur
elle-même, sa vétuste notion du rôle du masculin face
au féminin.

— Attendez, dit-il, il y a des hôtels partout dans ce
quartier.

Il lui fit traverser la rue du Faubourg-Saint-Honoré,
la tenant par la main. Ils empruntèrent la rue d'Anjou,
puis la rue d'Aguesseau, puis, à gauche, la rue
Montalivet où ils trouvèrent un petit hôtel trois étoiles
pour touristes étrangers. Le réceptionniste était un
jeune homme aux cheveux frisés, au nez busqué, avec
un accent nordique. Ils eurent droit à la chambre 10,
au premier étage. Ils firent l'amour très vite, trop vite,
David étant incapable de retenir son éjaculation plus
d'une trentaine de secondes après l'avoir pénétrée.
Elle se déshabilla, car ils avaient baisé dans une
convulsion, sur le rebord du lit non défait, lui baissant
seulement son pantalon et son boxer, elle, la jupe
relevée, ayant seulement ôté sa culotte.

Il se dénuda à son tour. Son érection n'avait pas
diminué. Ils s'étendirent sur le lit. Il posa sa main sur
la poitrine de Caroline.

— On pourrait peut-être recommencer, en faisant un
petit peu mieux, non ?

Elle se taisait. Ils s'étreignirent avec plus de volupté, de plénitude, de sauvagerie. Lui, tâchant, cette fois, de s'assurer qu'elle serait pleinement satisfaite. Elle, finissant sur lui, ce qui ne lui déplut pas. Soumise d'abord, soumettant ensuite.

Ils se reposèrent. Par la fenêtre ouverte, on entendait dans la rue Montalivet le bruit routinier du moteur Diesel d'une voiture en attente. Puis, la voiture démarra. Restait ce faux silence bourdonnant d'une fin d'après-midi de juillet, dans le cœur de la grande ville.

Caroline, les seins libres, se redressa, regarda cet homme plus jeune qu'elle, et dont elle se demandait s'il allait changer sa vie. Elle installa deux oreillers derrière son dos nu. Elle dit à David :

— Ce qui serait bien, maintenant, c'est qu'on fasse vraiment connaissance.

# 14

Pendant ce temps-là, dans la douce tombée du soleil sur la ville, les autres convives de la réception du 4 Juillet s'apprêtaient à retrouver leurs existences respectives. Leurs espoirs et leurs passions, leurs angoisses et leurs plaisirs. Ils avaient piétiné du gazon, côtoyé des congénères, consommé des boissons désaltérantes, écouté des discours dont ils ne retenaient déjà plus aucune phrase. Ils avaient consommé du temps et combattu du vide du mieux qu'ils avaient pu.

Un anticyclone venu des Açores allait sensiblement modifier le climat au-dessus d'une ligne allant des Pyrénées-Orientales à la frontière italienne. À Yellowknife dans le nord lointain du Canada, un immigré chinois ayant fait fortune dans l'immobilier montait dans un city cab taxi conduit par un Somalien qui venait de déposer une Arménienne au pied de l'immeuble où se trouve un atelier à découper les diamants.

En Tasmanie, une équipe de chercheurs était en passe de dévoiler la découverte de centaines de nouvelles créatures de la faune sous-marine — des poissons jusqu'ici inconnus de la science. À Paris, dans la salle vide d'un établissement scolaire du 18e arrondissement, une pianiste de dix ans répétait les *Variations* Diabelli qu'elle interpréterait dans quelques jours à l'occasion d'une cérémonie intime organisée pour le départ du professeur qui avait révélé la précocité géniale du talent de l'enfant.

Entre Trieste et Dubrovnik, un paquebot chargé de produits alimentaires dégageait une masse considérable de déchets dans les eaux de l'Adriatique. En Palestine, à Rafah, dans un atelier de couture transformé en centre de recrutement clandestin, une jeune femme de vingt ans enroulait calmement autour de ses hanches une ceinture de bâtonnets explosifs. Dans les sous-bois qui entourent Sangatte, trois Afghans qui n'avaient rien mangé depuis cinq jours négociaient avec un passeur leur ultime tentative pour rejoindre le sol anglais. Dans le petit village de Cornwall, dans le Connecticut, un des plus célèbres écrivains américains, coupé du monde depuis soixante années, le visage labouré par les rides de son grand âge, coupait lentement une tranche de pain perdu qu'il allait arroser de sirop d'érable.

Sur la plage d'Anglet, en amont de la Chambre d'Amour, des surfeurs aux cheveux dorés contemplaient, sous les rayons mauves d'un ciel lavé de nuages, une déferlante de rouleaux tellement parfaite qu'ils attendirent une minute avant d'y pénétrer, leurs planches sous le bras, tant le pur spectacle l'avait emporté un instant sur le désir d'action.

W. B. Yeats : *Tout change, tout change totalement, une terrible beauté est en train de naître.*

Professeur Jean Bernard : *Il se peut que quelque chose de fondamental nous échappe dans le domaine de la conscience et du fonctionnement cérébral.*

# 15

Marcus Marcus fut le troisième à rencontrer Maria Wazarzaski.

Comme par un courant électrique qui vous parcourt, il fut secoué, sans parvenir à penser l'événement. C'était inexorable et inespéré, et il eût mieux valu ne pas essayer de comprendre ce qu'il lui arrivait, car il était tombé sous le coup d'une loi qui relevait plus de la magie que de la raison.

Ce qu'il y a de plus fondamental chez l'homme, c'est la solitude, mais chacun, en se forgeant des habitudes, ou en se forçant à vivre avec autrui, peut tenter de s'y soustraire. Marcus Marcus, parce qu'il n'était pas plus aimé qu'il n'aimait, ou ne s'aimait vraiment lui-même, supportait de plus en plus mal cette solitude. Longtemps, il en avait fait son armure, mais avec la saison qui s'achevait, elle lui pesait plus lourd qu'autrefois et il aurait voulu la fendre. Sa force était devenue sa faiblesse.

Il se demandait pourquoi.

Son existence récente avait été parsemée d'incidents contradictoires, incohérents, et qui, de façon invisible mais constante, avaient fragilisé sa personne. Comme beaucoup d'âmes méchantes, il croyait voir le mal partout, les mauvaises intentions, les complots et les cabales. Sa paranoïa le minait, et dans son soliloque, il se laissait aller à des fantasmes effrayants : « Si je ne pratiquais pas ce métier et si je ne jouissais pas de cette gloire, je serais en train d'assassiner en série des vieilles dames et des petits enfants. »

Quelqu'un a écrit qu'il y a un étranger en chacun de nous. Devant ces horribles hypothèses, qui traduisaient sa propre ironie vis-à-vis de ses manques affectifs, Marcus Marcus riait. Et puis, il décidait de s'abandonner un peu plus à ces délices.

Alors, il s'imaginait grimé, portant fausses moustaches, lunettes déformantes et volumineuses, habillé de noir, les mains recouvertes de gants de chirurgien, hantant les couloirs du RER tard dans la nuit, ou rôdant dans les sous-bois de quelques petites communes des Yvelines, à la recherche de femmes seules, de touristes égarés, d'écoliers perdus. Puisqu'il était seul à jouer avec ces monstruosités, puisque personne ne connaîtrait jamais les démons de son imaginaire, il s'autorisait même à s'identifier à cet homme, cet Autrichien, qui avait séquestré pendant des années, dans le sous-sol de sa maison, une innocente lycéenne.

« Au fond, pensait-il, on peut très bien comprendre pourquoi il a fait ça, ce type. »

Mais cela ne produisait aucun effet sur sa libido inanimée. Bientôt, il refaisait surface. Il considérait qu'il avait gambadé dans l'horreur, comme ça, un petit jeu secret pour lui tout seul. Très vite, il se ressaisissait, chassant les chauves-souris, les rats et les corbeaux. Il traversait à nouveau cette sombre ligne qui séparait, sur le territoire de son inconscient, sa moitié de folie de sa moitié de raison.

Il décidait de s'examiner avec la lucidité qui lui avait toujours permis de tenir et de durer.

« Pourquoi voudrais-tu t'en faire ? Tes appuis, ton poids à l'intérieur du conseil de la chaîne sont solides. Les productions de ta propre société se portent bien. My et Feld, tes agents, te le confirment. Le programme principal, le "VQALG" dont tu es la star, n'a pas perdu un spectateur même si les sondages semblent traduire un petit fléchissement d'intérêt. Ça tient encore vachement le coup. Et si tu n'es pas quelqu'un de "populaire", tu es profondément et durablement une célébrité. Les gens les plus importants viennent manger dans ta main. De quoi donc aurais-tu peur ? »

Pourtant, il était trop sensible et rusé, il avait l'odorat trop fin pour n'avoir pas flairé des variations d'attitudes autour de lui. Il trouvait la Présidente, Liv Nielsen, moins ouverte, moins facilement accessible. Elle avait même tenu une réunion de programmes sans lui, en tout petit comité. Il avait appris avec stupéfaction que David et Margo, qui s'entendaient finalement trop bien (avait-il fait l'erreur de les réunir ?), avaient, au cours de cette mini-réunion, évoqué auprès de Liv un schéma pour une nouvelle émission. Habile, Marcus Marcus s'était gardé de leur en faire reproche. En d'autres temps, il aurait hurlé et vidé David et Margo en leur interdisant le cinquième étage et l'entrée de l'immeuble. Mais il était plus prudent dorénavant et il savait qu'on ne joue ce genre de carte que si l'on possède tout le jeu en mains. Or, il redoutait la complicité entre les deux femmes, Liv la Présidente, Margo la réalisatrice.

« Fais le compte de ce qui ne va pas, ruminait-il. Seuls les imbéciles se contentent de ce qui va bien. »

Il mettait au premier plan l'affaire de la mort de Pervillard et la réprobation générale qui avait couru dans les couloirs et s'était ensuite propagée à l'extérieur au récit de son obsession du scoop, son « indécence » alors qu'il aurait dû être « éthiquement correct ». Et quand il avait délivré son témoignage exclusif (et mensonger) de l'ultime entretien avec le Président, il en avait trop fait, beaucoup trop.

« On m'a reproché d'avoir parlé de lui comme s'il était déjà mort. Franchement, à quelque trente minutes ou une heure près, et puis de toute façon, la rupture d'anévrisme, on ne s'en remet pas, c'était clair dès qu'on l'a descendu par l'ascenseur — alors pourquoi me condamner ? Mais c'est vrai, j'ai eu tort, j'ai exploité ce qui n'était pas encore un cadavre. Et puis, quel besoin avais-je d'aller ensuite me répandre partout ailleurs dans les jours qui ont suivi ? »

Il avait en effet répondu à toutes les demandes d'entretien. Presse écrite, radio, et même les concurrents, les autres chaînes. Comme il avait assisté aux dernières heures d'un homme qui s'inscrivait (en bien comme en mal) dans l'histoire de la France, il avait cru faire lui-même partie de l'Histoire. Ça l'avait euphorisé. Il en avait perdu toute posture d'humilité. On l'avait vu, lu, entendu partout. « J'ai eu tort, se disait-il. J'ai fait une faute de goût. Ça s'est dit. Ils en ont parlé entre eux, les médias, et ils m'ont pris en grippe. D'un seul coup, avec, en plus, le petit buzz sur le fléchissement de mes sondages, ils se sont rués sur moi. J'ai perdu de mon aura. On me respecte moins. Je suis plus facile à abattre. »

Mais il y avait d'autres glissements de terrain, plus profonds, et qui ne se rapportaient pas à son métier. Peut-être voyait-il venir comme un tournant de l'âge. Il avait passé la cinquantaine. Son corps lui envoyait parfois de singuliers signaux, comme une douleur naissante. Il y avait eu sa perte de cheveux... Ce processus ridicule auquel il s'était soumis, ces séances cachées d'implantations, ce qu'il avait fallu de mensonges, de simagrées et de cirque pour dissimuler quelque chose que, finalement, dans ce métier, tout le monde comprenait, acceptait et faisait ! C'était de l'anecdote, pourtant, du détail, n'est-ce pas — mais sa vie intérieure était tellement creuse que ce qui aurait pu passer pour une trivialité chez un être normalement constitué, entouré d'une famille, d'amis, de liens associatifs, de responsabilités, devenait chez ce monument de solitude un événement déterminant. De même que la mémoire retient parfois des faits insignifiants de notre passé et qu'il nous faudrait, dès lors, nous interroger sur les choix de ces prétendues insignifiances — de même, pour Marcus Marcus, l'épisode capillaire portait un autre sens. C'était un tournant.

Il était menacé par la lassitude qu'un narcisse peut finir par avoir de lui-même.

Mais il lui restait un atout: il avait encore suffisamment de lucidité pour s'en rendre compte.


Marcus Marcus avait décidé de répondre à l'invitation de l'ambassade des États-Unis pour la fête nationale du 4 Juillet pour de nombreuses et bonnes raisons. Mais il ne pouvait deviner que c'était là qu'il rencontrerait la foudre.

Il était d'abord curieux de voir d'un peu plus près cet Edwin Stadler dont il pensait qu'il ferait un excellent « client » pour son émission, ne fût-ce que pour lui poser la seule vraie question un peu pointue: comment un homme aussi réussi, influent, actif, clairvoyant, respecté et heureux dans sa Californie natale, avait-il accepté un tel poste alors qu'il savait — comme le reste du monde entier — que son président devait quitter la Maison-Blanche d'ici à quelques mois et que, par conséquent, son séjour parisien serait très court ? Quel était l'intérêt ? Où était le bénéfice ? À quelques semaines près, dès l'intronisation du nouveau président élu, le grand chambardement, le système des dépouilles à l'américaine, aurait lieu à tous les niveaux, aussi bien à Washington qu'à l'étranger, et l'ambassade de Paris reviendrait fatalement à quelqu'un d'autre — alors, en un temps aussi bref, Edwin Stadler pensait-il pouvoir jouer un rôle d'une quelconque importance ? Quelle était l'intention cachée ?

D'autre part, Marcus Marcus avait souhaité revoir l'épouse de Stadler, parce que celle-ci avait su le flatter au cours de la soirée chez les Severaguais. Enfin, précisément parce qu'il se sentait fragilisé, obsédé qu'il était par sa réputation, par le nouveau regard que l'on portait sur lui, il lui semblait utile, nécessaire, indispensable ! de se montrer. Sortir. Faire les cocktails, les dîners, les réceptions, les avant-premières, les remises de décoration, les projections privées, les vernissages, les galas et les enterrements. Tout ce qu'il n'avait jamais fait, persuadé qu'il avait été, jusqu'ici, qu'il était inutile de se prêter au jeu mondain de ses autres confrères. Au cours de ces occasions, il pourrait mesurer le nombre de gens qui lui serreraient la main, venaient vers lui ou s'éloignaient. Il pouvait prendre la température de sa cote, de son pouvoir, de sa célébrité.

Il arriva en retard à la résidence. La fête battait son

plein et le discours de l'ambassadeur venait juste de s'achever. Il se sentit vexé. Il fut un peu déçu de ne pas être beaucoup « reconnu » — quelques sourires, quelques rares demandes d'autographes, mais dans l'ensemble, ce n'était pas son public, ni son monde. « Qu'est-ce que je fous là ? » pensa-t-il. Il sortit pour aller jusqu'au fond du jardin et fut bousculé par un garçon d'une douzaine d'années que poursuivait une fille du même âge.

Il tomba par terre, le cul dans l'herbe grasse, légèrement humide, et il entendit un rire limpide, celui d'une jeune fille qui avait rattrapé les deux enfants et les avait pris par la main comme pour les morigéner. Il fut tellement frappé par la gaieté, l'étrange et pure sonorité du rire qu'il en resta figé au sol et découvrit, ainsi, la silhouette de la jeune fille qui avait cessé de rire et continuait de tenir le petit garçon et la petite fille par la main, les deux enfants serrés contre ses hanches.

— Ne restez pas comme ça, monsieur, lui dit-elle, vous allez avoir une auréole au derrière de votre pantalon. Les jardiniers, ici, ont tendance à trop arroser le gazon. Et puis, il a plu la nuit dernière.

La concision des propos l'émerveilla. La simplicité, le côté pratique, l'explication factuelle ! Et c'était dit dans un français surprenant de correction mais avec un accent venu de loin et que l'on goûte d'autant plus qu'on en ignore l'origine. Surtout, comme il ne s'était pas redressé et était resté assis par terre, il pouvait admirer, comme en un plan de contre-plongée, la parfaite structure du corps de la jeune fille, ses longues jambes, sa haute poitrine, la grâce qui l'habitait. Sans le savoir, elle s'était placée, entourée des deux enfants, dans le trajet d'un rayon du soleil qui traversait le mince tissu de sa robe légère. Marcus Marcus eut la vision de ses cuisses, l'ombre de son sexe, et il en conçut un trouble nouveau, une sensation qu'il n'avait jamais véritablement éprouvée. Il se releva et s'approcha d'elle. Il voulut réprimer un bégaiement.

— Merci, euh, mademoiselle...

— Je m'appelle Maria.

— Ah, bon, merci beaucoup, Maria.

Il se sentait démuni, intimidé, avait perdu l'aplomb et l'arrogance qu'il déployait régulièrement face à des interlocuteurs puissants et célèbres, en direct, dans les studios de télévision. Il la dévisageait. Elle semblait étonnante avec, sur un visage sans faute, un mélange contrasté de fraîcheur et de maturité, une expression directe, presque inquisitrice dans le regard — cette lueur que l'on ne trouve pas chez la plupart des gens et qui semble lire à travers vous, c'est presque gênant et cela vous force à baisser les yeux. Mais il ne la lâchait pas, il bredouillait une phrase maladroite dont lui-même ne comprit pas d'où elle venait :

— C'est parfois utile de tomber, de se ramasser la gueule, et puis on se relève. Quand on se relève, on voit les choses et les gens autrement.

Il y eut un silence. Elle le scrutait, de façon intense. Puis, elle répondit :

— Je vois très bien de quoi vous voulez parler.

— Je ne vous comprends pas.

— Mais si, dit Maria, en persistant à vriller son regard dans celui de Marcus Marcus. Mais si, il a dû vous arriver quelque chose il y a très longtemps, n'est-ce pas ? Une chute ?

— Comment pourriez-vous savoir ça, de quoi me parlez-vous ?

Elle ne répondit pas et se pencha vers les deux enfants.

— Il faut que je les emmène, on a organisé un goûter pour tous les enfants sur l'aile droite de la terrasse.

Marcus Marcus tendit un bras vers elle. Il voulut accélérer son débit.

— Vous ne pouvez pas partir comme ça, on a des choses à se dire tous les deux, j'en suis sûr, et je ne me suis même pas présenté.

— Ça n'est pas la peine, je sais très bien qui vous êtes. Mais pardon, je dois y aller. Vous voyez bien que Randy et Lili s'impatientent.

— Ne partez pas, je vous en supplie, ou alors, écoutez, je vous accompagne jusqu'au goûter des enfants.

Elle rit.

— Mais un homme comme vous ne s'intéresse pas aux enfants, pas du tout !

— Qu'est-ce qui vous fait dire ça ?

Elle entama sa marche, encadrée par les petits Stadler qui avaient suivi le dialogue dans une totale indifférence. Tous les quatre, Maria, Marcus et les deux enfants, durent se frayer une voie à travers la foule et il était impossible de parler, mais Marcus ne lâchait pas Maria, elle l'avait subjugué en quelques phrases, en un regard, et il était à sa traîne, piétinant quiconque se trouvait sur son passage, et qui aurait pu, un instant, le séparer de la jeune fille. Il avait résolu de ne pas parler pendant cette pénible avancée au milieu des invités et le long des buffets, mais les questions et les émotions se bousculaient en lui comme les boules d'un boulier devenu fou. Il sautillait, heurtait des corps, des dos, des ventres, murmurait à peine une excuse, et il lui semblait que, à quelques coudées à peine de lui, Maria ondoyait, elle, sans aucune difficulté, comme si les gens s'écartaient devant cette superbe créature, la laissant poursuivre son royal chemin sans entraves. Ce n'était qu'une impression, pas une réalité. Mais, d'ores et déjà, la vision que Marcus Marcus se faisait de Maria Wazarzaski n'était plus celle du commun des mortels.

La méfiance innée, viscérale, ancrée dans son passé de San Diego, que Maria avait des hommes s'arrêtait à ceux dont elle jugeait d'instinct qu'elle n'avait rien à en craindre. Marcus Marcus, avec son cheveu artificiel, son corps bizarrement constitué, son regard sans chaleur, l'embarras des gestes qui jurait avec une évidente arrogance gagnée par des années de notoriété et de succès, le comique qui avait présidé à leur rencontre — ce bonhomme qui tombe dans l'herbe —, ne présentait pour elle aucun danger. Mais il l'intéressait. Elle avait reconnu quelque chose en lui. Ç'avait été soudain, des dons magnétiques avaient joué. Après qu'elle eut installé les enfants — tandis que Marcus Marcus, debout derrière elle, attendait dans l'entrebâillement d'une porte-fenêtre —, elle lui fit un signe et ils trouvèrent, près de la table du goûter, deux chaises un peu à l'écart de la foule. Ils s'observèrent.

Marcus Marcus commença, comme toujours, par parler de lui.

— Pourquoi m'avez-vous dit tout à l'heure que je n'aime pas les enfants ? demanda-t-il.

— Je vous ai regardé à la télévision, monsieur Marcus, vous ignorez tout de ce qu'est la tendresse. Je parie que vous n'avez jamais tenu un enfant dans vos bras.

Il baissa la tête, comme pris en faute, mais il dit :

— Peut-être que personne, jusqu'ici, ne m'en avait donné l'envie.

Elle poursuivit :

— Il y a plusieurs manières de regarder la télévision. J'ai mis cette méthode au point quand j'étais en Californie.

— Ah, c'est de là que vous venez ? Que faites-vous ici ?

Il savait relancer la balle, il aimait ça, il avait fait ça toute sa vie et, de son côté, on aurait dit qu'elle s'y attendait et que ça l'amusait.

— C'est pas très sorcier, vous avez bien remarqué que je suis la *au pair girl* de la famille de l'ambassadeur Stadler.

— Ce sont donc leurs enfants ? Et ça vous plaît, ce job ?

— Ça m'a sortie de la médiocrité. Oui, ça me plaît et ça me protège. Mais laissez-moi finir. Je vous disais qu'il y a plusieurs façons de regarder la télé. Pas tout le temps, mais parfois, on éteint le son, totalement, et on ne s'occupe que de ce qui se lit sur le visage, sur un corps. J'ai fait cela en regardant votre émission.

— Qu'est-ce qui vous a incitée à la regarder ?

— Depuis que je suis arrivée à Paris, j'ai voulu apprendre votre langue le plus vite et le mieux possible. Ça n'est pas très difficile, bizarrement, je me suis très bien adaptée. J'ai suivi les cours donnés à Mme l'ambassadrice, à ses côtés — mais comme j'ai beaucoup de temps libre pendant que les enfants sont à l'école, je me suis fait une discipline de lire toute la presse, écouter la radio, regarder la télévision. Tout cela, curieusement, le français, je veux dire, m'est venu très facilement, bien plus qu'aux autres Américains. J'ai tout assimilé très vite. Je ne sais pas pourquoi. Ou plutôt, si, je sais.

— C'est-à-dire ?

— Eh bien, un jour, comme ça, par accident, je crois que j'ai gagné une incroyable faculté de m'adapter à tout. Et de voir les gens dans leur vérité, toujours — ou presque. Je ne m'en suis pas aperçue tout de suite, c'est venu petit à petit.

— C'était quoi, votre accident ?

— On m'a jetée d'un camion dans un fossé.

— Ah.

Il se tut. Il lui revint son propre tournant de vie quand, jeune homme, il était tombé dans le coma à la suite de la chute du minibus dans le ravin et comment, à la sortie de l'hôpital, il s'était découvert les dons d'interrogation et d'introspection qui l'avaient fait devenir ce qu'il était aujourd'hui — le meilleur intervieweur de sa génération —, l'homme qui obtient la confession des grands, par la douceur ou plus souvent par l'agressivité.

— Eh bien, moi aussi, dit-il, d'une autre façon, j'ai connu le même bouleversement que vous.

Maria eut un sourire assuré, presque triomphant. Elle esquissa un mouvement des épaules et ce mouvement, comme tout ce qu'elle faisait, eut l'air de ravir Marcus Marcus.

— Ah, dit-elle, c'est bien ce que j'avais senti chez vous tout de suite. J'ai donc vu juste.

— Mais vous savez que c'est incroyable.

— Oui, et non. Je vous l'ai dit, j'ai un don, c'est magnétique, je sais voir les choses, j'ai appris cela au fil des années, je me trompe peu.

— Mais savez-vous, Maria, que c'est passionnant. J'ai fait quelques recherches à ce sujet. Vous savez que ça existe, bien plus souvent que l'on croit. Un choc, une chute, une perte de connaissance brève ou longue et vous vous retrouvez sinon quelqu'un d'autre, du moins porté par un don nouveau, un pouvoir différent.

— Effectivement. On n'est pas quelqu'un d'autre. On est le même, mais on possède une arme supplémentaire.

— Et pourquoi ne vous êtes-vous pas plus servie de ce don, Maria ? Regardez-moi, regardez d'où je viens, si vous saviez d'où je viens ! Je m'en suis servi, moi, de mon don, regardez qui je suis aujourd'hui !

Elle eut un recul. Il avait bombé le torse, il avait fait montre de son ego.

— En effet, dit-elle, vous êtes devenu l'homme le plus méchant et le plus solitaire qu'on puisse observer sur un écran de télévision en France.

Il voulut protester.

— Mais non, c'est un jeu, cette méchanceté, c'est pour les faire sortir de leurs gonds !

— Ah bon ? Et la solitude aussi, c'est un jeu ?

Il se tut. À nouveau il baissa la tête, comme s'il subissait une sorte d'examen, ou s'apprêtait à entamer une confession.

— Mais pourquoi me dites-vous ça, Maria ? C'est ce que vous avez vu à la télé quand vous avez éteint le son ?

— Mais bien entendu, monsieur Marcus. Bien sûr. Ne me dites quand même pas que vous ne le savez pas.

Il voulut prendre sa main, qu'elle avait posée sur la table, mais elle la retira brusquement. Elle eut un regard vers les enfants qui s'impatientaient. Il prit un ton geignard.

— Écoutez-moi, Maria, comment puis-je vous exprimer ce que je ressens en vous voyant, en vous parlant, il faut absolument qu'on se revoie, qu'on prolonge cette conversation, vous m'intéressez. Vous êtes... tellement unique et... je suis tellement chaviré...

Il voulut se lever pour la suivre, mais elle tendit un bras pour barrer son chemin. Elle se mit à parler en anglais.

— *It was nice meeting you, Mister Marcus.*

Il trépignait, penché en avant, dans la posture du mendiant qui quête l'aumône ou du valet, courbé devant son maître.

— Est-ce qu'on peut vous appeler au moins, à l'ambassade ? Je ne connais même pas votre nom de famille.

— Mon nom est Maria Wazarzaski, mais soyez gentil, ne m'appelez pas.

— Mais pourquoi ? Pourquoi ne vous appellerais-je pas ? Nous avons des tas de choses à nous dire. Et puis, je vous l'avoue, j'éprouve le besoin pressant de vous revoir ! Vous êtes captivante, adorable...

Il en devenait puéril, presque attendrissant. Il y avait cette surprenante beauté devant lui et il ne savait que faire pour la retenir. Il pensait qu'il devait avoir l'air benêt, planté là, debout, les bras ballants et la bouche ouverte, éberlué, mais il s'en foutait. L'opinion d'autrui ne comptait plus. Il se dressait, comme un soupirant à son premier rendez-vous, il ne lui manquait qu'un bouquet de fleurs des champs et une paire de gants blancs, et il avait presque honte de la trivialité, la banalité, la platitude des mots qu'il venait de prononcer. Il avait emprunté ce regard éploré, implorant, larmoyant sans larmes, et si vide, des teenagers qui balancent les bras de droite à gauche en agitant la flamme de leur briquet pour accompagner les mélopées de leur idole.

Il se sentait ver de terre, il la voyait étoile.

Elle lui tourna le dos avec vivacité, entraînant les deux enfants à sa suite vers un salon dont la porte était protégée par deux gardes du corps, et elle disparut.

Le blanc de la robe en toile de coton de Maria Wazarzaski dansa encore longtemps dans les yeux de Marcus Marcus, bien après qu'il eut quitté la résidence de l'ambassade. Il revoyait ce qu'il n'était pas loin d'interpréter comme une apparition, la silhouette transparente dans le rayon du soleil, et il entendait ce rire qui l'avait enchanté. Puis, il se remémorait la finesse des traits, le son de la voix, la souplesse de la démarche, l'exotisme du visage et la douce et subtile autorité du propos. Il était pris.

Il était transi. Il s'interrogeait : c'est donc cela, aimer ? Et c'est donc plus fort qu'être aimé ? Pendant la majeure partie de sa vie, être aimé avait constitué son besoin le plus continu et le plus inassouvi. Certes, il avait été aimé du public, mais jamais d'un être précis. Or, il s'apercevait que le besoin d'aimer l'emportait sur celui d'être aimé, sur tout autre. Eh bien, ça y était! C'était fait, il aimait. L'indifférence malade et narcissique qui l'avait coupé des hommes comme des femmes s'était évanouie, car surgissait avec violence l'attrait obsédant de quelqu'un d'autre que lui-même. Une autre était entrée dans le champ de ses pensées, de ses rêves, de ses sentiments, de ses sens, voire de son désir.

Mais sans doute aussi venait-il d'aborder les rives de la vraie souffrance.

# 16

« Chère Rose,

Heureusement que j'ai rencontré Caroline qui me conseille et m'écoute, c'est quelqu'un en qui j'ai une confiance absolue, comme toi à San Francisco. Comme toi, elle est une autre sœur, ou peut-être une mère.

Elle est tombée dans les bras d'un homme un peu plus jeune qu'elle, qui a l'air honnête, et ils sont très amoureux. Elle m'a confiée qu'ils allaient peut-être vivre ensemble.

Et si je te parle d'elle, c'est qu'elle m'aide à écarter des gens qui, d'un seul coup, comme ça, de tous les côtés, veulent absolument un morceau de moi. Il y a d'abord ce photographe — il paraît qu'il est génial, mais qu'est-ce que cela peut me faire ? — qui me relance, régulièrement. Et je ne sais pas comment et pourquoi deux autres photographes se sont mis, aussi, à essayer de me contacter. Caroline dit qu'ils ont dû intercepter un appel d'Aviv Vasta et qu'ils ont reniflé quelque chose.

"Ils sont capables de tout, m'a-t-elle dit, c'est des loups. Ils se branchent sur les portables des concurrents, ils interceptent des e-mails, ils entrent dans les Blackberries, ils sont équipés comme des espions industriels. Pour peu que l'un d'entre eux ait appris que Vasta était sur la trace d'une perle rare — c'est-à-dire toi —, ils auront voulu aussi se brancher sur ce coup."

"Perle rare", mais de quoi me parle-t-on ? Qu'ai-je de plus que les autres ? Je sais bien que ce qu'ils appellent ma "beauté" n'est que le produit de géniteurs inconnus (quand même, elle devait être sacrément belle, ma vraie mère ! et peut-être bien que mon père aussi) — et le résultat hasardeux de ma vie sur les routes, mes vagabondages, ma soif de liberté, mes expériences. Tout ça construit un visage, tu le sais, tu connais ce genre de choses, ça fabrique une différence. Et je vois bien qu'ici, dans cette ville si policée, si ancienne, si blasée, dans ces milieux si réglés, ritualisés, établis, je peux surprendre ou séduire, mais tout de même, Rose, tout de même !, ça ne mérite pas qu'on me poursuive comme ça. Des jolies filles, à Paris, il n'y a que ça.

Elles sont drôles, les Françaises. Elles possèdent toutes, petites, grosses, laides ou mignonnes, une dose de charme. On dirait qu'elles connaissent des choses qui les empêchent d'être gagnées par la peur du vide, la peur des autres, la peur du lendemain. Je les vois marcher les bras croisés sous la poitrine, elles marchent comme on ne sait pas le faire *back home*, elles font des choses sublimes avec rien — un foulard, un pendentif, un chignon, elles ont l'air de ne dépendre de rien ni de personne alors qu'elles travaillent comme tout le monde, qu'il y a des hommes et des enfants et des problèmes et des manques dans leurs univers, mais elles donnent l'impression d'être maîtresses de leur destin. Et de savoir où elles vont

Les Français, quand ils ne te regardent pas avec, inévitablement, l'idée du sexe dans les yeux, ils peuvent te bousculer sans une excuse, ils ne sourient pas beaucoup, ils sont rapides et bavards, ils ont toujours l'air préoccupé. On m'avait parlé de leur courtoisie. Oui, d'accord, mais plus souvent, j'ai observé comme de l'agressivité dans l'air, une volonté de marquer leur territoire. Et puis, paradoxalement, comme ça, sans que tu t'y attendes, ils se mettent à éclater d'amour par la vie, ils se tutoient, ils te tutoient, ils déploient un sens incroyable du goût des petits plaisirs concrets, accessibles, quotidiens.

Tu ne rentres pas très facilement chez ces gens-là. Ce que je t'en dis, c'est évidemment très incomplet, car je vis dans un cocon absolu, protégée par une existence sans difficultés matérielles — l'ambassade — et donc, je ne vois les gens que par moments, par courtes séquences, je vois des hommes et des femmes auxquels, en vérité, je ne comprends pas grand-chose. J'ai beau prétendre pouvoir lire à travers les gens, mes œillères sont trop épaisses pour que je puisse y voir vraiment clair. Mais ils sont, tous et toutes, incroyablement, des discutailleurs. Ils parlent, ils parlent, ils ont du *brain* à n'en savoir que faire.

C'est peut-être aussi cette ville, Paris, leur ville, qui fait que c'est difficile de se faire une opinion définitive. Elle est sale, polluée, bruyante, absolument pas organisée, il y a des deux-roues partout, vélos et scooters, ils font n'importe quoi, ils montent sur les trottoirs, prennent les sens interdits, les voitures brûlent les feux rouges, au volant les types ont tous l'index gauche dans la narine de leur nez. Dans les rues, aux terrasses des bistrots, aux entrées des salles de cinéma, ou devant les boulangeries — c'est un pays où l'on ferait la queue pendant deux heures pour avoir un certain type de pain —, ils et elles ont tous un téléphone portable collé à l'oreille. La première fois que tu vois ça, c'est comme si une ville entière avait mal à l'oreille gauche mais alors, là, tu les vois sourire, ils minaudent, ils bisoutent, ils gloussent, on dirait qu'ils passent leur vie à se dire qu'ils vont se retrouver et que cet appareil leur tient lieu d'instrument de bonheur, de certitude, de réassurance.

Mais tout ça n'est pas très important parce que, en même temps, elle est tellement belle, cette ville, que tu oublies ces détails superficiels, ces fausses apparences. Tu oublies tes préjugés. Tu oublies les travaux partout, les embouteillages pas plus sérieux que chez nous d'ailleurs, tu oublies la grossièreté de certains flics, la morosité de certains visages. Et tu ne vois alors que l'élégance des pierres, l'intelligent dessin d'une ville qui n'a pas été découpée en carrés et en rectangles monotones comme la plupart des nôtres. Tu sens bien qu'il y a une Histoire.

À un moment donné, au détour d'une conversation ou au spectacle des gens qui parlent entre eux, avec ces gestes incessants qu'ils font avec leurs mains, les envolées de bras, les baisers répétés sur les joues (tout le monde s'embrasse tout le temps, ici, même les hommes entre eux), tu as l'impression de saisir comme une sorte de fatalisme mesuré, un "c'est la vie, c'est comme ça", ou plutôt un "on n'y peut rien", ou encore une conviction — due au réalisme et au poids de leur passé — selon quoi on sait qu'il existe beaucoup de problèmes sans solutions et qu'une certaine forme d'intelligence doit faire accepter qu'on vive avec cette idée.

Chez nous, en Amérique, on appellerait ça de la résignation. Chez eux, ici, ils appellent ça du bon sens.

Mais je ne vais pas t'embêter avec ces platitudes puisque, en vérité, je ne sais rien de ce petit pays, sinon que je me suis mise à l'aimer, qu'il m'attire, et que je commence à comprendre la citation que m'ont proposée, hier soir, au cours d'un dîner, mes amis David et Caroline :

> *J'affirmais une chose hier,*
> *Aujourd'hui, j'en doute,*
> *Demain, je la nie,*
> *Je puis me tromper tous les jours.*

David a ajouté, après l'avoir répétée plusieurs fois :

— Voilà, Maria, voilà, pour toi, une parmi tant d'autres, la belle illustration d'un certain esprit français.

Ces histoires de photographes, tu comprends bien qu'à la résidence, on n'aime pas du tout ça. Ne serait-ce que pour des raisons de sécurité. Ils sont tellement chatouilleux là-dessus. N'importe quel appel non justifié suscite une enquête. Alors, ces coups de fil pour me joindre, ces sollicitations de droite et de gauche... Pour la première fois depuis que je travaille pour les Stadler, j'ai eu droit à une réflexion désagréable de Tea. Elle m'a dit :

— Ma chère Maria, je ne vous ai jamais, jamais, fait une seule remarque à San Francisco ai depuis notre arrivée à Paris. Et pour cause, vous êtes une jeune fille au pair irréprochable. Médaille d'or. Mais là, Maria, il va falloir que ça cesse. Ça devient embarrassant.

Tu sais comme moi, chère Rose, que l'adjectif *embarrassing* prononcé par une femme comme Tea Stadler équivaut presque à une accusation. On a donné des consignes strictes au standard téléphonique. Mais ce qui a rendu Tea Stadler livide, c'est le coup du bouquet de fleurs. Un matin, figure-toi, une énorme gerbe de roses est arrivée à la résidence. Tout le monde pensait que c'était pour Tea, bien sûr, au point que, pour une fois, ils n'ont pas vérifié la carte qui accompagnait le bouquet. L'ennui, c'est que Tea, elle, a bien lu la carte, forcément, et cette carte disait :

"À bientôt, j'espère, le bonheur de vous revoir, chère Maria. Votre dévoué Marcus Marcus."

"Votre dévoué", non mais, tu imagines ! Il a fallu que j'explique tout, que j'avais rencontré ce type à la fête du 4 Juillet, que nous avions bavardé, quoi ? pas plus de trente minutes, et que c'était tout. Et que je ne l'avais jamais revu.

— Ça devient embarrassant, a répété Tea.

Ce type, ici, en France, c'est une télécélébrité. Je l'ai trouvé intéressant au début, juste au début, parce que j'ai compris — je ne peux pas te dire comment ces choses-là me viennent, ces intuitions — qu'il avait, comme moi, à un moment de sa vie, subi une épreuve physique violente à la suite de laquelle il n'était plus resté le même homme.

Bon, OK, très bien, on a un peu parlé de tout cela, avec Marcus Marcus et puis j'ai commis l'erreur de lui dire que je l'avais regardé à la télévision et lui ai exprimé mon jugement, ainsi que ma vision de sa vraie personnalité. Le problème, c'est que j'ai vu ensuite, enfin pratiquement tout de suite, qu'il était tout bêtement en train de tomber amoureux de moi. Cet être chevronné, apparemment pétri de perspicacité et de culture — si j'en juge par ce que je vois de lui chaque semaine à la télévision — était devenu fiévreux et maladroit, infantile. Je m'étais d'autant moins méfiée qu'il a l'aspect d'un homme sentimentalement démuni. Alors, ça ne me gênait pas de converser avec lui, d'autant qu'il sait bien dialoguer. Mais face à une telle attitude, décou vrant dans ses yeux écarquillés sa fascination gênante, j'ai préféré en rester là. Il y a quelque chose de dangereux autour de lui, d'ailleurs. Et puis, voilà, c'est tout, il ne s'est rien passé d'autre ! Il a fallu que j'en persuade Tea qui avait une moue sceptique. Ça n'a pas été simple. Ça ne l'est toujours pas.

Ça l'est d'autant moins que cet homme est un monomaniaque. Il me met dans un embarras de plus en plus périlleux. Je risque d'y perdre ma situation ici, auprès de la famille Stadler, perdre tout ce que j'ai construit patiemment, modestement, en apprenant, en observant, en m'écrasant, en m'effaçant quand il le fallait, j'ai suivi à la lettre les conseils judicieux d'Edwin Stadler depuis le premier jour où il m'a fait confesser mes mensonges et dire ma vérité. Il m'avait dit : "N'affichez jamais votre beauté".

Parce que figure-toi que, trois jours plus tard, une nouvelle gerbe de fleurs, cette fois encore plus volumineuse, c'était des pivoines, est arrivée pour moi à la résidence. Même carte de visite, même message. J'ai tout fait pour écraser le coup, mais tu penses bien que Tea Stadler et tous les autres membres du personnel de la résidence l'ont su. Me voilà devenue un objet de dérision, d'interrogation, de remise en question. Ce type, à la limite, ce qu'il fait avec moi, c'est du harcèlement. En Amérique, on lui ferait un procès pour moins que ça. Mais ici à Paris, Tea Stadler veut jouer la discrétion, elle craint le "qu'en-dira-t-on", qui est l'expression surannée pour définir le "buzz". Tea

Stadler est devenue très parisienne. Sur un ton que je ne lui connaissais pas mais que, désormais, elle emploie à mon égard, elle m'a dit :

— Vous allez vous débrouiller pour que tout cela cesse. Je ne veux pas que cette histoire arrive aux oreilles de mon mari Edwin — et j'imagine que vous non plus, vous n'en avez pas du tout envie. Je vous suggère de voir ça avec Caroline. Elle peut vous aider, elle est toujours d'un excellent conseil en ce qui concerne le comportement des hommes en France.

Je vais te laisser. Pardon de t'avoir écrit un mail aussi long. Je t'embrasse et j'espère que tu es heureuse avec ton *boyfriend*. C'est formidable d'apprendre que tu peux enfin partager ton existence avec quelqu'un. Que fait-il dans la vie ?

Ta sœur des bons et des mauvais jours,

MARIA »

# 17

David Cahnac frappa à la porte du bureau de Marcus Marcus.

— Oui ?

— Je peux vous voir, monsieur ?

— Bien sûr, entrez.

— J'en ai pour un petit moment, je le crains, monsieur.

— Tout va bien. J'ai exceptionnellement une heure presque vide devant moi. Fermez donc la porte et asseyez-vous. Qu'est-ce que je peux faire pour vous, exactement ?

Depuis qu'il avait appris que David, sans lui en avoir parlé, avait proposé en association avec Margo un concept d'émission pour la chaîne, Marcus Marcus regardait son proche collaborateur d'une façon nouvelle. « Au fond, pensait-il, je le croyais diplômé, pourvu d'une bonne éducation, venu d'un autre monde que celui de la télé, capable de loyauté et de fidélité. Eh bien, on s'aperçoit avec le temps que les plus beaux salauds sont souvent ceux qui jouent les enfants de chœur et qu'il n'est pas besoin d'avoir grandi dans le fond visqueux de la marmite pour ne pas vouloir s'y vautrer, comme tous les autres, avec avidité, arrivisme, et un manque total de scrupules. »

Mais il ne laissait rien paraître de ce qui était devenu une haine rentrée pour le jeune homme. Il attendait sa faute, la vraie, celle qui lui permettrait de virer ce petit intrigant sans qu'il puisse faire appel à ses soutiens, s'il en avait de vraiment solides. Alors, tout doucereux, presque patelin, jouant son rôle, il répéta :

— Qu'est-ce que je peux faire pour vous, exactement, mon petit David ?

David s'assit en face de Marcus Marcus. Il le contemplait d'un œil décillé. Il y avait déjà quelque temps qu'il avait perdu tout respect pour le grand homme. Il avait trop joué, lui aussi, un rôle — celui du collaborateur timoré, réservé et poli. Il avait une revanche à prendre sur les rebuffades, les vexations, les coups à recevoir à la place du boss, les hurlements en public, les caprices, les humiliations infligées à d'autres membres de l'équipe, et sur cette dictatoriale loi du silence qu'il imposait à chacun et chacune. David, depuis qu'il aimait Caroline, et que celle-ci semblait lui rendre cet amour, avait changé de ton et d'envergure. Sa vraie nature surgissait, son goût du risque, son audace. Son souhait de tuer le père.

Et c'était précisément Caroline qui lui avait dit la veille :

— David, il faut que tu m'aides à aider notre amie Maria.

— Qu'est-ce qu'il se passe ?

— Rien. Enfin si, une histoire loufoque — mais elle implique ton patron.

— Ah bon ? Raconte !

Caroline lui livra toute l'histoire et le pria d'aller parler à Marcus.

Il lui faudrait donc jouer la comédie du collaborateur gêné, alors qu'en secret David se réjouissait d'avoir à confronter Marcus Marcus avec l'ineptie de son action, sa cour effrénée auprès de la jeune Maria. Il s'apprêtait à parler mais il sentit chez Marcus Marcus une sorte d'impulsion — comme si, soudain, celui-ci avait décidé de baisser le masque. David voyait venir, car il en avait l'habitude, la spectaculaire colère de Marcus, cette intempérance qui parfois balayait tout calcul de prudence, la légendaire, la fameuse colère, celle qui résonnait parfois à travers les murs du cinquième étage. David, qui la connaissait bien, la voyait monter en puissance sur le visage de son patron, comme on peut suivre les accélérations d'un moteur.

— Alors, reprit Marcus. Vous n'osez pas m'en

parler, mais c'est de votre fumeux projet d'émission que vous voulez m'entretenir, c'est cela ?

— Quel projet ?

Marcus éleva la voix.

— Eh, eh, eh, eh, oh ! Oh ! Ne me prenez pas pour un con, David. Je suis parfaitement au courant de vos agissements dans mon dos.

— Mais, monsieur...

La voix monta encore d'un ton, le moteur était passé en surmultipliée.

— « Mais, monsieur... », mais ne m'interrompez pas, David. Vous devriez avoir appris cela depuis le temps que vous barbotez dans la mare aux requins. Les gens intelligents, les gens de pouvoir, les gens de grande notoriété — et j'ai la modestie de croire que j'appartiens à cette élite — veulent bien qu'on les traite de tout. Qu'on les prenne pour des ordures, des menteurs, des tueurs, des retourneurs de vestes, des mégalos, des cyniques, des paranos, des schizos, des allumés de la gloire. Tout. Mais il y a une chose qu'ils ne supportent pas, une. QU'ON LES PRENNE POUR DES CONS !

David se sentit soulagé. « Au moins, pensait-il, je n'aurai pas besoin de beaucoup de précautions, après un pareil démarrage. » Il attendit que le hurlement de Marcus Marcus perde de son écho. Il s'exprima d'une voix posée, savourant le moment :

— Écoutez, monsieur, je ne suis pas venu vous parler de je ne sais quel projet. Et je ne vous ai jamais pris pour un con. Je suis venu vous apporter un message.

Marcus Marcus fronça les sourcils.

— Un message ?

— Oui, monsieur, un message. Il est très clair et très précis. Le voici : il faut que vous arrêtiez d'importuner un membre féminin de l'ambassade d'un grand pays ami.

Silence. Volontairement, et avec un plaisir qu'il avait du mal à dissimuler, David répéta la phrase en détachant chaque mot comme un professeur qui dicte au tableau noir : « IL – FAUT – QUE – VOUS – ARRÊTIEZ – D'IMPORTUNER – UN – MEMBRE – FÉMININ – DE – L'AMBASSADE – D'UN – GRAND – PAYS – AMI. »

Il vit Marcus Marcus se décomposer. Ce visage si familier, le temps que cette phrase fasse son chemin depuis les lèvres de David jusqu'aux oreilles de Marcus, avait pris une apparence autre. La colère faisait place à la stupéfaction et l'homme avait perdu toute véhémence dans la voix. Il parlait sur un ton blanc, vide.

— De quoi me parlez-vous ?

« C'est amusant, pensait David, j'étais sûr qu'il allait me dire ça. »

— Vous savez très bien de quoi je parle. Monsieur, il faut arrêter. Non seulement, vous allez vous couvrir de ridicule à la seconde où cela se saura, mais, en outre, vous risquez d'avoir de très sérieux problèmes avec les services spéciaux de sécurité de ladite ambassade.

La voix toujours blanche, avec une indignation artificielle, Marcus :

— De quel droit, au nom du ciel, de quel droit vous permettez-vous... ?

— Aucun droit, monsieur, je ne suis qu'un messager.

Marcus Marcus partit d'un petit rire guilleret, faux, qui voleta dans la pièce comme les plumes de son inquiétude. Il y avait presque de la féminité dans le ton :

— Et qui vous envoie donc, dites-moi, beau messager ?

— Quelle importance, monsieur. Ce qui compte, c'est que vous ayez bien reçu le message.

Le silence s'installa dans la pièce. Puis, peu à peu, David vit Marcus changer de couleur et de posture. De livide, il passait au rose, il abandonna son fauteuil et fit le tour du bureau en moulinant des bras de haut en bas, curieuse pantomime. Il prenait un air enjoué, frondeur. Il pirouettait. Il devenait suave, et David découvrit ce qu'il savait déjà : que Marcus était un prodigieux roublard.

— Ah, mon petit David, dit-il. Ah, on a beau dire, parfois, on fait des bêtises, hein, on se laisse aller. Mais c'est pas bien grave tout ça, c'est pas bien grave. Ah, mon petit David, vous vous souvenez de Rimbaud : « On n'est pas sérieux, quand on a dix-sept ans... On marche sous les tilleuls verts de la promenade... »

« Ne te laisse surtout pas embobiner, pensa David. Va jusqu'au bout de ta mission, puisque c'en est une. » Il regarda Marcus faire le clown, jouer les enfants pris le doigt dans le pot de confiture, avec des mimiques contrites qui voulaient souligner l'absurde gratuité de tout cela. Il décida d'insister :

— Monsieur, est-ce que je peux faire savoir que le message est bien passé ?

Marcus arrêta de tournicoter autour des meubles. Cet extraordinaire caméléon venait encore une fois de changer de physionomie. Soudain, il était impavide. Il fit signe à David de se lever de son siège. Et puis, dans un sifflement, il lâcha son venin.

— L'entretien est terminé, petit saligaud. Tu peux faire savoir ce que tu veux à qui tu veux.

Il marqua un temps.

— Mais moi, je vais te dire une chose. Tu vires, tu es viré. Dans les trente minutes, j'aurai fait vider ton bureau, on jettera tes affaires sur le capot de ta voiture dans le parking auquel tu n'auras plus jamais accès. D'ailleurs, tu n'auras plus accès à rien ni à personne. Tu vires. *Out ! Exit ! End of story !*

David comprit qu'il ne fallait pas répondre, mais casser le jeu et partir. Il se dirigea vers la porte du bureau, mais, dans un réflexe qu'il qualifierait plus tard de juvénile, il ne put s'empêcher de lancer :

— On se reverra, monsieur.

Ce qui lui valut, tonitruante à nouveau, hurlée, se répercutant dans le couloir, la voix déchaînée, la fureur marcusienne :

— Oui, oui, on se reverra, ma Mercedes te croisera quand tu feras la queue devant la file d'attente de l'ANPE !

— Ça s'est bien passé ?

— Très bien, oui. Je pense qu'il a parfaitement compris le message.

— Tu lui as bien dit exactement ce que je t'avais demandé de lui dire ? Dans les mêmes termes ?

— Oui, Caro, oui, mot pour mot. Je ne peux pas garantir qu'il n'essaiera pas de contacter Maria autrement, ça, personne ne peut le savoir. Mais pour les fleurs, la résidence, je suis sûr qu'il a compris. Je crois même que je lui ai foutu les jetons quand j'ai mentionné les services spéciaux de sécurité. Voilà.

— Bravo.

— Par ailleurs, ce type est complètement cinglé.

— Oui, mon chéri, mais ça, tu l'as toujours su.

— Oui, ma chérie, mais pas à ce point-là, tu vois. Givré, le mec. Un numéro hallucinant.

— Eh bien, je vais d'abord appeler Tea et ensuite Maria. J'espère que cela soulagera tout le monde et fera baisser la tension. Je te remercie beaucoup.

— Je t'en prie. Ah, j'oubliais de te dire : il m'a viré.

— Mais c'est pas grave ?

— Non, Caroline, c'est d'autant moins grave que j'ai rendez-vous demain matin avec Liv Nielsen, la Présidente.

Caroline Soglio avait souvent fait sienne la formule américaine : *a good man is hard to find*, autrement dit, ce n'est pas facile de trouver un homme bien. Elle pensait que David Cahnac pourrait peut-être correspondre à cette définition mais, au cours de la première étape de leur liaison, elle s'accordait un droit de réserve. Elle l'aimait, certes, ils en étaient encore à ce temps de pure faim sexuelle, ils se découvraient l'un l'autre, et elle goûtait cette douce transformation de la vie quotidienne due à la fin de l'existence en solitaire. Il voulait aller vite. Il proposait de trouver un appartement pour y vivre à deux. Il lui parlait beaucoup de sa mère. Caroline n'était pas tout à fait prête à la rencontrer.

Elle avait été marquée comme par une brûlure au troisième degré, celle dont on meurt, par son aventure avec Tom Portman. Aussi bien par la passion qui les avait enchaînés que par la brusque lâcheté avec laquelle il lui avait signifié son congé. Dans un premier temps, cela avait failli la détruire, dans un second temps, l'expérience l'avait endurcie. On ne profite pas toujours des leçons de la vie parce qu'on ne sait pas toujours accepter les lois générales, mais Caroline avait réussi à en retirer quelques réflexes et principes. Ainsi, à propos du courage. Elle lui accordait d'autant plus d'importance que Tom Portman lui avait fait la démonstration de sa couardise. Désormais, d'instinct autant que de jugement, elle cherchait le courage chez un homme et il lui semblait que David en était pourvu.

Lorsqu'elle lui avait demandé d'aller transmettre à Marcus Marcus le message sans équivoque qu'elle avait conçu avec Tea Stadler, il n'avait pas hésité. Or, il savait, comme elle aussi, d'ailleurs, que cette initiative le scierait auprès de l'un des hommes les plus redoutés de l'audiovisuel, et qu'il y perdrait probablement sa situation. Elle fut impressionnée par son sang-froid et, même si elle conservait la mémoire de sa blessure et la conviction que rien n'est acquis en amour, elle pensa que la façon dont David allait aborder les semaines à venir lui confirmerait qu'il était, peut-être, ce *good man* qu'il est si difficile de dénicher.


Marcus Marcus examinait, dans le silence de son bureau — il s'était fait servir un yaourt et trois figues et avait demandé qu'on ne le dérange sous aucun prétexte —, les causes et conséquences de son comportement amoureux.

Ce petit voyou de David n'avait pas tort. Il ne pouvait pas se permettre qu'on voie apparaître sur les blogs et les sites consacrés à la vie des médias une information du genre : « L'homme qui fait trembler les VIP's couvre de fleurs une jeune inconnue. » Ou encore : « Scandale à l'ambassade US. Marcus Marcus se ridiculise. » Ça l'aurait carbonisé. Mais comment avait-il pu ainsi perdre son fameux « self-control » ? Il ne se reconnaissait pas,

lui, le maître de l'entretien, cultivé et disert, professionnel et dominateur.

Il se reprochait l'élan inarrêtable et inattendu de naïveté, digne d'un adolescent d'un autre siècle, qui l'avait
poussé à ce geste. Puis, il imagina les ennuis que son
zèle avait pu provoquer envers une simple jeune fille au
pair au sein d'une institution aussi gardée et d'une
famille si prestigieuse. Il aurait voulu envoyer un mot
d'excuses, mais il se dit que s'il devait le faire sans doute
faudrait-il le destiner non pas à Maria mais au couple
Stadler, car il était aisé de comprendre d'où venait ce
message. Il jugea qu'il pouvait attendre un peu.

Cependant, il n'avait rien perdu de sa lubie. Le
visage de Maria surgissait sans cesse dans ses pensées.
Il faisait une fixation, avait une obsession, il se posait
des questions simples et idiotes. Où est-elle, que fait-
elle, d'où vient-elle, a-t-elle un petit ami, comment
occupe-t-elle ses journées, pourquoi m'a-t-elle tourné
le dos si subitement alors que nous avions entamé une
conversation qui semblait l'intéresser ? Que pourrais-je
bien faire pour gagner sa confiance et la revoir, ne fût-
ce qu'une fois, même si rien, rien !, ne doit en sortir.
Car il voyait bien le saugrenu et l'impossible d'une
relation quelconque avec cette jeune fille. Il comprenait qu'il n'y avait eu qu'un court moment, quelques
minutes, ce choc qu'il avait reçu en la découvrant,
cette «apparition», et que, en toute logique, il fallait
s'arrêter là. Les fantasmes ne durent pas toute une vie.

Il le voyait bien, mais c'était une douleur, une anxiété aiguë. Elle remplissait ses jours. Elle le rongeait. Il fallait y trouver un remède. Toutefois, il se demandait si la disparition de la douleur ne serait pas pire que la douleur elle-même.

L'accès de colère qu'il avait eu face à David l'avait dévasté, épuisé. Il se sentait creusé, happé de l'intérieur. Une sorte de martèlement discontinu s'était manifesté dans la partie gauche de sa boîte crânienne, autour de l'oreille. Il ne put terminer son yaourt.

Maria se sentit délivrée lorsqu'elle apprit, par Caroline, que David avait relayé auprès de Marcus Marcus le message empreint de menace. «Cette histoire va donc cesser», se disait-elle, en reprenant les mots de Tea. Mais c'était Tea qui, maintenant, représentait un problème. Son attitude envers Maria avait changé.

Maria était moins souvent invitée à l'accompagner — avec ou sans la coach Caroline — aux défilés de mode, aux événements quasi mondains, aussi bien qu'aux réunions d'animation du nouveau réseau humanitaire franco-américain créé par cette assoiffée d'action et de reconnaissance qu'était Tea Stadler. L'ambassadrice n'avait jamais vu — ou bien avait-elle refusé de la voir — cette singulière «beauté» de Maria, qui avait frappé tous ceux qui gravitaient autour du petit monde de l'ambassade et même au-delà. À San Francisco, elle n'y avait pas prêté attention. Et puis, Maria lui était indispensable, à cause des enfants. À Paris, tout avait été différent.

Il y avait eu l'effervescence des photographes autour des trois femmes à l'occasion de ce défilé. Tea, baignant dans l'autosatisfaction, avait cru que c'était elle qu'on regardait. Elle s'était trompée. Il y avait eu tout ce bruit autour de la jeune fille, ces appels, et puis, ces invraisemblables envois de fleurs. Tea ne pouvait entièrement croire que ce Marcus Marcus, qui l'avait impressionnée au cours du dîner chez les Severaguais, n'avait vu Maria qu'une seule fois et ce, pendant moins d'une heure. Maria avait eu beau protester de son innocence, raconter à dix ou vingt reprises la vérité sur cet épisode fugace, cet échange rapide et superficiel, Mme Tea Stadler n'était pas prête à l'accepter.

Aucune femme ne peut durablement rester sourde et aveugle aux compliments que reçoit une autre femme, proche d'elle, a fortiori si celle-ci est plus jeune qu'elle. Seule une mère en est capable, s'il s'agit de sa fille. Mais Maria n'était pas sa fille — même si, par instants, Tea l'avait considérée comme telle. Un vilain et vieux péché arrivait à pas feutrés sur le devant de la scène. La jalousie peut toujours être adroitement dissimulée par celle qui l'éprouve — mais elle est bien plus vite repérée par celle qui l'a inspirée.

Et avec son habituel instinct, son talent dans la

perception juste, ce jugement intuitif qui ne lui faisait pas défaut, Maria sentait poindre ce qu'elle avait redouté depuis ses premiers jours d'*au pair girl* à Pacific Heights : ce que le mari de Tea, Edwin, lui avait recommandé d'éviter. Elle savait qu'elle ne survivrait pas une demi-journée si Tea décidait qu'elle allait, d'une manière ou d'une autre, déranger l'ordre des choses et lui faire ombrage.

Car Tea voulait toute la lumière sur elle. Elle s'était prise à son rôle de femme d'ambassadeur et, pour dire le vrai, elle y excellait. Après des débuts balbutiants, Tea avait redressé la barre. À force d'acharnement maniaque, de sollicitations quotidiennes auprès de Caroline, de redoublements de leçons de français, elle avait gagné l'admiration de ce village complexe qu'elle avait souhaité conquérir, ce Paris qui, maintenant, l'acceptait comme l'une de ses reines. Ah, pour ça, le secret coaching de Caroline Soglio avait fait des merveilles ! Mais il est vrai que l'élève avait été assidue, disciplinée, une sacrée gagneuse, une coriace réaliste, une *tough cookie*, comme disent les Américains, du biscuit très dur. Elle avait rapidement compris tous les avantages que lui procurait sa position et elle avait mis la machine du personnel privé de la résidence en état de marche à son seul service. Elle avait su brillamment exploiter son pouvoir d'invitation et de réception, profiter des moyens du bord, limousines, chauffeurs, gardes du corps, avion privé si nécessaire. Et, ayant surtout su en faire profiter les autres, elle s'était créé sa propre cour. Ce n'était pas la gentille petite *au pair girl* qui allait laisser des grains de sable s'infiltrer dans les rouages si bien huilés de la machine.

Maria savait. Elle ne s'était jamais fait si discrète, obéissante. Elle ne se maquillait plus, elle portait des vêtements simples, sans formes. Elle baissait la tête, coiffait ses cheveux à la va-vite, se dévouait pour les enfants. Et lorsqu'ils étaient absents elle se réfugiait dans sa chambre et n'en bougeait pas. Elle vivait presque en autarcie. Elle lisait et absorbait tous les programmes de toutes les chaînes de télévision. En ermite autodidacte, sans le savoir, elle se francisait de plus en plus. Sa seule alliée, c'était Caroline. Puisqu'elle avait autant d'influence auprès de Tea Stadler, Maria la supplia de l'aider. Caroline lui dit :

— Je le ferai, compte sur moi, mais ne t'inquiète pas, Maria, s'il t'arrivait quoi que ce soit, David et moi, on t'épaulerait. Crois-moi, une fille comme toi, à Paris, ne peut pas rester longtemps sans trouver quelque chose à faire.

Maria pensait que, au pis, il lui resterait l'ultime recours, Edwin Stadler lui-même, l'ambassadeur, le seul homme qui savait tout sur elle, à qui elle avait confié le souvenir honteux de son adolescence. Celui qui avait toujours représenté, à ses yeux, la statue du protecteur.

# 18

Liv Nielsen reçut David, accompagné de Margo, dans son bureau présidentiel. Il était 6 heures du matin. Dehors, l'air était très frais. « Si c'est trop tôt pour vous, faites-le-moi savoir », avait-elle fait communiquer, la veille, par son secrétariat. Convaincus qu'il s'agissait d'un premier test, les deux complices avaient répondu par le mail suivant à l'une des quatre secrétaires-assistantes de la Présidente :
— Cinq heures même, si vous voulez.

Ils étaient là, l'œil clair, la peau bien propre, le cheveu lavé, le teint vif. Deux vrais petits animaux, membres typiques d'une nouvelle génération à qui le Haut Mal des altitudes ne faisait pas peur. Liv Nielsen, de son côté, était l'interprétation la plus aboutie de ce que l'on pourrait appeler l'« impeccabilité ». Comme souvent, l'Inductile était vêtue de blanc, un tailleur-pantalon dont la veste portait, à son revers, une broche, années 20, couleur peau de tigre. Comme chaque fois qu'elle la voyait, Margo — que Liv avait prise sous son aile, ce qui avait grandement facilité le rendez-vous — la trouvait irrésistible. Pour David, il s'agissait de leur deuxième rencontre et rien ne l'intimidait plus — il avait trop vécu aux côtés d'un monstre comme Marcus Marcus pour qu'une telle entrevue le paralyse. Mais, comme tout le monde, il ne pouvait rester insensible à la majesté de Liv Nielsen, cette impression qu'elle avait inventé la « plus cool que cool attitude ». L'ambiance fut cordiale, les échanges rapides. Avec Liv, on allait à l'essentiel. Aucun mot n'était gratuit.

— Si je comprends bien, dit-elle à David, vous êtes devenu un agent libre. Notre ami Marcus vous a éliminé de son organisation.

— Les nouvelles vont vite, répondit David, étonné.

Cela datait de la veille, en effet, mais Liv Nielsen n'était pas obligée de dire à David, pas plus qu'à Margo, qu'elle avait fait poser, il y avait déjà longtemps, des micros miniatures dans le sous-plafond du bureau du grand homme — ce qui lui permettait de connaître le contenu des entretiens privés de Marcus Marcus avec ses interlocuteurs, et, en particulier, celui au cours duquel Margo l'avait « déstabilisé ». C'était grâce à cette écoute clandestine que Liv Nielsen avait décidé de faire de Margo un de ses petits soldats. Sous ses allures de vestale de l'audiovisuel, cette femme, dépendante de son goût extrême du pouvoir extrême, n'en excluait aucune arme. L'Inductile naviguait sans morale sur les eaux de la réussite.

— Expliquez-moi votre idée, fit-elle à David. Margo m'en a un peu parlé, mais j'ai besoin ce matin qu'on y voie plus clair.

— C'est simple, madame la Présidente. Plutôt que de toujours donner à une célébrité le soin d'en interroger une autre...

— Comme le fait Marcus Marcus, par exemple ?

— Par exemple. Lui ou d'autres, sur d'autres chaînes. Plutôt, donc, que cet habituel format, c'est-à-dire une star de télé face à une star d'autre chose — pourquoi ne pas demander à un ou une anonyme d'interroger, en tête à tête, une star ?

— Monsieur Cahnac, c'est un métier, ça s'apprend. On ne devient pas du jour au lendemain capable d'interroger une personnalité pendant cinquante-cinq minutes.

— Tout dépend de qui on parle, madame. Dans les dîners en ville, dans la vie, dans le travail, vous avez souvent rencontré des gens, hommes ou femmes, médecins, avocats, profs, industriels, psychologues, commerçants, allez savoir, qui parlent bien, qui posent les bonnes questions, qui ont leur vision de la vie et du monde.

— Oui, bien sûr. Il y a des gens intelligents partout — mais il n'y en a pas autant que vous croyez qui pourraient soutenir et conduire un entretien, un face-à-face, avec un pro de la politique, du spectacle ou du sport. En

388

direct, ou pas en direct, avec des caméras, des micros —
encore une fois, c'est un métier.

— C'est bien là toute notre idée. Nous n'allons pas
chercher Mme ou M. Michu. Ce n'est pas le panel des
«petites gens», les inconnus, les Français plus que
moyens face aux candidats des présidentielles. Ce n'est
pas le beauf tétanisé et fasciné face à la superstar à l'aise.
Non, ce serait une intelligence — comme vous dites —
une sensibilité, une personnalité différente et nouvelle et
qui, forcément, mènerait l'interview autrement. Et dont
le jeu avec l'interlocuteur aurait un autre look, un autre
ton, un autre rythme. On sort de la routine. On casse la
convention. On n'est plus dans la connivence habituelle
de tous ces pros qui se connaissent, se tutoient, maî-
trisent les mêmes codes.

David reprit son souffle. Il sentait qu'il fallait davantage faire valoir son argument. Margo décida de
prendre le relais :

— Écoutez, Présidente, depuis le temps que les sondages nous disent que les Français se méfient de la
connivence entre journalistes et politiques : «Ils sont
tous à jeter dans le même panier, ils couchent ensemble,
c'est complaisance et compagnie», là, on remettrait les
pendules à l'heure. Donc voilà : authenticité et surprise.

— Je vous demande pardon, répondit Liv Nielsen,
mais chaque semaine Marcus, chez nous, fournit
l'exemple d'une émission sans concession et sans copi-
nage.

— Oui, mais dans la méchanceté et l'agressivité. Nous

croyons, nous, que notre «interviewer d'un soir» fera beaucoup plus dans la curiosité, l'empathie, la chaleur humaine.

Liv Nielsen parut réfléchir.

— Je vois. Et si votre «animateur journaliste anonyme» réussit son entretien, il deviendra lui-même une star, c'est cela?

— Peut-être.

— Et s'il devient une star, alors vous le gardez? Et on fait l'événement.

— Pourquoi pas?

Liv regarda les deux jeunes gens.

— Vous avez un titre?

Margo:

— Justement: «Casser les codes».

— Non, c'est pas bien du tout. Il faut être beaucoup plus simple, plus basique, plus banal. Il faut dire les choses de façon évidente, compréhensible tout de suite pour tout le monde. Du genre: «Un regard nouveau». Enfin, c'est un titre de travail, on peut certainement trouver mieux.

Margo et David, en écoutant le dernier propos de Liv, crurent qu'elle était en train de leur donner son accord. Elle venait de dire: «C'est un titre de travail.» Elle avait parlé au présent, pas au conditionnel. Liv saisit leur échange de regards, leur vif sourire complice. Elle les voyait remuer sur leur siège comme deux gamins à qui on vient de promettre une nouvelle PlayStation. De sa voix sensuelle et ferme, cette voix qui imposait le silence dans n'importe quelle réunion, elle les fit revenir sur terre.

— J'y crois qu'à moitié à votre affaire.

Ils se taisaient. Elle les aimait bien, ces jeunes gens. Margo, Liv avait vite jugé que c'était ce que l'on appelle une « lame ». Elle avait la vivacité autoritaire, une sexualité décomplexée, un culot et une astuce hors pair. Elle respirait la liberté de la femme, liberté de corps et de pensée, d'esprit. C'est pourquoi Liv l'avait fait inviter, puis admettre comme membre dans le cercle fermé de la « Sororie ». David, Liv savait qu'il avait vécu un enfer aux côtés de Marcus Marcus et que cela devait avoir tanné son cuir, l'avoir rodé, mûri. Il n'était pas impossible, aussi, qu'avec ce projet il veuille se venger de son ancien patron.

— En fait, votre histoire ne tient que si votre inconnu est génial.

Elle n'avait pas envie de fabriquer, à l'intérieur de sa propre chaîne, une sorte de contre-feu, un concurrent, un produit qui deviendrait l'antidote, le contraire du « VQALG » de Marcus Marcus. En même temps, ça la séduisait. Le tournant générationnel devait se faire, ici, comme partout ailleurs. Et puis, il n'était pas insensé d'imaginer que les deux émissions puissent cohabiter sur la grille. Ça doit se remplir, une grille, ça doit surprendre, ça doit bouger, une soirée chasse l'autre, et Marcus Marcus à lui seul ne pouvait pas avoir le droit exclusif de l'entretien en solitaire. Il l'avait eu jusqu'ici, certes, et Liv savait tout ce que la chaîne lui devait. Mais les choses étaient en train de changer.

— Si vous ne me trouvez pas un homme ou une femme qui crève l'écran et qui tienne la distance, votre idée ne vaut rien.

Elle avait observé Marcus Marcus. Il filait un mauvais coton depuis quelque temps. Des échos bizarres. Une plainte, une enquête psychomorphologique de la part de la DRH, et un autre écho, surtout, non vérifié, qui lui était parvenu de la part d'une de ses collègues de la « Sororie ». Et depuis qu'elle avait entendu, tard dans la nuit, seule dans son bureau, l'écoute clandestine de David apportant un « message » mystérieux à Marcus, Liv Nielsen avait compris que le célèbre intervieweur, membre du conseil d'administration de la chaîne, s'était dévoyé sur les chemins du déconnage. Qu'est-ce que c'était, cette histoire « d'importuner un membre féminin de l'ambassade d'un grand pays ami » ? Qu'est-ce que cela voulait dire ? Il faudrait peut-être qu'elle se renseigne un peu, avant que les sites et les blogs ne s'en emparent.

— Vous allez le prospecter comment, votre inconnu de talent ?

Elle comprenait d'autant moins cette histoire qu'elle jugeait Marcus Marcus incapable de faire la cour à une femme. Elle admirait son esprit, sa dureté, son pouvoir d'attirer les téléspectateurs, son abattage et sa productivité. Mais elle savait depuis longtemps que c'était un infirme. Elle l'avait plaint en silence. Elle le croyait profondément malheureux.

— Jeunes gens, si je vous ai convoqués ici, et non dans la salle de la Table Triangle, et si je le fais à une heure aussi matinale, c'est que j'exige le total secret-défense. Je ne veux aucune embrouille avec Marcus Marcus, aucune possibilité de clash. Aucune fuite. Je ne vous le pardonnerais pas. D'autant que je ne crois qu'à moitié à votre projet. Il est vrai qu'il mérite d'être fouillé. Il n'y a qu'un moyen : vous faites des tests avec l'oiseau rare que vous aurez trouvé. Vous ne faites pas un pilote, pas un numéro zéro, juste un test. Dix à vingt minutes, pas plus. Je déciderai ensuite si on prolonge.

Elle dressa sa main à plat, en avant, et eut un geste abrupt et vertical comme un couteau qui tranche dans la viande, dans le gras de la bête.

— Attention, j'ai bien dit secret-défense ! Ça veut dire que vous faites vos tests, non pas ici au siège, mais sur le plateau d'une boîte de prod indépendante qui n'a aucun rapport avec ma chaîne et ce sera votre société qui prendra les frais en charge.

Elle sourit avec tout l'éclat de ses onéreuses jaquettes. Elle s'adressa à David :

— Vous avez certainement votre propre société, David ?

— Je n'ai pas encore eu le temps de mettre ça en route, madame, mais je m'en occupe cet après-midi.

— Vous ne perdez pas de temps, c'est bien. Et vous serez seul dans cette société ?

— Non, j'ai deux associées. Deux femmes.

— On peut savoir de qui il s'agit ?

— Une amie, Caroline Soglio. Et sa patronne, Sylviane Carvalhal. Voilà.

Liv hocha la tête.

— Ah... Sylviane, fit-elle. La « reine du coaching » ! Elle est très terrienne, cette femme, très directive, elle est parfois un peu vulgaire, mais elle a aussi une capacité de réflexion, et puis, c'est un rouleau compresseur. Grande compétence. Elle n'attache pas ses chiens avec des saucisses. Ça me semble très bien, tout ça. Et l'autre, votre amie, vous m'avez dit, Soglio ? Ça n'est pas l'ex-maîtresse de Tom Portman ?

David rougit et ne répondit pas. Margo voulut faire diversion, elle émit un petit sifflement admiratif :

— Vous êtes au courant de tout, Liv !

Le sourire de Liv Nielsen disparut instantanément. Elle toisa Margo, son regard allant de la coupe des courts cheveux de la jeune femme jusqu'au bout de ses escarpins aux talons trop élevés, et elle lui dit :

— Deux choses, ma petite Margo. Un : je ne vous ai jamais autorisée à m'appeler Liv. Deux : si on n'était pas au courant de tout, à la place que j'occupe, on pourrait vite se retrouver à vendre des porte-clés dans le métro.

Puis, elle fit un grand geste de mains, indiquant que la réunion était terminée et qu'ils pouvaient, accompagnés par elle, vider les lieux. Liv Nielsen s'arrêta devant la porte. Elle n'allait pas les laisser partir en toute tranquillité. Alors, elle répéta :

— Vous allez le trouver comment, votre inconnu ?

Margo, qui s'en voulait de sa gaffe, resta muette, mais David eut un charmant sourire pour lâcher :

— J'ai ma petite idée.

## 19

« Chère Rose,
Ce matin, en me levant, j'ai pensé à l'océan. Au fond, c'est ce qui me manque le plus ici, avec ton amitié, bien sûr. C'est impossible de vivre sans l'odeur, la couleur, le bruit du Pacifique. Je me souviens de nos promenades sous le Golden Gate, je me souviens aussi, lorsque tu travaillais ou lorsque tu partais voir ta famille en Arizona, comment j'allais m'asseoir seule sur un banc à Sutter Park ou à Point Lobos, et je pouvais rester des heures et même toute la journée à regarder les vagues, l'horizon, le ciel, les voiles des bateaux et le passage des goélands et des albatros avec, parfois, plus proche de la terre, des petits oiseaux, venus de l'intérieur du pays. Je commence à oublier comment elles roulent, les vagues, je veux dire leur bruit, leur communion avec le vent. Ou même leur silence quand c'est calme, ou quand je m'asseyais trop loin et trop haut pour les entendre. Voir l'océan sans l'entendre, c'est presque aussi beau.

J'ai vécu très confinée ici à la résidence, depuis qu'une brume de doutes s'est installée autour de moi et à mon sujet. Par chance, j'ai Caroline et son amant, David. Lorsque les Stadler sont en déplacement — Tea va de plus en plus souvent en province et elle sort de plus en plus en ville le soir —, je suis libre d'aller dîner avec David et Caro, une fois que j'ai couché les enfants. Je rencontre leurs amis. Ils me parlent d'une France que je ne connais pas. Je vois cette France à travers une glace opaque et déformée, déformante, irréaliste. Ils me parlent des gens qui travaillent et qui souffrent, qui discutent, qui créent, qui manifestent, qui inventent, qui sont à la fois pessimistes et amoureux de la vie. Ils me parlent des banlieues et des minorités ethniques, des problèmes quotidiens, plus difficiles que ce que j'en vois à la télé — cette télé, je la regarde tellement qu'il m'arrive de surprendre mes amis en leur décorti-quant la valeur ou la nullité de telle ou telle chaîne, telle ou telle personnalité. J'en ai marre. Je veux sortir de cet univers clos, ouaté, étranger, confortable et sans risque, le cocon doré de la résidence. Je veux voir à quoi ça ressemble tout ça, tout le reste, c'est-à-dire ceux dont on ne parle pas et qui sont la vérité d'une ville et d'un pays. Et comme j'ai commencé à m'ennuyer, pour la première fois, peut-être, depuis que je suis ici, j'ai accepté l'offre de David et Caroline.

C'est Caroline qui m'en a d'abord parlé. Et puis David m'a tout expliqué. Drôle d'idée. Ils me demandent de faire un test pour un projet encore imprécis pour la télévision, jouer à l'interrogatrice.

— Mais je n'ai jamais fait ça.

— Justement. C'est ça qui nous intéresse. Des gens qui n'ont jamais fait ça, mais qui en sont sans doute capables, autant que les professionnels. Tu as une forme singulière d'intelligence, Maria, tu possèdes un regard différent, tu es pourvue d'un sens psychologique plutôt développé, on voudrait voir ce que ça donnerait face à quelqu'un de célèbre.

— Je ne parle pas assez bien votre langue.

— Tu te trompes. Tu nous bluffes tous avec ta maîtrise du vocabulaire. Ça y est, ça va, tu es devenue bilingue ! Et en plus, ton accent peut être un atout supplémentaire. Tu n'as rien à perdre. Ça va t'amuser. On t'a trouvé un interlocuteur. C'est un écrivain à la mode, un ami des Gretzki, donc un ami de Caro, et il a accepté de jouer le jeu avec nous — on va te donner son dernier livre, une fiche très détaillée sur lui, et tu arriveras pour l'entretien comme si c'était ce que l'on fait en ce moment, dans les dîners, l'exercice naturel d'une conversation, tu peux la mener dans tous les sens que tu veux.

Eh bien, figure-toi, je n'ai pas hésité.

— Pourquoi pas ? Mais il ne faut surtout pas que ça se sache à l'ambassade. Après ce qui s'est passé autour de moi, un truc pareil, je suis calcinée. Je ne sais même pas si j'ai le droit de faire ça, ce n'est pas mon pays ici, je suis payée par les Stadler, c'est tout.

— Écoute, ça, les problèmes matériels, on aura tout le temps de voir après. De toute façon, c'est un test. Et rien que cela. Donc voilà. Et, bien entendu, c'est ultrasecret. Nous ne te mettrons jamais en danger. Je te le garantis.

— Mais, attendez, qu'est-ce que vous voulez en faire de votre test ?

— C'est pour démontrer qu'il n'y a pas forcément besoin d'être un professionnel pour conduire un dialogue à la télé. C'est tout ! C'est un essai, voilà !

— Caroline, ai-je dit, si tu me dis que tu es d'accord, je suis d'accord.

Caroline m'a dit que je pouvais le faire. Je n'avais rien à perdre. J'ai bien compris qu'elle souhaitait aider David. J'ai même compris — ils ne me cachent rien — qu'ils avaient formé ensemble une société de production. Je leur ai répété :

— Bon. Mais pourquoi m'avoir choisie, moi ?

— Parce qu'il n'y a sans doute pas deux filles comme toi sur la place de Paris.


Le romancier s'appelait Théodore Peyrelepont. C'est pas mal, ce qu'il écrit. C'est très "aujourd'hui", ça ressemble un peu, en moins costaud, à certains de nos écrivains style new-yorkais, cocaïne, adultère, désespoir et dérision. Il y a du *fuck* toutes les trois pages, bien sûr. Mais il y a autre chose. Il a sa musique à lui. J'ai bien lu tout ça de près et j'y ai vu des choses intéressantes. J'ai pris des notes. Je me suis prise au jeu.

Je suis arrivée avec Caro dans un endroit qui ressemblait à un garage reconverti, situé près de Clichy. Un petit studio. Un plateau. Des caméras. Elle m'a présentée à la femme pour qui elle travaille, Sylviane. C'est un personnage fort, tu as tout de suite envie de mieux la connaître, elle est pleine d'énergie. Il y avait Margo aussi, une petite brune brillante, qui servait de réalisatrice, un regard auquel rien n'échappe, mais qui ne m'a pas beaucoup plu. Et puis une maquilleuse, un coiffeur, quelques techniciens. Ils étaient tous adorables avec moi. Ils agissaient vite, avec le sourire, dans la décontraction, ils sont tous plutôt jeunes, plutôt sympathiques. J'ai remarqué que Sylviane leur faisait signer à tous un papier. J'ai demandé de quoi il s'agissait à Caro.

— Clause de confidentialité, m'a-t-elle dit.

Le romancier est arrivé. J'étais assise à ses côtés pendant qu'on le maquillait. Il avait l'air très préoccupé par ses poches sous les yeux, l'état des boucles de ses cheveux sur la nuque, et en même temps il se marrait sans cesse. Il est malin comme un singe. Il a commencé à me poser des questions dans un style très dragueur et clownesque. Et qui je suis, et d'où je viens, et pourquoi je suis aussi belle. T'as l'impression qu'il fait ça avec n'importe quelle fille qu'il rencontre — ou même peut-être n'importe quel homme. Obsession de plaire, de masquer sa vraie personnalité.

On a commencé à tourner. David et Caro m'avaient un peu coachée et j'avais bien lu mes fiches, mais je me souvenais surtout de toutes les heures de télé que j'absorbais chaque jour depuis mon arrivée en France et j'avais décidé de ne suivre aucune ligne de conduite, oublier la manière dont ils font ça. J'ai demandé à Peyrelepont de me parler de son enfance d'abord, et de sa douleur. Il a eu l'air surpris. Quelle douleur ? Nous en avons tous au moins une, non ?

Alors on a vite plongé dans l'enfance et je lui ai posé une question sur sa famille, et puis, on est passés à la tristesse de certains matins, au désespoir tranquille de la plupart des êtres humains, je me suis mise à le mitrailler d'un seul coup avec toutes sortes de questions plus ou moins bonnes, les décisions les plus importantes de sa vie, pourquoi il dissimulait ainsi le bas de son visage avec ses mains, et puis je lui ai demandé de cesser de faire le malin, d'arrêter de faire le singe, et de me décrire la vision qu'il avait de son pays. De me raconter ce peuple français auquel, en fait, je ne connaissais rien. Il répondait, je relançais, je voulais qu'il se dévoile. Je lui demandais de justifier le choix d'un adjectif, pourquoi il hésitait entre certains mots, on s'entendait très bien tous les deux. »

DAVID : Elle est incroyable. Elle pulvérise l'écran. Elle explose le tube ! Margo, on va aller au-delà des vingt minutes, hein, on s'en fout, on fait un vrai cinquante-deux minutes, ils ne vont pas s'en apercevoir. Théodore a l'air fasciné.

CARO : Elle aime ça, elle est fraîche, spontanée, originale, c'est vachement intéressant.

MARGO : La 3, reste sur ses yeux. La 2, n'oublie pas de passer à Théodore quand elle le fait sourire. La 3, les yeux ! C'est d'accord, David, OK, on va au bout, tant qu'à faire. Elle est belle, cette fille, c'est une bebon, putain, une bebon.

DAVID : C'est pas qu'elle est belle, c'est qu'elle est neuve, cette Maria, elle est neuve ! C'est autre chose, les enfants, autre chose.

CARO : Eh bien, t'avais raison. Mais ça n'est pas le look qui compte, c'est pas ça, c'est l'émotion qu'elle porte, c'est la tendresse et la justesse aussi, je n'en reviens pas de la façon dont elle rebondit sur les réponses de Théodore. Au fond, elle a dû beaucoup plus travailler qu'elle nous l'a dit.

DAVID : Il faut voir aussi qu'il nous aide bien, Teddy. C'est quand même un sacré bon client, le Théo.

CARO : Oui, mais ça, on l'a toujours su. C'est un pro, c'est le chouchou des plateaux télé. Sauf que là, il sort un peu de son rôle habituel, on sent qu'elle réussit à lui faire faire autre chose. Il est presque sincère.

MARGO : Fermez-la un peu, on ne s'entend plus en régie. La 3, les mains, les mains !

SYLVIANE (qui n'avait encore rien dit) : Les enfants, vous avez de l'or entre les mains. Nous avons de l'or entre les mains.

Emphatique, elle ajouta :

— *A star is born.*

« Quand ce fut fini, Théodore m'a embrassée. Il m'a dit qu'il aurait bien continué comme ça toute la soirée, que peu de gens l'avait interviewé de cette manière. Ils sont tous sortis de la régie, David, Caro, Margo, ils avaient l'air excité, et cette Sylviane dont je t'ai parlé, qui se tenait un peu en retrait et me regardait comme on évalue le poids d'une bête. Ils m'ont félicitée. Tu aurais été fière de moi, Rose. David m'a dit :

— C'était génial, c'est exactement ce qu'on cherche à faire. C'est différent, qu'est-ce que t'en penses, Théo ?

— Je suis d'accord, c'est moins classique, moins convenu. Votre idée est pas si con que ça. Mais surtout, je voudrais le numéro de téléphone de Maria.

J'ai fait non de la tête, je me suis rapprochée de Caroline et je lui ai soufflé :

— Tu m'avais promis, il ne faut pas que ça recommence.

Elle m'a dit :

— T'inquiète pas, je vais lui dire, mais tu sais, c'est merveilleux ce que tu donnes à l'écran.

— Tu crois ?

— Bien sûr, Maria, ça t'a intéressée de le faire ?

Je n'allais pas dire le contraire. C'était amusant, je me sentais bien, j'avais compris toutes sortes de trucs à mesure qu'on avançait, je me suis calmée sur la fin, je l'ai beaucoup plus laissé parler, j'avais été trop fébrile au début, tout de même, je m'étais trop mise en avant, mais j'ai vite pigé les vertus du silence une fois que l'autre vous a répondu. Franchement, je me suis bien amusée. Ça venait facile, comme quand on nage, c'était cool. Après, on a tous dîné ensemble. Ils étaient bruyants, flatteurs, ils parlaient d'images et d'argent, et j'ai senti que je pourrais être une des leurs. C'est un univers agréable.

Le lendemain, Caroline a voulu que je la retrouve dans les bureaux de "Coach and Coaching", rue Delambre, dans le 14e. Elle m'a montré une plaque sur la porte d'entrée, au-dessous de celle de la société de Sylviane, marquée DMCS.

— Ça veut dire quoi ?

— Ça veut dire, David, Margo, Caroline et Sylviane, on s'est tous mis ensemble, Margo nous a rejoints, c'est notre nouvelle société de prod. Et tu vas être notre premier gros coup, voilà.

Sylviane m'a embrassée comme si j'étais sa fille revenue de dix ans d'absence en Afrique australe.

— Ah Maria, ah Maria, répétait-elle.

— Bon, j'ai dit, qu'est-ce qui se passe, calmez-vous.

— Il se passe, a répondu Sylviane, qu'il faut qu'on sécurise tout maintenant et que tu te sécurises aussi. Il faut tout bétonner. Tiens, voici les contrats, les droits d'exclu, les droits de produits dérivés, les droits d'images, le sponsoring possible...

— Arrêtez, j'espère que vous plaisantez.

Caroline m'a dit :

— Écoute, Maria, tu n'as qu'à lire tout ça calmement. Tu viens t'asseoir à côté, on a du thé vert, tu lis tranquillement et on en parle. Tu dois me faire confiance. Je ne suis pas ton agente, je suis ton amie, donc voilà.

C'est drôle, en ce moment, dans cette ville, ils disent tous "voilà" ou "donc voilà", à n'importe quel bout de phrase, c'est un tic. Lorsque je suis arrivée, la seule chose que j'entendais c'était : "yapasdsouci" suivi de "çamarche". Au début, j'avais du mal à comprendre. "Voilà", c'est plus facile, mais c'est exaspérant.

J'ai bu leur thé vert (on dirait qu'ils ne boivent que ça dans ces milieux) mais j'ai pas encore lu leurs papiers. Tu veux que je te dise, Rose, je me méfie. Il va falloir que Caroline m'explique bien ce qu'ils ont en tête, et qu'elle le fasse seule. J'espère que je n'ai pas fait une connerie.

Je te laisse, je te tiendrai au courant, je t'embrasse et embrasse bien ton *boyfriend*, même si je ne le connais pas encore,

Ta sœur,

MARIA »

# 22

La vitesse de propagation d'une rumeur dépend habituellement du poids de son contenu.

S'il s'agit d'une rumeur nocive, suscitant ricanements et controverses, susceptible de faire surgir les plus bas instincts qui croupissent au tréfonds de l'âme française, on peut être assuré qu'elle ira aussi vite que la lumière dans le vide — 299 792 458 mètres par seconde.

S'il s'agit d'une rumeur positive et prometteuse, suscitant sourires et espoir, susceptible de faire s'éveiller les plus hauts instincts qui flottent sur les cimes de l'esprit français, on peut être assuré qu'elle ira à l'allure d'un enfant qui chemine dans un pré, cueillant des fleurs sauvages pour sa grand-mère en visite pour les fêtes pascales. Elle ira moins vite, mais elle ira.

Ainsi en était-il du « test Maria » — « Projet Nouveau Regard », à propos duquel le buzz du « ça sent bon » prit naissance au bout d'une dizaine de jours. Si Caroline, David et Margo avaient cru que la séance d'enregistrement allait rester méconnue aussi longtemps qu'ils le souhaitaient, ils avaient été naïfs. La nouvelle avait commencé de filtrer : il paraît qu'une boîte de prod tout juste formée a trouvé une bombe qui va faire un malheur sur le petit écran. Une présentatrice pas comme les autres. Le petit univers nombriliste de l'audiovisuel bruissait.

Qui avait parlé ? Théodore Peyrelepont, sans doute. Même s'il avait signé la clause de confidentialité, il était capable de tout lâcher, il suffisait qu'il ait poussé un peu plus fort que de coutume sur la coke et la vodka.

Il ne pouvait s'agir de Liv Nielsen. Son culte du secret ne serait jamais autant respecté que depuis le visionnage du DVD de cet entretien entre Maria et Théodore. David et Margo le lui avaient présenté à la même heure matinale et incongrue que celle de leur précédente rencontre. Comme toujours, elle avait voulu voir le document seule, sans les jeunes gens. Elle les avait fait attendre une bonne heure dans l'antichambre. Puis, elle les avait convoqués :

— Enfin, s'était-elle exclamée, enfin !

David avait demandé :

— Enfin quoi, madame la Présidente ? Si je peux me permettre.

Liv Nielsen avait levé les bras au ciel, dans un geste exceptionnel chez ce monument de retenue, un geste d'enthousiasme semblable à ce que fait la foule dans les stades quand elle démarre une « Ola ».

— Enfin quelqu'un de neuf. Enfin un visage nouveau, une musique nouvelle. Enfin un peu d'inattendu !

Liv s'était débridée. Devant les deux jeunes gens ahuris, elle s'abandonnait à un court moment de familiarité et de franchise. Ni Margo ni un seul des membres de l'exécutif de la chaîne ne l'avait jamais entendue se défouler dans un tel rejet de son propre métier et de son milieu.

— Il faut dire que je commence à en avoir assez de tous ces « incontournables » qu'on retrouve à chaque saison de la télé. Ça fait bien dix ans que je vois revenir les mêmes « vieux routiers », les mêmes « jeunes loups », et les mêmes « blondes baroudeuses », et les mêmes « animateurs déjantés ». Les mêmes « vrais pros » et les mêmes « insolents de service ». Assez ! Du nouveau, doux Jésus ! Du nouveau ! Et puis, leur mercato ! Mais quel terme horrible, d'abord, mais qui m'a inventé ça ? On se croirait à la foire aux vaches dans un marché du bas Quercy. Le mercato ! Et que je te passe chez l'adversaire, et que je suis transféré chez le voisin, et le foin qu'on en fait, et la presse qui suit comme si ça intéressait les gens, les vrais gens ! Non mais, franchement, quel intérêt ? Donnez-moi du neuf, enfin !

Elle s'arrêta soudain, consciente qu'elle s'était prise à condamner un système dont elle était l'une des grandes ordonnatrices. Elle reprit de la distance :

— Bon, écoutez-moi. Cette jeune femme, je ne sais

pas où vous l'avez dénichée, mais gardez-la bien au chaud. C'est effectivement une personnalité exceptionnelle. Je la rencontrerai un jour, pas tout de suite. En attendant, j'ai un conseil à vous donner : il n'y a pas besoin d'aller chercher chaque semaine un inconnu pour illustrer votre principe. Contentez-vous de peaufiner le concept et de sécuriser votre contrat avec elle. Et j'achèterai, mais après un deuxième test, tout de même. Il y a son accent, c'est un peu fort, non ? Et puis, un peu d'approximatif dans son français, tout de même. Enfin, oui, je sais, vous allez me dire : Ça va faire forcément partie de la nouveauté, c'est ça ? OK, OK. Mais procédez à un deuxième test. Ça me semble nécessaire.

« Il n'y a aucun besoin et aucune raison de faire un deuxième essai », pensa David, mais il se garda de le dire à la Présidente. Ce qui comptait maintenant, et avant toute autre chose, c'était de convaincre Maria qu'elle devait aller plus loin dans cette aventure. Or, Caroline venait de l'informer qu'un problème surgissait. Maria n'était pas très partante.

— Elle a lu tous les papiers préparés par Sylviane, les contrats, les prévisions plutôt optimistes. Elle ne veut rien signer. Elle est bloquée. Il y a quelque chose que je ne comprends pas bien. Pourtant, nous sommes devenues très intimes. Elle me fait confiance. « Écoute,

Maria, lui ai-je dit, tu ne vas pas rester toute ta vie au service des Stadler. Les enfants grandissent. Tea aura moins besoin de toi, et d'ailleurs, Tea, je fais tout ce que je peux pour dissiper son irritation à ton égard, mais c'est difficile, tu le sais, votre relation ne sera plus jamais la même. Quel est ton destin? Tu rentreras avec eux aux USA lorsqu'ils quitteront l'ambassade. Ils t'abandonneront très vite. Tu connais les riches mieux que moi. Ils ne te chérissent que lorsque tu leur es utile. Leurs affections sont temporaires, leurs gratitudes graduées. À la fin de la journée, ils restent entre eux, et tu te retrouves seule. Qu'est-ce que tu feras en Californie? Tu n'as pas de métier, pas de diplômes, pas d'attaches. D'un autre côté, considère la perspective : tu restes à Paris avec nous et grâce aux relations et réseaux de Sylviane on te débrouille tes problèmes de visa. Tu fais l'émission. Ce sera un succès. Plus que ça. Un triomphe. Tu n'imagines pas ce qui t'attend. Tu vas passionner le public, tu vas faire la une de tous les magazines, on va te signer un contrat en acier, tu vas très bien gagner ta vie, tu vas avoir tout le monde à tes pieds, avec ta télégénie et ta photogénie, tu pourras même faire des pubs, les grandes marques te voudront, pense au photographe qui te cherchait partout, Aviv Vasta, il t'attend lui aussi. Donc, voilà, tu vas faire quelque chose qui t'amuse et qui t'intéresse, et il y a un boulevard devant toi. Et je serai toujours là. David, Sylviane, Margo et moi, on t'épaulera, tu feras partie de la famille, tu en fais déjà partie. »

— Qu'est-ce qu'elle a répondu ?

— Elle m'a dit que ça l'obligeait à réfléchir à d'autres choses. Je suis son amie, je suis une alliée, je suis une aide, mais ça ne suffit pas. Je lui ai dit que le buzz avait déjà démarré, tiens-toi bien, David, je ne sais pas qui a parlé, mais j'ai déjà eu trois journalistes en ligne. « Alors, il paraît que vous préparez une émission ultra-nouvelle avec une présentatrice ultra-inédite. On peut la rencontrer ? On peut connaître le titre du show ? Ce sera sur quelle chaîne ? Il paraît qu'elle est super-télégénique, votre découverte ? » Je leur ai demandé d'où ils tenaient ça, ils ne me l'ont pas dit.

— D'où ça peut sortir ?

— Es-tu bien sûr de Margo ?

— Oui, peut-être, mais quel serait son intérêt de tout dévoiler ?

— Bah, écoute, c'est évident, plus on parle et plus le désir se crée et plus les enchères montent et plus Margo, puisqu'elle est co-auteur avec toi, touchera gros. En plus, elle se renforce auprès de Liv Nielsen.

— Peut-être. Mais toi, es-tu bien sûre de Sylviane ?

— Ben oui, pourquoi ?

— Écoute, Sylviane est comme une folle, on croirait voir les euros faire ding-ding dans ses yeux quand elle parle de ce qu'elle appelle la « *star is born* syndrome ». Elle me disait ce matin qu'elle avait la certitude que notre petite société allait gagner en notoriété et en puissance très vite. Va savoir si elle n'a pas lancé le buzz, je ne sais pas, moi, mais peut-être que c'est un moyen pour elle de trouver d'autres partenaires financiers.

— Je ne sais plus.

— Revenons à Maria. Tu crois que tu peux la convaincre ? On est paralysés, là. On peut plus avancer.

Ils ne pouvaient plus avancer et la méfiance s'était insidieusement instillée dans leur petit groupe. Margo s'interrogeait sur la capacité de Caroline à convaincre Maria et se demandait si, au fond, Caroline n'avait pas peur que David s'intéresse trop à Maria et qu'il en soit secrètement épris. Margo trouvait Sylviane envahissante et commune.

David se demandait si Margo n'avait pas subrepticement fait une copie du DVD et s'il ne circulait pas déjà quelque part. Quand ils avaient quitté Liv Nielsen, elle et lui, celle-ci avait eu un clin d'œil furtif en direction de la réalisatrice. «Tu es bien sûre qu'il n'existe qu'un exemplaire du DVD ? — Oui, avait dit Margo. Je l'ai là. Et je vais tout de suite le mettre au coffre, à la société.» David n'arrivait pas à croire que Caroline, qu'il admirait et aimait, puisse échouer dans sa tentative de convaincre Maria. David trouvait Sylviane directive et mangeuse de terrain.

Sylviane était interloquée par l'attitude de Maria. Elle avait été ébahie par la prestation de la jeune Américaine. Elle avait cru voir chez elle un réel plaisir d'exercer sous les lumières des studios, elle avait goûté sa curiosité et son intelligence. Elle comprenait d'autant moins ses réticences. Elle n'aimait pas l'arrivisme de Margo. Elle trouvait David trop gentil, et Caroline trop tolérante.

Caroline, quant à elle, sentait revenir l'atmosphère des fièvres et des discussions, les querelles possibles qu'elle avait connues lorsqu'elle était la maîtresse de Tom Portman. Ça lui déplaisait. Elle trouvait Margo dangereuse et cynique. Elle savait Sylviane très intéressée, mais ne l'avait pas imaginée si avide. Elle observait David et relevait avec satisfaction qu'il ne perdait pas son calme et qu'il n'avait rien dit qui fût laid. Elle prenait conscience que toute cette agitation, ces parfums d'anticipation de succès et de gloire avaient quelque chose de malsain. Cependant, elle souhaitait la réussite de David car elle l'aimait et, après tout, il n'avait rien obtenu pour l'instant — aucun contrat, aucun deal, et les quelques autres projets que leur nouvelle société avait « pitchés » auprès des chaînes étaient encore en gestation, sans aucun accord concret. Seul, le « projet Maria » était riche de promesses presque immédiates.

Mais la réussite de ce projet ne signifiait pas, pour Caroline, qu'il faille envisager Maria comme un paquet de chair fraîche que les jeunes loups de l'audiovisuel attendaient en se pourléchant les babines. Son amour pour David n'aveuglait pas son jugement, ni sa perception morale. Elle comprenait qu'elle et les autres avaient trop insisté sur le « boulevard » de notoriété et de bienfaits matériels qui s'ouvrirait devant Maria. C'était vulgaire. Elle se le reprochait.

Et puis, n'étaient-ils pas tous déjà en train de patiner sur la surface du miroir aux alouettes ? Un peu trop tôt ? À la vulgarité de la pensée était venu s'ajouter le *wishful thinking* — ils prenaient leur désir pour une réalité. Qui pouvait prévoir exactement ce qui se passerait ? Il ne fallait pas être victime du buzz qu'ils avaient eux-mêmes provoqué sans s'en rendre compte. « Un peu de raison, ma fille, pensait-elle. Rien n'est fait, rien n'est joué — et ce n'est pas cela qui va changer la face du monde. »

En ce sens, Caroline se différenciait de ses partenaires. Les vertiges du Haut Mal ne pouvaient pas l'atteindre. Elle tentait comme toujours de prendre du recul : nous nous agitons dans notre microcosme, mais ce qui s'y passe n'a finalement pas grande importance. Ça ne modifiera en rien la vie des gens.

# 23

Les gens, ils s'en moquaient bien, en effet, des minuscules convulsions au sein d'une bulle professionnelle.

Il existe des centaines de milliers d'univers, les myriades de segments les plus divers d'une société dont le degré de civilisation se mesure au nombre de contradictions qu'elle comporte. Ces univers sont séparés, inconnus les uns aux autres, indifférents les uns aux autres. Mais quelque chose les unit, le seul lien commun qui tisse cette carte inimaginable, cette toile arachnéenne aussi bien nationale que mondiale et que domine la peur, comme l'espoir. Tous sont soudés par la puissance de ce qui a révolutionné les mœurs : l'image, et sa transmission immédiate.

Les gens, c'était tout le monde et c'était n'importe qui. Souvent, ils ne savaient plus très bien où ils en étaient, les gens. On leur expliquait que la banquise arctique fondait, que les ours polaires allaient mourir, que des inondations géantes feraient disparaître des îles, puis des villes et peut-être des continents, et que le poumon d'oxygène du monde continuerait d'être déforesté, que l'asphyxie les gagnerait tous un jour, et sinon eux, du moins leurs enfants ou leurs petits-enfants, ou leurs arrière-petits-enfants. Et pourtant, ils continuaient de faire des enfants, les gens. Ils continuaient d'aimer, construire, inventer, créer, soigner, rechercher, enseigner, lutter.

Les gens, on leur expliquait que l'économie du monde basculait, que les séismes et les tsunamis, les cyclones et les éruptions volcaniques, les marées noires et les fuites des centrales nucléaires, les massacres et les génocides, tout cela n'était rien par rapport à ce qui pouvait encore leur arriver. On leur prédisait des années de privations et de crises, et ils comprenaient qu'ils n'étaient à l'abri d'aucune guerre, d'aucun geste fou d'un dictateur fou, à l'abri d'aucune catastrophe mondiale qui remettrait en question la trame même de leur vie quotidienne. Et pourtant, ils ne l'acceptaient pas, et, s'ils ne se révoltaient pas encore, ils opposaient à la noirceur des choses la force de la vie.

Tous enfants de la même algue bleue, tous issus de l'universelle et commune cellule ancestrale, ils suivaient l'évolution, le phénomène dont personne ne connaissait l'ultime bout de course — s'il devait jamais y en avoir un. Ils avaient intégré la notion de l'imminence de l'impossible. Ils vivaient dans l'âge de l'instantanéisme, l'immédiateté universelle, l'accélération des événements réels. Le chaos. Personne ne pouvait plus leur proposer le «point fixe» dont avait parlé Pascal. Et pourtant, ils se soumettaient à la grande loi de la nature comme à un mouvement perpétuel, ils continuaient. Ils n'avaient pas d'autre choix. Il faudrait bien qu'ils s'adaptent, les gens, ils l'avaient toujours fait.

Les gens de gauche disaient : *Les choses sont intolérables.* Les gens de droite disaient : *Les choses sont inévitables.* Les sages disaient : *Les choses sont ce qu'elles sont.*

Churchill disait : *L'optimiste est quelqu'un qui voit une chance derrière chaque calamité.*

## 24

Je n'aurais peut-être pas dû accepter de me prêter à l'essai que m'ont proposé David et Caroline. Ça m'a fait tomber dans une sorte de piège, une situation absurde. À la fois ça m'intéresse et ça me permet de réfléchir à autre chose. À qui je suis — ou, plutôt, au fait que je ne sais pas qui je suis.

C'était stimulant et nouveau, j'avais la sensation de jouer un rôle différent de la docile *au pair girl*, je devenais quelqu'un d'autre et je sentais que je pourrais faire et refaire ce genre d'exercice sans difficulté. Enfin, soyons modeste : plus je le referais, et sans doute moins ça deviendrait facile. Je lisais l'autre soir les conseils d'un grand cinéaste français à l'un de ses disciples débutant : «Vous commencerez à avoir peur à partir du troisième film, parce que vous commencerez à savoir.» Mais, enfin, il est vrai que cette perspective et ce métier m'intéressent et, de tous les tournants de ma vie, celui-ci pourrait être décisif.

Pourtant, quelque chose m'empêche de dire oui. Ç'a l'air de surprendre mes amis. Pourquoi devrait-on expliquer ce qui s'apparente à une sensation et qui repose, là, ancrée dans mon ventre, dans mes tripes, au centre de ce noyau de moi-même, qui détermine tous les choix? Doit-on aller plus loin que cette phrase précise: «J'ai besoin de réfléchir»? Les Français sont incorrigibles, ils veulent toujours trouver une raison derrière toute chose. Quand je disais à Caroline, qui m'appelait trois fois par jour:

— Ça m'oblige à réfléchir.

Et qu'elle me répondait:

— À quoi?

Que pouvais-je lui dire?


Elle m'avait donné rendez-vous ailleurs qu'au siège de la société, chez Sylviane.

— Allons dans un bistro. Allons loin de l'ambassade, loin de la société DMSC. On parlera loin de tout, loin des autres.

C'est une femme honnête. Elle m'avait dit:

— Tu as le droit de prendre ton temps. On s'est tous un peu trop agités autour de ce projet. Tu veux réfléchir? Réfléchis. Ne crois surtout pas qu'on est là à attendre notre part de fric et de notoriété — en tout cas,

420

ça n'est pas mon cas, ni, je l'espère, celui de David. Toute décision que tu prendras, je la comprendrai et la respecterai.


Le rendez-vous avait lieu dans un petit bistro de la rue de Seine, dans un quartier où mes occupations quotidiennes d'*au pair girl* ne me portaient guère. J'étais partie plus tôt que prévu et j'étais descendue à une station de métro d'avance, ce qui m'avait permis de remonter le boulevard Saint-Germain à pied. J'avais traversé le carrefour Saint-Germain-des-Prés, longé les cafés, les boutiques, et sur le trottoir de droite, quand on se dirige vers le carrefour de l'Odéon, quelques mètres avant la rue de Seine, j'ai vu une librairie, une façade blanche, avec cette enseigne peinte dans une couleur grenat foncé : Ksiegarnia Polska – Librairie polonaise.

J'ai regardé la vitrine. Il y avait des livres en polonais, ou en français traduits du polonais. Je découvrais des noms : Krajewski, Miłosz, Potocki, Kapuściński. Il y avait des guides, des cartes et des albums, tous consacrés à la Pologne, un catalogue de cuisine des grands-mères polonaises – un dictionnaire francuski-polski et polsko-francuski. Des ouvrages sur la musique et la peinture polonaises. Des CD d'artistes, Raphael Lustchevsky interprétait Chopin. Des DVD de films signés Wajda. Des figurines en bois peint, des chats, des coqs, des poules. Je suis entrée.

Il y avait une vieille dame, petite et ronde, sans forme, les cheveux gris, qui m'a souri et m'a laissée traîner en regardant les rayons et les piles de livres. C'était une boutique hors du temps. La vieille dame est venue vers moi au bout d'un moment et dans un français plutôt limpide, mais avec un accent très prononcé, elle m'a expliqué que c'était un des derniers établissements de ce genre en ville. Il existe toute une communauté polonaise à Paris. Souvent d'ailleurs, le dimanche matin, on peut les voir à la sortie de certaines églises.

— Et toi, m'a-t-elle dit, qu'est-ce que tu fais, quel est ton nom ?

— Maria Wazarzaski.

— Ah, a-t-elle dit en souriant, j'avais bien reconnu que tu es une des nôtres.

Elle était douce, elle parlait lentement, sur un ton fatigué, elle était gentille et chaude, et quand je lui ai touché le dos de la main parce qu'elle m'avait fait rire, j'ai trouvé sa peau agréable, de la vieille soie froissée mais précieuse. Je lui ai dit d'où je venais et qui j'étais, ou plutôt qui je croyais être. Il y avait comme une odeur de pomme dans la boutique vide. Il a dû se passer une heure, je ne sais pas, le temps s'était arrêté. Je lui ai en grande partie raconté mon enfance, bien plus à cette inconnue qu'à n'importe qui d'autre — sauf, sans doute, à Edwin Stadler, lorsqu'il m'avait confessée.

Et puis, des gens sont entrés, un couple de vieux, aussi âgés que la dame. Ils se sont mis à converser en polonais avec elle et je ne comprenais rien, bien évidemment, mais je me sentais proche de tous ces sons, ces mots, ces intonations, le déroulé de leur langue. J'ai voulu m'asseoir. La vieille m'a donné un verre d'eau. Je continuais d'écouter leur musique. Il y avait un tremblement dans mon ventre, mais il n'était pas douloureux. C'était de l'émotion pure. J'ai cru revoir la même lumière, et je me suis crue prise du même éblouissement qui avait fait danser et tourner des images dans ma tête, un choc comparable à ce qui m'était arrivé quand on m'avait jetée du camion dans la Napa Valley. Un éparpillement d'images envahissait ma vision.

Les trois Polonais, le couple et la petite vieille dame, ont continué de parler entre eux. Je me suis levée. J'ai dit au revoir à la vieille dame, elle m'a embrassée, elle sentait toujours la pomme. Elle m'a dit que je pouvais revenir quand je voulais. Dehors, c'était à peine si je retrouvais mon chemin et pourtant, la rue de Seine était là, juste en face, il suffisait de traverser le boulevard.

À la terrasse du bistrot, j'ai vu Caroline, l'air ulcéré. Elle a désigné sa montre d'un geste du doigt.

— Tu sais combien de temps tu m'as fait attendre ? J'ai failli m'en aller. Heureusement, j'avais des trucs à lire. Assieds-toi, t'es pas dégonflée, quand même.

— Je suis désolée, ai-je dit. J'ai des choses à te dire. J'ai réfléchi.

— Je vais te parler en anglais, lui ai-je annoncé, parce que, contrairement à ce que vous croyez tous, je n'ai pas une maîtrise assez sophistiquée de votre langue pour t'expliquer ce que je veux dire.

— D'accord, Maria, comme tu veux.

— Voici : cette proposition m'a troublée, parce que j'ai bien vu ce qui pourrait m'arriver — vous me l'avez assez décrit et parfois en termes excessifs —, et je me suis dit que je n'étais pas prête à faire face à tout ça, enfin, pas encore. Ne crois pas que cela ne m'intéresse pas. Mais j'ai réfléchi. Avant de devenir une image, j'ai besoin de savoir qui je suis vraiment. Si je dois faire face à tout ce que vous m'avez prédit, à tout ce qui peut m'arriver, échec ou réussite, et soumission à une exposition permanente, j'ai besoin de mieux me connaître. Il me manque quelque chose sans quoi je ne pourrai pas résister à la frénésie que j'ai pu deviner, le bruit et les choix, les décisions et l'argent, les contrats et la pression, tous les dangers de l'exposition. Et le regard des autres. Et la médiatisation.

— Ta sagesse me surprend.

— Non, non. Je me suis construite à peu près toute seule, peu à peu, depuis mes vagabondages et mes petits boulots dans toute la Californie, à travers l'ouest, jusqu'à mon arrivée dans une famille de la haute société de San Francisco. J'ai beaucoup appris. J'ai fait, une fois, une très grosse bêtise. Mais j'ai tout dissimulé. Je passais ma vie à absorber les gens et les choses comme une éponge, observer et comprendre, et surtout, règle majeure, absolue, m'adapter. Ça m'a mûrie. L'expérience parisienne a été une autre étape. Je ne suis plus tout à fait la même, mais je sais que je ne suis pas complète.

— Personne ne l'est jamais vraiment, Maria.

— Regarde-toi, Caro, tu viens d'une famille, tu as des frères et des sœurs, tu as une culture intime, des souvenirs à partager, des racines. As-tu bien mesuré ta chance ?

— Oui, mais...

— Attends. Si je dois — et pourquoi pas — entrer dans votre univers, avec ses codes, ses risques, ses fausses apparences, ses imprévisibles conséquences, et peut-être ses vraies satisfactions, tout ce que j'anticipe et que je pressens, tout ce que, grâce à toi, j'ai pu imaginer — si je dois le faire, j'ai besoin de combler un manque, un vide en moi. Je ne veux pas arriver sous la lumière sans avoir fouillé l'ombre.

— C'est bien dit. Jolie formule.

— Je t'en prie ! Je n'essaie pas de briller. J'essaie de te faire comprendre. Il faut que je sache d'où je viens, vraiment. C'est maintenant que je veux retrouver la trace et l'identité de ceux qui m'ont abandonnée à un couple de salauds. Pardon, Caro, mais je crois que, par toutes sortes de chemins invisibles, et le plus récent remonte à peine à une heure, je crois que je viens d'arriver à cet instant classique chez tout enfant adopté, tout orphelin. J'ai besoin de savoir. Et c'est aujourd'hui que je me sens assez forte pour entamer cette étape.

— Je te comprends, mais ça veut dire quoi ? Tu repars pour San Diego, tu laisses tomber les Stadler, tu t'embarques dans un voyage dont tu ne connais pas la fin, c'est ça ?

— C'est à peu près ça, oui.

— Et si tu ne trouves rien ?

— Je trouverai. Au moins, je veux savoir qui m'a abandonnée et pourquoi. Tant que je ne le saurai pas, je serai incapable d'aller plus avant dans la construction de mon existence.

— Ça peut prendre du temps.

— C'est pas sûr et c'est pas grave. Écoute, Caroline, je vais te dire quelque chose que tu garderas pour toi. David ne doit pas le savoir, ni personne d'autre. Tu peux faire ta vie avec cet homme, et sans doute ça peut marcher, mais ça n'est pas pour ça que tu dois tout lui dire. Jure-moi le secret absolu.

— Je te le jure.

— Je vais te dire pourquoi je saurai assez vite qui sont mes vrais géniteurs. Ma mère adoptive est muette, c'est une invalide, je ne peux rien attendre d'elle. Mon père adoptif est une ordure. Il m'a violée. C'est pour ça que j'ai fugué. Ni lui ni elle n'ont cherché à me retrouver — c'est te dire le prix qu'ils accordaient à ma personne. Il m'a violée, comprends-tu ? Violée. Il ne s'est pas passé un jour de ma vie sans que j'y pense. Eh bien, il va tout me dire cette fois. Je suis assez forte pour l'affronter. Je possède cette arme contre lui maintenant. Il n'a pas intérêt à jouer au con.

— Tu te crois capable de faire face à un homme pareil ?

— Oui. Si je ne suis pas capable de ça, alors je suis incapable de devenir ce que vous attendez tous de moi. Puisque je n'ai pas pu tuer Wojtek Wazarzaski, alors, au moins qu'il me serve à quelque chose !

— Pardon, mais je ne comprends pas ce que tu viens de dire.

— Je ne peux pas t'expliquer. Ça m'a échappé. Excuse-moi. Oublie ça.

Caroline buvait son éternel thé vert. Elle me regardait en silence. À son tour, elle réfléchissait. Je n'avais pas l'impression de lui en avoir trop dit, je lui accordais toute ma confiance. Sur la structure de son visage typique de belle jeune femme française, je pouvais presque lire les questions qu'elle se posait, sa volonté de comprendre, mais pas plus qu'aucun être au monde elle ne pouvait, comme ils disent souvent dans ce pays, « se mettre à ma place ». Alors, pour pallier cette impuissance, elle eut un geste affectueux vers moi. Elle me caressa la joue comme on le fait à un enfant.

— Ma pauvre Maria, si j'avais su. Tu as dû vraiment souffrir.

— Pas toujours. J'ai tout pris comme ça m'arrivait. On m'a aussi beaucoup tendu la main. Quand j'y réfléchis, le plus bel acte de bonté qu'on ait eu à mon égard, la bonté gratuite, je la dois à un ouvrier agricole mexicain, Miguel, il y a déjà longtemps de cela.

— Tu ne peux pas oublier ton « protecteur », l'ambassadeur, Edwin Stadler.

— Non, tu as raison, je ne peux pas l'oublier. D'ailleurs, en te quittant, je vais aller le voir pour lui faire part de ma décision, tout lui raconter de ce que vous avez fait avec moi, le test télé, vos propositions, ce que j'en ai conclu.

Elle a souri avec tristesse :

— Alors, on ne te reverra plus.

— Tu te trompes. Je reviendrai. J'ai goûté à votre vie et à votre pays. Il me séduit plus qu'un autre. Je vais te promettre quelque chose, et si tu veux, je vais te l'écrire, puisque ta « partenaire-associée-amie », Sylviane, semble adorer noircir du papier, semble adorer établir des contrats, et comme elle semble aussi tellement tenir à son *star is born*, je suis prête à te l'écrire. Oui, sur le papier, je suis prête à t'écrire : « Moi, Maria Wazarzaski, délègue à la société DMSC l'exclusivité de mes futures prestations télévisuelles. »

Caroline a ri. Elle m'a dit :

— Je t'aime, Maria.

— Moi aussi, je t'aime.

# 25

Caroline vint transmettre un demi-mensonge à ses partenaires.

— Maria veut partir pour revoir toute sa famille en Californie, elle a beaucoup de cousins, de cousines, de frères et de sœurs, d'oncles et de tantes. C'est une vraie tribu, apparemment. Donc voilà, elle veut tous les revoir avant de revenir faire le grand saut ici.

Les réactions furent diverses. Caroline, à l'aune de ce qui constituait un petit événement au sein de cette nouvelle équipe, pouvait mesurer le caractère de chacun. La vérité des gens ne se jauge que dans l'échec ou la crise.

Margo fut acide :

— Et combien de temps ça va durer, ces retrouvailles ?

Caro :

— Aucune idée.

Margo, de plus en plus hargneuse :

— Alors c'est comme ça, elle nous plante, c'est une tarte, une courge, elle n'a rien compris. Quelle conne !

Sylviane prit son air rigolard. Elle savait encaisser les coups, elle ne put réprimer un :

— Adieu, veaux, vaches, cochons, couvée.

David eut une attitude sereine, comme s'il avait soudain gagné en âge. Il parlait comme le patron qu'il deviendrait un jour.

— Il faut respecter sa décision. On l'attendra. De toute façon, le concept reste valable. Il suffit de se remettre à la chasse de quelqu'un d'autre. J'y crois.

Sylviane :

— Mais faut pas rêver ! On n'en trouvera jamais deux comme elle.

Margo perdait le contrôle de ses nerfs.

— Et qu'est-ce qu'on va dire à Liv Nielsen, hein ? Qu'est-ce qu'on va lui dire ? De quoi on aura l'air ? Comment elle va prendre ça, Liv ?

Caroline sortit de son sac une feuille de papier pliée en deux :

— On peut peut-être lui faire lire cette lettre, signée de Maria.

Liv Nielsen reçut la nouvelle avec son flegme habituel, le coffre-fort de ses émotions plus fermé encore que de coutume. Dans l'après-midi, toute seule, elle voulut s'offrir une deuxième vision du «Test Projet Maria — Nouveau Regard» — puisque, naturellement, comme l'avait soupçonné David, elle avait fait faire une copie du DVD dont Margo, complice ou naïve, avait prétendu être seule détentrice. La Présidente eut un court soupir de regret à la fin de ce visionnage. Puis, elle décida de proposer un déjeuner en tête à tête à Marcus Marcus. Il y avait longtemps qu'ils n'avaient pas fait ça, elle pensait qu'il en tirerait peut-être quelque plaisir. Elle le trouvait très triste depuis quelque temps, amaigri, le visage fermé, comme s'il couvait elle ne savait quelle maladie. Elle se demanda si elle devait lui montrer le DVD. Après tout, songeait-elle, dans un mélange de sadisme et de curiosité, ça pourrait beaucoup l'intéresser, Marcus, à plus d'un titre.

# 26

Depuis qu'il avait endossé le costume et la responsabilité d'ambassadeur, avec un succès dont Caroline et Tea m'avaient souvent rapporté l'écho, et dont j'avais confirmation régulière à la lecture des journaux, Edwin Stadler avait changé. Son visage s'était modifié. Il avait perdu ce hâle venu des heures passées sur son voilier dans la baie de San Francisco, il avait pris des rides supplémentaires. Il s'était un peu épaissi. Trop de déjeuners et de dîners. Mais il conservait sa prestance, cette allure d'homme modèle, cet air d'autorité intelligente qui lui valait le respect souvent craintif de ses enfants, l'admiration parfois aveugle de son entourage.

Pour moi, il demeurait une référence, une ancre. Il avait la vertu pacificatrice d'un lac de haute montagne. En quittant son univers, je savais que je m'engageais dans des zones non protégées, floues, imprévisibles. Il m'écouta sans m'interrompre. Puis, de cette voix grave et tranquille avec laquelle il pouvait séduire autant que sanctionner, il me dit :

— Je comprends votre décision. Elle est courageuse. Visiblement définitive. Vous refusez une offre qui aurait pu vous propulser dans une autre dimension — mais ce refus est la démonstration de votre surprenante sagesse, surprenante pour quelqu'un de votre âge.

Il m'avait reçue dans les appartements privés de la résidence. Tea avait été conviée à un « dîner de femmes » dans un cercle très exclusif, me dit-il avec un sourire indulgent, et les enfants, qui avaient dîné tôt, préparaient leurs devoirs du lendemain sans moi. Il avait fait servir une tisane dans le salon-bureau du premier étage. Comme les lumières du jour tombaient vite en cette saison, les lampes étaient allumées aux quatre coins de la pièce. Edwin Stadler aimait les pièces pleines de lampes, sans lumière centrale. Ça donnait à son salon, comme une réplique de sa demeure de San Francisco, des allures de club privé à l'anglaise, une ambiance rassurante, la sensation qu'il n'y a pas à proprement parler de point principal, mais des espaces discrets, réservés à chaque individu.

— Rien ni personne ne peut vous critiquer, continua-t-il. Les enfants seront malheureux, mon épouse sera contrariée, mais vous avez la liberté de votre choix et je ne peux que m'incliner devant votre objectif. C'est-à-dire la recherche de vous-même.

Il me détailla du regard, des yeux à la poitrine, d'une façon presque provocatrice, ce qui me surprit.

— La proposition de vos amis de la télévision ne m'étonne pas. Vous pouvez très bien devenir ce qu'ils attendent de vous. À la limite, vous pourriez même viser plus haut. J'ai souvent pensé que si un *talent scout* de Hollywood vous avait repérée, vous auriez été destinée à devenir actrice. Vous êtes capable de jouer tous les rôles, puisque vous ne connaissez pas la réalité de votre rôle dans la vraie vie.

Du dessous d'une pile de dossiers qui étaient entassés sur la partie gauche de son bureau, il prit une chemise cartonnée qu'il tint entre ses mains sans l'ouvrir, en la faisant légèrement danser en l'air devant mes yeux.

— Nous allons, vous et moi, rester comme depuis que vous avez admis vos mensonges, dans le domaine du secret et de la confidence. J'ai une prédilection pour le secret, les secrets, surtout lorsque j'en connais les causes et que j'en devine les conséquences.

Il reposa le dossier à plat au milieu du bureau. Il mit sa main sur le dossier.

— Ce dossier va vous aider. Il n'en existe qu'un exemplaire. Vous en êtes désormais propriétaire. Il s'agit de l'enquête que j'ai fait mener, par un de mes investigateurs privés, appelons-le l'« opérateur », pour savoir exactement qui vous étiez et d'où vous veniez. Rappelez-vous notre entretien. Vous y trouverez donc, à mon avis, nombre d'éléments qui peuvent faciliter votre recherche de la vérité. Le privé n'a pas poussé son enquête jusqu'à essayer de connaître votre vraie mère et votre vrai père. Ce n'était pas la mission que je lui avais confiée. En revanche, il y a dans ce dossier des références, des numéros de téléphone, quelques copies d'archives des admissions à l'hôpital de San Diego, du département des adoptions, etc. Vous devriez, selon moi, tomber sur des pistes qui vous conduiront à la vérité.

Il appliqua la paume de sa main, doigts écartés, sur le dossier, comme pour m'indiquer qu'il en était encore le seul maître. À nouveau, il me regarda longuement, avec un sourire ambigu dont je n'arrivais pas à comprendre le sens. Je voyais s'amorcer sur son visage quelque chose que je ne faisais que discerner.

— Maintenant, dit-il, en articulant ses mots de façon encore plus précise et plus lente que d'habitude, ma chère Maria, il ne faudra pas forcément vous attarder du côté des docks de San Francisco.

J'ai sursauté. Il a conservé ce sourire énigmatique, celui de l'homme qui en sait plus qu'il n'en dit. Puis, lentement, il a ouvert le dossier en débouclant la sangle. Il en a extrait une sous-chemise en plastique qui semblait constituer une partie séparée du dossier principal.

— Je vais vous raconter une histoire. Le privé, l'opérateur que j'avais chargé de vous prendre en filature, n'a pas cessé de le faire, même une fois que je l'ai eu payé — puisque je savais tout ce que je voulais savoir sur vous. C'était devenu une telle routine pour lui qu'il n'a sans doute pas pu s'en défaire. Et puis, peut-être le fasciniez-vous un peu. À mon avis, c'était une sorte de déformation professionnelle. Ou bien alors, quelque chose en vous l'intriguait. Il est vrai que vous avez toujours intrigué les hommes. C'est un drôle de type, un fouineur solitaire. Il ne vous filait pas tout le temps, mais par intervalles, quelquefois il s'arrêtait pendant tout un semestre. Et puis, comme ça, par jeu, ou par obsession, il reprenait. Vous n'étiez pas très difficile à repérer. Il lui suffisait, le samedi matin quand vous preniez vos week-ends pour aller soi-disant à San Diego, de vous piquer à la sortie de notre maison et de vous suivre jusqu'au YWCA. Et de là, un soir, il vous aura suivie jusqu'aux docks. Le WHAM WHAM, ça vous dit quelque chose ? Ça ne vous rappelle rien ?

J'ai résolu de me taire. Je savais qu'il n'avait pas encore fini. Et je croyais entendre, sourd et battant dans ma cage thoracique, le WHAM WHAM CHOKEPOUWA CHOKEPOUWA, de ma nuit de folie. Edwin Stadler avait cessé de sourire. Aucune sévérité sur le visage, seulement comme un secret plaisir du constat objectif, la délectable sensation d'en savoir plus que tout autre et de dominer l'échange — comme il avait aimé le faire toute sa vie.

— Il s'est passé un drôle de truc ce soir-là dans la boîte à musique de la mafia chinoise, n'est-ce pas ? Vous vous en souvenez forcément, Maria. Ç'a été le fait divers de l'année. Il y a eu deux morts, par balles, et puis un blessé par arme blanche Il venait de San

Diego. Il s'appelait Sam Whittaker. Ça vous dit quelque chose ?

J'ai continué de me taire, j'ai baissé la tête.

— L'opérateur, mon privé, a fait plusieurs clichés avec son portable. On vous voit accompagnée d'un inconnu non identifié. Vous rentrez avec lui dans la Machine à Sons. Les clichés à l'intérieur sont bien plus pauvres et plus rares. Il y a toute cette panique, on voit la bousculade, mais si on voulait vraiment travailler sur un cliché particulier, plutôt flou, pris dans le noir et taché par des flashes voisins, on pourrait reconnaître votre silhouette qui enjambe plusieurs corps au sol. À la sortie, les clichés restent flous, mais plus reconnaissables. On vous voit courir. L'inconnu vous embarque en voiture. C'est tout. Alors, bon, ça n'est rien, ça ne prouve rien, tout cela ! Sauf que, ce soir-là, un homme a été blessé, il appartenait à un groupe de congressistes des agents de sécurité, section San Diego. Bien plus tard, alors que nous étions déjà à Paris, il a succombé à ses blessures, il est mort.

Je ne disais toujours rien. Que pouvais-je dire ? J'étais à sa merci, même si j'entendais et voyais, à sa manière toujours paternaliste de me regarder et de me parler, qu'il ne jugeait, ni ne condamnait.

— J'ai racheté tous les clichés à l'opérateur — il est venu me les apporter de lui-même. Il savait qu'il toucherait une jolie petite somme. J'ai fait faire des recoupements par d'autres privés plus neutres que lui. On a obtenu la liste nominative des congressistes venus de

San Diego. Votre père adoptif en faisait partie. Wojtek Wazarzaski.

Il se gratta la tête, un geste incongru chez lui.

— Je ne suis jamais parvenu à tout à fait lier tous les bouts de cette histoire. Il y a un grand nombre de coïncidences, de très jolies raisons d'avancer de nombreuses hypothèses. Et, dans chaque hypothèse, vous jouez un rôle, je ne sais pas véritablement lequel. La police officielle s'est polarisée sur le crime anti-mafia chinoise et ils ont totalement oublié Sam Whittaker. Rassurez-vous. Nous n'avons pas à San Francisco la meilleure police du pays — loin de là. Mais enfin, si j'étais vous, je ne traînerais pas longtemps dans les parages.

Il décida enfin de me tendre le dossier à travers le bureau, et, en extrayant la sous-chemise en plastique, il ajouta :

— Vous êtes libre de le détruire une fois que vous l'aurez lu. Il ne peut rien vous arriver, Maria, je suis le seul à tout savoir. Et à avoir peut-être compris. Mais je ne vous demande aucune explication. L'opérateur privé s'appelle James Oliver Mann. Retenez ce nom, on ne sait jamais. Mais il ne peut rien contre vous. Je l'ai suffisamment payé pour qu'il s'occupe d'autre chose. Aux dernières nouvelles d'ailleurs, vous savez que j'aime être au courant de tout, il a quitté les États-Unis pour une mission chez Blackwater. Vous savez, c'est le nom de cette société privée qui sous-traite l'armée US en Irak. Ce sont des soldats de fortune qui gagnent des millions. C'est une véritable honte pour notre pays. Nous n'avons même plus une armée capable de faire toute seule son métier. C'est lamentable.

Edwin Stadler semblait soudain préoccupé par d'autres problèmes bien plus graves que mon malheureux petit tas de secrets. Son pays, l'Amérique, le destin d'une nation dont il pensait, sans l'avoir encore exprimé en public, qu'elle méritait d'autres leaders que ceux qu'il avait côtoyés, voire servis.

Je n'avais toujours pas parlé. Il a ri enfin, et bu une tasse de tisane, et ri à nouveau, un rire qui paraissait plus s'adresser à lui-même qu'à moi.

— Eh bien, je vais vous laisser partir, Maria, et vous souhaiter bon vent.

Je lui ai dit :

— Attendez, monsieur Stadler. J'ai besoin de savoir pourquoi vous avez fait tout ça pour moi.

— Qu'est-ce que vous voulez dire ?

— Vous m'avez protégée, vous m'avez permis de grandir, d'apprendre, de connaître d'autres mondes. Si j'ai grandi et mûri, c'est grâce à vous. Vous avez accepté et compris mes mensonges. Vous m'avez donné la possibilité de vous accompagner ici, à l'étranger. Enfin, vous venez de me livrer un dossier qui... Je voudrais savoir.

Edwin Stadler a regardé sa montre. Il se faisait tard.

— Je vais vous dire, Maria. Je sais très bien, très bien, ce que c'est qu'une jeune fille perdue et abandonnée, venue de nulle part, venue des bas-fonds de notre société, et qui veut s'en sortir, et à laquelle un homme riche et privilégié a l'occasion de donner sa chance. Ce sont des choses qui arrivent en Amérique. Notre pays est plein d'histoires comme la vôtre. J'en ai connu une de ce genre, il y a déjà très longtemps. J'ai toujours fait un parallèle entre vous et une autre jeune fille, aussi abandonnée et aussi séduisante que vous.

Le silence se fit. Son regard était perdu, un fin sourire sur ses lèvres, mi-triste, mi-fier, comme si la mémoire de ce qu'il n'avait pas voulu entièrement me dire l'emplissait de nostalgie et d'interrogations.

— Savez-vous que nous allons fêter nos vingt ans de mariage avec Tea, cette année ?

Il a contourné le bureau, m'a prise contre sa poitrine, en tapotant doucement mes épaules et, avant de s'écarter, a posé un baiser affectueux sur le haut de mon front.

— Prenez soin de vous, jeune fille, je vous souhaite de trouver un jour ce qui vous a le plus manqué.

Je n'ai pas pu retrouver ma chambre et je suis sortie dans la rue du Faubourg-Saint-Honoré. J'ai marché jusqu'à la Seine. Je regardais l'eau couler. J'avais peur, et, en même temps, une sorte de bonheur tranquille semblait naître en moi.

Je regardais le fleuve, mais je pensais à la mer.

## 27

Mo-tzu, philosophe chinois, 479-391 avant J.-C., a dit : *Le sage doit rechercher le point de départ de tout désordre. Où ? Tout commence par le manque d'amour.*

Lorsqu'ils prennent le train, souvent, les enfants s'étonnent ou s'émerveillent, à l'entrée ou à la sortie des gares, de ces rails qui forment des lignes parallèles, lesquelles, à un moment donné, vont se croiser pour former des nœuds qui leur donnent le vertige. Il serait futile et absurde de vouloir établir une comparaison entre cette image des rails et de leurs entrelacs et celle de la vie, puisque, pour ce qui concerne le trafic ferroviaire, le croisement des lignes est déterminé par des ingénieurs, ordonnancé par des aiguilleurs, planifié, concerté, organisé, et qu'il obéit à une logique. Tandis que, dans la vie, personne ne peut dire à quel moment et pour quelle raison les destins parallèles de quelques

hommes ou femmes vont se croiser. Et quel est l'aiguilleur, s'il y en a un. Et s'il y en a un, quel objectif
poursuit-il ?

Le désordre. Tout commence par le manque
d'amour. Marcus Marcus manquait d'amour. Caroline
Soglio manquait d'amour. Maria Wazarzaski manquait
d'amour. L'aiguilleur aveugle et inconnu, que certains,
faute de mieux, appellent le hasard, et que d'autres,
plus chanceux, appellent Dieu, a fait que ces vies
parallèles se sont un jour croisées. Certaines se sont
rejointes, d'autres ont bientôt repris leur cours, qui
n'est plus parallèle. On peut lire, aujourd'hui, sur la
carte ferroviaire de ces quelques vies, des tracés qui
ne se rencontreront plus. Nous savons que les lignes
vont toutes vers la même destination — aussi bien
celles des
*Pauvres rois, pharaons !*
*Pauvre Napoléon !*
*Pauvres grands disparus gisant au Panthéon !*
*Pauvres cendres de conséquence !*
que celles des gens dépourvus d'importance.

# 28

Le monde entier est un théâtre,
Et tous, hommes et femmes, n'en sont
que les acteurs ;
Ils sortent, ils rentrent ;
Et chaque homme en son temps joue
plusieurs rôles.

William Shakespeare,
*Comme il vous plaira,*
acte 2, scène 7.

MIGUEL a quitté la Napa Valley. Il a fondé une famille à North Platte, une petite ville du Nebraska dont le nombre d'émigrés latinos a décuplé en quelques années, ce qui ne manque pas d'irriter les Blancs du coin. Miguel vient d'être nommé responsable syndical de l'entreprise de mise en boîte de viande où il a trouvé un job stable.

DARRYL a été retrouvé mort dans un réservoir

d'eau asséché de Bodega Bay, à une heure de route de San Francisco. Trois balles dans la nuque. Trois trous en forme de triangle. Signe d'un règlement de comptes entre organisations secrètes.

ROSE n'a pas quitté l'armée du salut de Tenderloin à San Francisco. Elle s'est mariée avec son *boyfriend*, Bobby, qui joue de la guitare dans les boîtes du quartier gay de Castro.

JAMES OLIVER MANN a été tué dans une embuscade tendue par un clan shiite à l'orée de Bagdad, sur la route de Bassora.

Les GRETZKI continuent de donner leurs dîners rue de La Planche. Devant le nombre croissant d'intéressés, ils ont décidé de réclamer une participation à chaque dîneur et de créer, avec l'argent amassé, une petite fondation. La somme ira à une organisation s'occupant de jeunes handicapés désireux de travailler dans l'univers de la communication.

BÉATRICE, sœur de Caroline Soglio, veuve d'Emmanuel, est retournée dans le sud-ouest de la France pour reprendre l'exploitation de la propriété viticole familiale.

DOUGLAS MAC CORQUEDALE poursuit ses activités d'investigations et a entamé la rédaction de son autobiographie : *Un renard n'a pas d'amis*. Son agent, un astucieux Britannique, a négocié une avance de deux millions de dollars auprès d'un éditeur new-yorkais.

SYLVIANE CARVALHAL vient de vendre « Coach and Coaching » à un groupe multimédia hollandais. Mais elle conserve la conduite de l'entreprise et demeure partenaire associée de DSCM — dont le logo a été modifié et réduit à trois lettres, DSC.

AVIV VASTA annonce qu'il abandonne la photo de mode et qu'il va entreprendre un tour du monde. Il s'est fixé pour but de photographier et de répertorier partout où il ira la façon dont les hommes et les femmes sourient. Son exposition « Six milliards de sourires » est programmée et sera dans trois ans le clou de la foire internationale de Dubaï.

THÉODORE PEYRELEPONT a raté le prix Goncourt d'une voix pour son roman : *J'ai toujours pensé qu'un type qui n'en a rien à foutre est condamné à réussir.*

LE PRÉSIDENT PERVILLARD repose en paix dans le cimetière de la station thermale Prats-de-Mollo-la-Preste, son village natal en pays catalan. Son livre posthume a fait un bide en librairie.


MARGO a rompu son pacs avec la magistrate et sort avec un styliste italo-belge. Après s'être brouillée avec David, Caroline et Sylviane, elle s'est retirée de la société. Elle vient d'être promue directrice adjointe des programmes de la chaîne présidée par Liv Nielsen.

445

LIV NIELSEN est pressentie pour être nommée ministre de la Culture et de la Communication à l'occasion du prochain remaniement au sein du gouvernement.

TOM PORTMAN a téléphoné un jour à Caroline Soglio.

— Tu vas bien ? C'est Tom.

Caroline a marqué un temps avant de reconnaître la voix et même de se souvenir du prénom de l'homme avec qui elle a vécu une passion et qui l'a humiliée en la congédiant comme une fille de joie. Sa propre voix ne s'est pourtant faite ni froide ni hostile. Elle a répondu en imitant, sans le vouloir, le ton neutre et courtois des opérateurs de *call-centers* quand on les appelle pour obtenir un renseignement :

— Je vais très bien, merci. Je peux faire quelque chose pour toi ?

Tom :

— Ah bah, voilà, c'est bien, écoute, non, euh, donc voilà, non rien, je voulais juste prendre de tes nouvelles.

— Ça va très bien, merci.

Elle a senti qu'il hésitait. Un silence. Elle s'apprêtait à couper la communication. Il a repris :

— Et... y a quelqu'un dans ta vie ?

Elle a refréné un rire :

— Oui, y a quelqu'un. Pourquoi ?

— Oh, pour rien, non, voilà, je suis seul, alors je m'étais dit...

Caroline n'a plus retenu son rire. Mais elle le voulait mesuré et mûr, sans aucune note vindicative. Elle a été tentée de l'interroger — « l'Égyptienne » l'avait donc libéré de ses chaînes, ou bien était-ce lui qui, une nouvelle fois, avait essayé de s'évader de la cage ? Caroline a préféré se taire. Le débit de Tom s'accélérait :

— Donc, voilà, je vais t'expliquer...

Elle l'a interrompu.

— Excuse-moi, Tom. Ne m'explique rien. J'ai des choses à faire. Salut.

Elle a composé le numéro de téléphone de David et, comme la ligne était occupée, elle a laissé un texto : « Mon chéri, j'ai quelque chose d'assez amusant à te raconter. »

EDWIN et TEA STADLER, comme prévu, ont quitté l'ambassade des États-Unis quelques semaines après la passation de pouvoir à la Maison-Blanche. Ils ont regagné San Francisco où Tea Stadler a repris ses activités caritatives et sociales. Elle vient de se faire faire les premières injections de botox sur le front et autour des yeux de son visage de quinquagénaire.

EDWIN STADLER, de son côté, vient de céder à la pression de ses amis. Un comité « STADLER FOR PRESIDENT » est en train d'établir les bases de sa

447

candidature pour la prochaine campagne présiden-
tielle, dans quatre ans.

Il prend régulièrement des nouvelles de Maria.

DAVID CAHNAC vient de signer pour trois émissions dites « de flux » avec trois chaînes différentes de
télévision, ce qui devrait assurer à la société DSC une
année, sinon plus, de revenus suffisants. Par ailleurs, et
après plusieurs mois de recherche, David a déniché,
dans un centre artistique municipal de Mantes-la-Jolie,
un jeune homme d'origine somalienne. Souleiman
Diouf est un ancien « enfant soldat », recueilli par MSF
dans un camp de réfugiés du Soudan et dont les éton-
nantes capacités d'éloquence permettent à David
d'espérer qu'il fera un formidable animateur du projet,
jamais abandonné, le « Nouveau Regard ».

CAROLINE SOGLIO, l'épouse de David, a décidé
de contribuer, comme des milliers d'autres Françaises,
au maintien du taux de fécondité le plus élevé de
l'Union européenne. Si c'est une fille, elle l'appellera
Maria.

— Et si c'est un garçon ?

— Ce sera une fille. Il y a toujours eu des filles dans
la famille.

# 29

MARCUS MARCUS est atteint d'une tumeur au cerveau. En terme technique médical, cela s'appelle un glioblastome de haut grade. Le traitement est douloureux et le diagnostic sans espoir : dix-huit mois de survie, au mieux.

Tous les vingt et un jours, il subit une chimiothérapie. Dans les premières quarante-huit heures qui suivent, la fatigue et la nausée l'empêchent de vivre normalement. Mais il a réussi à aménager son agenda de façon telle que son émission n'est jamais suspendue. Et même si, vers le onzième ou douzième jour, la fatigue revient, il se sent et se veut capable de recevoir son invité, toujours en direct, le crâne couvert d'une perruque dont la forme et la couleur, désormais, lui importent peu. Sa nouvelle équipe d'assistants et de collaborateurs admire son courage.

Le timbre de sa voix s'est modifié, le ton de ses entretiens aussi. On observe plus d'indulgence de sa part, l'émergence d'une sorte de tendresse, de

conscience, les religieux diraient une forme de dilec-
tion, d'empathie. Cela a considérablement changé le
ton et l'allure de l'entretien. L'émission a gagné deux
points supplémentaires en taux d'audience.

Entre les jours de fatigue et ceux de rémission, quand
il est un peu plus vaillant, Marcus Marcus effectue
quelques sorties en ville, il assiste à quelques dîners,
quelques réceptions. Il est le premier à se lever de
table. Ceux qui connaissent son état le comprennent et
le plaignent en silence. D'une certaine manière, il a fini
par être aimé.

Ensuite, il rejoint, seul, son nouveau penthouse de
trois cents mètres carrés au sommet de la plus récente
tour de la Défense, Le Noumène. Il lui arrive alors de
s'installer dans un fauteuil agrémenté d'un repose-pieds
et de glisser dans le combiné TV-DVD- player la copie
du DVD que lui a offert Liv Nielsen, ce qui lui permet
de visionner dans sa beauté inaccessible, irréelle, le
visage de Maria Wazarzaski. Étrangement, suivre les
yeux de la jeune femme, son sourire, cet accent exotique et charmant, cette façon d'interroger, désarmante
dans son mélange d'habileté et de naïveté, apaise ses
douleurs. Il arrête l'image, revient en arrière, puis en
avant. Il renouvelle la manœuvre à plusieurs reprises.
En avant, en arrière. C'est presque comme si la jeune
femme était là, vivante, dans la pièce, avec lui.

Il verse une larme lente, et cette larme lui est d'un
certain réconfort. La larme du clown qui meurt.

# 30

À l'aéroport San Diego International, MARIA WAZARZASKI est sur le point d'embarquer sur le vol Delta DL 106 en direction du Francfort International Airport. Arrivée à Francfort, elle prendra une correspondance sur le vol LO 5376 de Lot-Polish Airlines en direction de Varsovie.

À l'aéroport Frédéric-Chopin de Varsovie, elle montera dans le vol Eurolot K 23933 en direction de Szczecin, la septième plus grande ville de Pologne, chef-lieu de la Voïévodie de Poméranie occidentale, troisième plus grande ville portuaire du pays, située dans l'extrême nord-ouest de la Pologne, sur les deux bancs de la rivière Oder.

Arrivée à Szczecin, un représentant de l'hospice municipal la conduira au deuxième étage de la chambre 15 B, occupée par une dame âgée et mourante dont tout indique qu'elle est sa mère naturelle.


À l'aéroport international de San Diego, Maria est vêtue d'un pantalon de toile kaki, d'un blouson en jean. Elle est toujours aussi belle et lumineuse, le visage aussi parfait. Elle dégage une aura de certitude. On dirait que le mystère d'une violence rentrée a disparu et a fait place à une sorte de sérénité. Elle est chaussée d'une paire de Converse blanc et rouge, elle porte un sac à dos de couleur charbon dans lequel se trouvent les documents, preuves, archives, lettres, qu'elle a mis de longs mois à collecter.

Elle n'est pas seule. On découvre qu'elle est accompagnée par un jeune homme d'une trentaine d'années, grand, brun, le cheveu clairsemé, une légère barbe encadrant son visage. Il la prend parfois par le bras ou la main, protecteur sans être possessif. C'est un Américain, originaire de l'Oregon, avocat de profession, dont elle a fait la connaissance au cours de ses recherches à travers toute la côte Ouest et qui, très épris d'elle, lui a proposé de la suivre jusqu'en Pologne.

Maria n'a pas dit non.